Е.П. БЕРЕЗОВСКАЯ

Это всё гормоны!

Зачем нашему телу
скрытые механизмы и как
с ними поладить

Москва 2019

УДК 611.4
ББК 54.15
Б48

Березовская, Елена Петровна.

Б48   Это все гормоны! Зачем нашему телу скрытые механизмы и как с ними поладить / Елена Березовская. — Москва: Эксмо, 2019.— 384 с. : ил.

ISBN 978-5-04-101870-2

В нашем теле происходит множество процессов одновременно, и далеко не все они регулируются мозгом. Часто за тем, что мы делаем, как мы чувствуем себя и чего мы хотим, стоят невидимые глазу «странные вещества», своеобразные «серые кардиналы» нашего тела, — гормоны.

Но как узнать, какие гормоны для нас опасны, а какие — нет? Сколько гормонов вырабатывается в организме человека? Что значит повышенный или пониженный уровень какого-то гормона и нужно ли его корректировать? Можно ли влиять на гормональный уровень с помощью питания? На эти и многие другие вопросы ответила в своей книге авторитетный врач и публицист Елена Петровна Березовская, собрав и обобщив самые актуальные данные исследований в области эндокринологии.

Внимание! Информация, содержащаяся в книге, не может служить заменой консультации врача. Перед совершением любых рекомендуемых действий необходимо проконсультироваться со специалистом.

УДК 611.4
ББК 54.15

ISBN 978-5-04-101870-2   ООО «Издательство «Эксмо», 2019

Содержание

Вступление

Дорогие друзья!

Рада приветствовать вас на страницах моего нового труда! Прочитав название книги, вы поняли, что она посвящена гормонам, особенно их роли в жизни женщин.

Почему эта книга о гормонах? Разве о них не написано и не сказано уже и так очень много? Совершенно верно! О гормонах написано сотни тысяч статей, несколько тысяч книг, создано немало фильмов. Гормональные препараты стали одними из самых прибыльных лекарств на современном фармакологическом рынке — вспомните хотя бы гормональные контрацептивы. Тема гормонов является не только актуальной, но и очень модной. Поэтому злоупотребляют не только самой темой, создавая много слухов и мифов о гормонах, но и самими гормонами как серьезными медикаментами с большим количеством побочных эффектов.

Гормоны играют важную роль в жизни людей, но у женщин наблюдается больше изменений уровней гормонов, что связано не только с возрастом, но и с такими состояниями, как беременность и грудное вскармливание. Очень многие женщины пользуются гормональными контрацептивами, что тоже влияет на их организм и здоровье в целом. Поэтому в книге мы будем много говорить о значении гормонов для женского здоровья.

Как вы думаете, гормоны наши друзья или враги? Какие гормоны опасны, а какие нет? Сколько гормонов вырабатывается в организме человека? Что значит «повышенный» или «пониженный» уровень какого-то гормона и нужно ли как-то корректировать этот уровень? Можно ли с помощью питания влиять на гормональный уровень? Нужно ли принимать какие-то гормоны при беременности? Существует ли связь между гормонами и возникновением рака? На эти и многие другие вопросы вы получите правдивые ответы на страницах моей книги.

Приятного чтения!

Глава 1

Знакомство с гормонами

20 июля 1905 года английский физиолог Эрнест Старлинг, профессор Лондонского университета, впервые публично использовал слово «гормон» — в переводе с греческого оно означает «возбуждаю, побуждаю». Ученый записал его при обсуждении своих идей с коллегами во время обеда в Кембридже: один из них предложил назвать «странные вещества», которые уже были известны химикам и врачам, гормонами.

В лекции на тему «Химический контроль функционирования тела» Старлинг назвал химические вещества, которые вырабатываются одними органами и переносятся кровью к другим, органам-мишеням (об этом поговорим чуть позже), гормонами. О каком-то конкретном гормоне речь не шла. Но такое новое определение химических субстанций послужило серьезным толчком для ученых и врачей к поиску этих веществ.

Первый гормон был выделен английскими учеными Георгом Оливером и Эдвардом Шафером в 1894 году и польским физиологом и одним из отцов эндокринологии, науки о гормонах, Наполеоном Цибульски в 1895 году. Это был эпинефрин, который сейчас больше известен как адреналин. Первое название этого гормона: «основное вещество надпочечников, повышающее кровяное давление». Химическое строение адреналина впервые описал американский ученый японского происхождения Йокиши Такамине. С этого началась настоящая история гормонов и эндокринологии.

Вслед за адреналином открыли секретин, потом тироксин, инсулин. К 1923 году стали известны четыре гормона.

В те времена роль гормонов не была изучена, хотя и сейчас их функция полностью не понятна, поэтому все еще сопровождается большим количеством домыслов.

Что такое гормоны

Итак, больше ста лет тому назад, даже не имея названий для гормонов, не зная, где они вырабатываются, в каком количестве и в какой форме, ученые все же отвели им роль «посланников» (мессенджеров), передающих сигналы из одних частей тела в другие.

Тема «посланников» была не новой в начале прошлого века, так как в XIX столетии некоторые ученые предполагали существование неких химических веществ, выполнявших важную роль в «общении» клеток и тканей в организме людей и животных. Такие выводы были сделаны на основе введения вытяжек щитовидной железы, надпочечников, яичек и яичников, поджелудочной железы животных в тело людей с разными целями, но в основном при определенных заболеваниях. Часто такие вытяжки назывались «экстрактами жизни» (или молодости). В случаях, когда лечение было успешным, предполагалось, что эти вытяжки содержали вещества, которых не хватало в организме человека. Такие состояния или заболевания позже назвали гормональной недостаточностью.

Кроме того, имелись факты совершенно другого характера. Еще в XVI–XVIII веках во многих театрах были популярны певцы, голос которых часто называли «голосом ангела». Это были юноши и молодые мужчины, в основном выходцы из бедных семей или сироты, проданные во владение театров. В раннем детстве этим мальчикам удаляли яички, и они становились кастратами. Одним из самых известных был Фаринелли, который пел колыбельные для короля Испании. Сейчас его портрет находится в доме Генделя. Кастраты имели определенные внешние признаки, которые отличали их от обычных мужчин: нехватка мужских половых гормонов повлияла на формирование грудной клетки.

Таким образом, даже в те далекие времена было известно, что некоторые органы вырабатывают определенные вещества, влияющие на развитие и функцию других органов и всего организма.

Сегодня мы знаем около 50 гормонов, вырабатываемых нашим телом. Если к списку добавить продукты обмена этих гормонов (метаболиты), которые тоже могут иметь определенную гормональную активность, то он получится в 2–3 раза длиннее.

По **химическому строению** различают следующие группы гормонов:

- амины;
- белки — протеины и пептиды (производные аминокислот);
- стероиды (производные холестерина);
- дериваты жиров.

Здесь важно упомянуть, что помимо натуральных гормонов, вырабатываемых человеческим телом, создано несколько сотен, а возможно, и тысяч синтетических, имеющих похожее действие. Синтетические гормоны нашли широкое применение в гормональной контрацепции и лечении ряда заболеваний.

Какую роль выполняют гормоны

В организме человека нет практически ни одного органа или системы органов, ни одной программы, заложенной в мозгу (размножения, адаптации, выживания и т.д.), которые бы работали без участия гормонов. Это и обмен веществ, и половое созревание, и воспроизведение потомства, и процессы созревания и старения. Так как гормонов много, можно составить длинный список их воздействия на разные ткани и органы, но мы будем рассматривать каждый гормон в отдельности, чтобы вы лучше понимали сферу его влияния на человека.

Если точнее, гормоны заведуют прямой и обратной связью между эндокринными железами, где они вырабатываются, и нервной системой, управляющей всеми функциями организма. Один и тот же гормон может иметь разное воздействие в зависимости от возраста человека и его состояния. Например, пролактин участвует в активации молочных желез у беременных женщин и выработке молока, а у не беременных женщин он может мешать созреванию половых клеток.

Интересно, что строение гормонов и их функция одинаковы почти у всех животных, хотя имеются и различия.

Где вырабатываются гормоны

Гормоны вырабатываются в железах, которые мы называем эндокринными, хотя это название условное. Например, если рассмотреть очередность всех процессов, происходящих в яичнике, то первая фаза менструального цикла полностью «сконцентрирована» на созревании половой клетки. Гормоны, которые вырабатываются яичниками в этот период, большей частью используются внутри самого яичника, поэтому говорят о **паракринной функции** этого органа.

Во второй фазе в функции яичника доминирует **эндокринная активность**, то есть выработка гормонов, которые необходимы для имплантации оплодотворенной яйцеклетки и развития беременности. Поэтому большая часть вырабатываемых яичником гормонов поступает в общее кровяное русло женщины и разносится по всему организму, в первую очередь для их использования маткой и молочными железами.

Таким образом, некоторые органы, вырабатывающие гормоны, могут использовать их и для «внутренних целей», а не только внешних.

Самые важные эндокринные железы:

- **Гипоталамо-гипофизарная система**
- **Щитовидная железа**
- **Паращитовидная железа**
- **Поджелудочная железа**
- **Надпочечники**
- **Гонады (яичники, яички)**

В синтезе любых гормонов человека существует определенный узаконенный природой порядок: сначала в мозг поступают сигналы о том, что обнаружена нехватка какого-то гормона, обычно со стороны тканей, использующих этот гормон. Мозг как управляющий орган подает сигнал в гипофиз (этот сигнал может идти поэтапно через другие структурные единицы разных частей центральной нервной системы и мозга), а тот вырабатывает гормоны, необходимые для стимуляции других эндокринных желез, находящихся на периферии, то есть далеко от мозга. Получив сигнал «сверху», эти железы начинают употреблять «строительные материалы», поступающие с кровью, и производить необходимый гормон. Гормон переносится кровью и другими жидкостями к тем тканям, которые сделали «запрос».

Другими словами, механизм регуляции выработки всех без исключения гормонов чем-то напоминает взаимоотношения между потребителем и производителем через централизованное управление, с использованием определенных средств передачи информации и транспортировки «товара», хотя может иметь некую автономность (независимость) от гипоталамо-гипофизарной системы.

Как усваиваются гормоны

Выработка и усвоение гормонов проходят в несколько этапов. Железы, которые вырабатывают гормоны, всегда имеют их в запасе, то есть являются определенным складом гормонов. Это означает, чт, пока есть эндокринная железа или ткань, в организме человека всегда будет определенный уровень гормонов. Кроме того, выработка одного и того же гормона может происходить в нескольких участках тела, а не только в одной железе. Это своеобразная компенсация в организме на случай повреждения эндокринной железы. Конечно, функция далеко не всех желез может быть компенсирована внутренними механизмами.

Второй этап — это транспорт гормонов к клеткам-мишеням (ткани-мишени, органы-мишени). Большинство гормонов соединяются с белками, то есть путешествуют по кровеносному руслу в связанном виде (о белках, связывающих гормоны, мы поговорим при обсуждении стероидных гормонов). В какой-то степени это нейтрализует влияние гормонов, не позволяя им оказывать слишком негативное или агрессивное действие на органы.

Клетки-мишени имеют на своей поверхности специальные рецепторы, своего рода замочные скважины, которые узнают молекулу гормона — ключик. Совпадение гормона с рецептором (ключа с замочной скважиной) приводит к клеточному ответу — клетка начинает вырабатывать необходимые вещества.

Количество вырабатываемых гормонов в теле человека небольшое, как и рамки их нормальных показателей. Но референтные значения, которыми пользуются лаборатории в оценке уровней гормонов, — это среднестатистические данные, то есть они встречаются у большего количества людей в определенной местности. При этом важно учитывать возраст и состояние человека (беременность).

Нужно ли проверять уровни гормонов?

Нередко я слышу, особенно от женщин, о нарушениях гормонального фона. Чаще всего так объясняют нарушения менструального цикла. Учтите, оба выражения не являются диагнозами! Нарушение менструального цикла всего лишь симптом (признак), не указывающий ни на одно конкретное заболевание. О менструальном цикле мы поговорим в другой главе.

Но понятие «нарушение гормонального фона» вообще абсурдно с точки зрения медицины. Какого именно гормона? Если учесть наличие 50 видов гормонов, то вы поймете, что не может быть нарушение уровней сразу всех гормонов. Интересно, что часто женщин посылают на сдачу объемных панелей гормонов, которые чаще всего не имеют отношения к проблемам женщины и которые обычно в норме.

> Мы не лечим показатели уровней гормонов. Мы лечим только заболевания! Мы не ставим диагноз только по одному показателю одного гормона.

Эндокринные заболевания (то есть те, которые связаны с нарушением функции какой-то эндокринной железы) комплексные и по проявлению, и по диагностике. Порой на поиски точного диагноза уходят месяцы обследования и наблюдения.

Интерпретация результатов анализов должна проводиться врачом. Здесь очень важно понимать, что:

- показатели нормы (референтные значения) являются относительными нормами, созданными для конкретного анализа, региона, страны;
- необходимо учитывать пол и возраст человека;
- необходимо учитывать наличие или отсутствие беременности;
- показатели могут быть выражены в разных единицах измерения, которые могут отличаться от международных стандартных единиц и быть разными даже в одной стране или городе.

Определение уровней гормонов стало в какой-то степени модным направлением коммерческой медицины. Если раньше говорили: «Все болезни от нервов», то сейчас в моду вошло выражение: «Все болезни от гормонов». Сюда же добавлены мифы о «плохом иммунитете», наличии разных мутаций в генах — получается, здоровых людей нет и быть не может. Это не так! Индустрия здоровья, хотя и прикрывается заботой о человеке, превращена в индустрию болезней. Выйти из кабинета врача с диагнозом «здоров(а)» как будто неудобно и неприемлемо как для врачей, так и для пациентов.

В оценке любых жалоб человека и признаков заболевания чрезвычайно важно не делать из мухи слона, не замечая другого слона рядом. Наука о гормонах и заболеваниях, связанных с ними, эндокринология, изучается в медицинских школах поверхностно — ей уделяется намного меньше часов, чем другим специализациям. И до недавнего времени специальность «эндокринолог» была одной из самых непопулярных. Среди акушеров-гинекологов, к сожалению, в женской эндокринологии разбираются тоже единицы. А среди эндокринологов практически нет таких, которые бы досконально знали гормональный фон женщины, а тем более беременной, но это своеобразная монополия фармокологических компаний (не все психические заболевания требуют пожизненного приема лекарств).

Но буквально за каких-то двадцать с лишним лет ситуация поменялась. Выражение «Все болезни от нервов» стало не модным, тем более что нервы лечить особо и нечем, а лечением отклонений психики занимаются психиатры. Гиперпродажи антидепрессантов в развитых странах и есть лечение «всех болезней от нервов».

За эти же годы кардинально возросла продолжительность жизни, и в некоторых странах треть населения — это люди пенсионного возраста. У них достаточно свободного времени, у многих хорошие пенсии. Современные пенсионеры не хотят сидеть дома — они ведут довольно активный образ жизни, путешествуют по миру. Они уделяют больше внимания здоровью. И конечно же, спасение от старости любым способом, ее замедление тоже стало модным. Если раньше кто-то мечтал дожить хотя бы до 50 лет, то очень многие люди сегодня мечтают дожить до 100 лет.

Гормоны использовались не только как экспериментальное лечение, но и как шарлатанское несколько столетий, даже когда об этих веществах и их роли ничего не знали. Вспомните хотя бы «эликсир молодости», «эликсир жизни» и т. д. В современную эпоху, в эру Интернета, через который можно распространять даже самую лживую рекламную информацию молниеносно, вдруг вскипел новый интерес к гормонам. «Все болезни от гормонов» и «Гормоны от всех болезней» стало очередными фишками в массовом обмане жаждущих быть вечно молодыми, вечно здоровыми, но почему-то вечно «болеющих». Практически создан порочный круг:

— Чувствуете себя хорошо? Не верьте! Плохая экология, стресс и прочие ужасы современной жизни не позволяют людям быть здоровыми. Проверьте гормоны!

— Гормоны в норме? Не верьте. Сейчас все протекает скрыто. Проверяйтесь глубже. Даже если все в норме, лечитесь для профилактики: профилактики будущей нехватки, профилактики старости, профилактики тысячи болезней.

— Чувствуете себя плохо? Ваши проблемы из-за дисбаланса гормонов. Ведь все без исключения процессы в организме гормонозависимые.

Страх перед болезнями и страх перед старостью взаимосвязаны, но это прекрасная почва для стремительного роста злоупотреблением бесконечными обследованиями и необоснованным лечением ложных диагнозов.

В этой книге запугиваний не будет! Будет голая правда о том, чем располагает прогрессивная медицина, в частности доказательная медицина, в отношении гормонов и эндокринных заболеваний. Поймите одно: не все так плохо!

Очень часто женщины пытаются разобраться в своих проблемах со здоровьем самостоятельно. В этом нет ничего плохого! Большинство из нас старается найти ответы на вопросы: «Что со мной происходит? Это опасно для моего здоровья? Мне нужно идти к врачу?». Поскольку медицинские услуги становятся все дороже и дороже и далеко не всегда покрываются страховками (и не всегда люди могут позволить себе покупку страховки), многие женщины хотят пройти обследование по своему усмотрению, а уже потом сходить на прием к врачу.

Дорогие женщины, это неправильный подход. Можно потратить массу времени и денег на совершенно ненужные анализы и диагностику заболеваний, которых у вас нет и не будет. Во всем мире принято, что **обследование должен назначить врач**. Объем обследования будет предложен на основании анализа ваших жалоб, признаков заболевания, истории болезни. Задача врача — заподозрить заболевание, то есть поставить предварительный диагноз, обсудить с вами возможные диагнозы и рациональность того или иного обследования. Если врач предложит только наблюдение в течение нескольких недель или месяцев, это не значит, что он не прав. Наоборот, это может быть рациональное решение.

Говоря о рациональности, важно понимать, что спешка в поиске чего-то плохого и сдача анализов наобум, на поводу у модных тенденций, может привести к ложным выводам, ложному лечению, а значит, может нанести вред организму. Сдача каждого анализа должна быть обоснована! Использование любого диагностического метода должно быть обосновано! Не может быть проверок «на всякий случай».

Существуют опасные заболевания, но также существуют уровни риска их возникновения. Это значит, что у одной женщины риск появления заболевания может быть ниже, у другой выше — всё индивидуально.

> Ни одна женщина не может заболеть всеми без исключения заболеваниями, в том числе самыми опасными. Ни одна женщина не может заболеть самыми популярными и модными заболеваниями, что тоже важно помнить.

Распространение «коммерческих диагнозов», которые выгодно навязывать большинству женщин (или мужчин), не является показателем реальных уровней распространенности этих заболеваний. Поэтому всегда важно задуматься, насколько рационально проверять какие-то уровни гормонов, особенно если нет критической ситуации.

Нет и такого понятия, как «в пределах нормы, но это отклонение от нормы». Это абсурдное утверждение часто звучит в тех случаях, когда пациента пытаются запугать с целью манипуляций его кошельком. «Ваш показатель такого-то гормона в пределах нижней (верхней) границы нормы, но это плохо и это необходимо корректировать» — слова не профессионала. **Норма есть норма, и ею нельзя манипулировать.**

А если показатель слегка отличается от референтных значений нормы? Например, какой-то уровень гормона 3,3 (таких-то единиц), а по данным лаборатории, нормальным считается уровень не больше 3,2. Неужели это плохо? Нет, это может быть нормой, характерной для конкретного человека. Это может быть ошибкой лаборатории. Это может быть случайный показатель — ведь уровни любых веществ в нашем организме меняются, то есть являются динамичными, и никогда не бывают одинаковыми у одного и того же человека в течение суток, месяца, года. Без оценки жалоб и клинических симптомов такие показатели не будут иметь практического значения.

Таким образом, обследование должно назначаться по показаниям, быть рациональным и далеко не объемным. Нет смысла проверять уровни всех гормонов, сдавать большое количество анализов. И поймите: если сдать тысячу анализов, минимум в 10% показателей будут небольшие отклонения от среднестатистических значений нормы, потому что все люди уникальные и физиологическая норма у каждого своя.

Глава 2

Эндокринные железы

В этой главе мы рассмотрим самые важные эндокринные железы и их значение для организма человека.

Гипоталамус

Гипоталамус — это одна из самых старых (и самых маленьких) частей мозга, выполняющая очень важную роль в жизни людей. Вес этого участка мозга составляет всего 4 г по сравнению с 1400 г всего мозга. Его строение уникально: здесь имеется огромное количество нервных волокон, а также клеток, вырабатывающих несколько видов гормонов. Фактически гипоталамус отвечает за самые важные жизненные функции:

- Обмен энергии
- Обмен и контроль обмена веществ
- Питание и работа желудочно-кишечного тракта
- Водно-солевой обмен и баланс солей
- Регуляция температуры тела
- Создание запаса энергии и питательных веществ
- Регуляция сна и пробуждения
- Репродуктивная функция (созревание половых клеток, беременность, лактация)
- Грудное вскармливание
- Стрессовая реакция

Каждый из этих пунктов можно расписать детально, но вывод напрашивается один — это очень важная эндокринная железа.

Условно гипоталамус состоит из трех частей, которые выполняют разные функции. В зависимости от строения клеток выделяют три системы эндокринного, или гормонального, воздействия. Одни нейроны могут вырабатывать гормоны, например окситоцин и вазопрессин, которые путешествуют по кровеносным сосудам в задний отдел другой не менее важной железы — гипофиза, откуда эти гормоны получает весь организм при необходимости.

Другие виды клеток-нейронов имеют непосредственный контакт с гипофизом и стимулируют или подавляют выработку гормонов гипофиза. Например, гонадотропин-рилизинг-гормоны.

Третья группа клеток участвует в независимом (автономном) контроле выработки гормонов другими органами, например инсулина поджелудочной железой.

Гипоталамус входит в так называемую лимбическую систему мозга, выполняющую три важных функции: формирование эмоций (через миндалевидное тело), памяти и сексуального поведения.

Давайте рассмотрим основные гормоны, вырабатываемые гипоталамусом:

Название гормона	Роль	Нехватка гормона	Избыток гормона
Тиреотропин-рилизинг-гормон (ТРГ)	Стимулирует выработку тиреотропного гормона (тиреотропина) и частично пролактин	Нарушение функции щитовидной железы	Случаи избытка этого гормона не известны
Гонадотропин-рилизинг-гормон (GnRH)	Включает половое созревание и выработку гонадотропинов гипофизом	При интенсивных физических нагрузках, голодании (анорексия)	Редкие случаи опухолей гипоталамо-гипофизарной системы, приводящие к переизбытку тестостерона и эстрогенов
Рилизинг-гормон фактора роста	Контролирует выработку гормона роста	Задержка роста, задержка физического развития, уменьшение мышечной массы и увеличение отложений жира	При опухолях гипоталамуса может вызвать увеличение гипофиза, акромегалию, диабет, высокое кровяное давление, гигантизм

Название гормона	Роль	Нехватка гормона	Избыток гормона
Кортикотропин-рилизинг-гормон (КРГ)	Контролирует выработку адренокортикотропного гормона, также может вырабатываться плацентой, влияет на продолжительность беременности	Болезнь Альцгеймера, синдром хронической усталости, нехватка в плаценте — потеря беременности	Депрессия, анорексия, бессонница, обострение аутоиммунных заболеваний
Соматостатин	Подавляет выработку тиреотропного гормона и гормона роста, также вырабатывается поджелудочной железой	Данных недостаточно	Опухоль соматостатинома, диабет, выработка желчных камней
Дофамин (допамин — ингибитор секреции пролактина, пролактин-рилизинг-гормон)	Подавляет выработку пролактина, контролирует центры моторной функции	Болезнь Паркинсона	Противоречивые данные
Вазопрессин	Влияет на функцию почек и выработку мочи	Потеря большого количества мочи и развитие несахарного диабета	
Окситоцин	Стимулирует сокращение матки в родах, стимулирует выработку молока в ответ на акт сосания, улучшает взаимосвязь матери и новорожденного	Неизвестно	Доброкачественная гиперплазия простаты

Рилизинг-гормоны также часто называют рилизинг-факторами или либеринами. Все они являются белковыми веществами. В животном мире выделено три вида гонадотропин-рилизинг-гормонов, и на 85% человеческий GnRH идентичен с такими же гормонами у многих млекопитающих.

Обследование гипоталамуса и выработки им гормонов чаще всего не проводят, если для этого нет строгих показаний. Ведь все эти гормоны вовлечены во множество процессов и выполняют параллельно несколько ролей в контроле функций организма человека.

Необходимо также понимать, что существуют синтетические аналоги этих гормонов в виде лекарств, которые используются для лечения ряда заболеваний. Чаще всего это агонисты гонадотропин-рилизинг-гормонов, которые применяют в лечении бесплодия, рака простаты, врожденной и приобретенной недостаточности гормонов. Окситоцин успешно используют в родах и после родов для улучшения сокращений матки, вазопрессин — для лечения несахарного диабета. Дофамин зарекомендовал себя в лечении разных видов шока, но он имеет очень много побочных эффектов, поэтому дозировка должна строго контролироваться.

Существует ли гипоталамическая болезнь?

Если существует орган или какая-то часть мозга, выполняющая такую важную роль, как гипоталамус, то может ли существовать гипоталамическая болезнь?

О гипоталамической болезни мы чаще всего говорим после перенесенной физической травмы, приведшей к повреждению определенных участков гипоталамуса. Поскольку эта часть мозга вовлечена в огромное количество программ, признаки недостаточности выработки важных гормонов могут быть разными и совпадать с признаками нарушения работы тех эндокринных органов, которые контролируются гипоталамусом. И таких признаков насчитывается больше ста — от бессонницы и слабости до бесплодия, нарушения менструального цикла и работы щитовидной железы и т. д.

Поскольку гипофиз очень тесно связан с гипоталамусом, часто можно обнаружить нарушение функции выработки гормонов гипофиза. Иногда чрезвычайно тяжело определить уровень повреждения, поэтому обязательно учитывается история — перенесенные травмы, оперативные вмешательства на мозге. Нередко такие заболевания называются гипоталамо-гипофизарными расстройствами.

Таким образом, гипоталамическая болезнь хотя и существует, в реальности это чрезвычайно редкое заболевание.

Окситоцин — гормон любви?

В последние годы на всех без исключения конференциях врачей и ученых по эндокринологии обсуждаются темы менопаузы, диабета, заболеваний щитовидной железы, так как эти заболевания стали чрезвычайно распространенными. Но большой интерес вызывает также окситоцин, который широко применяется в акушерстве практически в любой стране мира.

Биолог Сью Картер, директор института Кинси при Университете Индианы, посвящает немало времени изучению влияния окситоцина, примененного в родах, на дальнейшее развитие ребенка и благодаря этому стала одним из самых популярных лекторов за последние несколько лет. Доктор Картер далеко не первый ученый, поднимающий вопрос влияния окситоцина на поведение животных и человека, а также злоупотребления окситоцином в акушерстве. Изучая вместе с коллегами поведение животных, она обнаружила, что уровень окситоцина, который давно уже называют гормоном материнской любви, играет важную роль в формировании длительных моногамных отношений между самками и самцами, чувства материнства (поэтому и гормон материнства) и регуляции агрессивного поведения.

В последние годы проводятся многочисленные исследования по изучению влияния окситоцина на развитие детей, в частности, на формирование поведения человека начиная с внутриутробного периода жизни (эпигенетический эффект окситоцина). Хотя в старых публикациях утверждалось, что окситоцин не проникает в клетки мозга, новые данные, наоборот, подтверждают его непосредственное влияние на мозг, однако механизм этого влияния детально не изучен.

Ученые обнаружили, что у детей ген, отвечающий за работу рецепторов окситоцина (oxytocin receptor gene), активируется тремя факторами: процессом родов — рождения, поведением матери и окситоцином, вводимым извне (лекарственным препаратом). Природный уровень окситоцина, даже если он увеличивается в родах, не оказывает негативного влияния на ребенка. А вот большие дозы окситоцина, которые используют для вызова и усиления родовой деятельности, к тому же очень часто необоснованно, могут оказывать длительное воздействие на «социальный мозг» ребенка, то есть те части мозга, которые отвечают за поведение человека и построение отношений с другими людьми.

Нейроэндокринные исследования влияния окситоцина на мозг человека — все еще новое и перспективное направление в доказательной медицине, но вынуждающее прогрессивных врачей уже сегодня задуматься о том, насколько врачебное вмешательство в процесс родов является обоснованным, не слишком ли много агрессии проявляется по отношению к женщине во время родов, не связан ли рост расстройств поведения, в том числе аутизм и анорексия (о чем писал Мишель Оден), со злоупотреблением лекарственными препаратами, в частности стероидными гормонами и окситоцином. Пересмотра старых, догматических взглядов на беременность и роды требуют еще много других вопросов.

Гипофиз

Несмотря на то, что длительный период времени о питуитарной железе ничего не знали, еще в 1365 году до н. э. было описано такое состояние, как акромегалия, у египетского фараона. Гален, греческий врач и философ, первооткрыватель малого круга кровообращения (на принятие этих знаний другими врачами ушло более 400 лет), в 150 году н. э. впервые описал строение гипофиза. Он считал, что гипофиз перекачивает жидкость (флегму) из мозга в носоглотку.

К началу XVIII века врачам были известны такие состояния, как отсутствие менструальных циклов (аменорея), акромегалия (расширение и утолщение костей лицевой части черепа) и несахарный диабет. Понимание механизма возникновения этих заболеваний сопровождалось попытками удаления питуитарной железы. Первая такая операция через так называемый транссфеноидальный доступ, через глазнично-клиневидную кость черепа, была проведена австрийским нейрохирургом Германом Шлофером в 1907 году. В дальнейшем американский врач Харви Кушинг всего за 15 лет (1910–1925) провел более 200 таких операций.

Гипофиз размещен в основании мозга в костном кармане, который называют турецким седлом. Почему турецкое седло, а не какое-то другое? Потому что седла в Турции имели особую форму, которую и напоминает этот костный карман. В прошлом ученые-анатомы описывали строение разных частей тела в сравнении с чем-либо, так и появились подобные латинские или греческие названия.

Размеры гипофиза в норме от 5 до 15 мм, а весит он приблизительно 0,5 г. У людей существует две части гипофиза — передняя и задняя.

Передняя доля гипофиза содержит шесть типов железистых клеток, но каждый тип может вырабатывать только один вид гормонов. Рассмотрим, какие гормоны вырабатывает передняя доля гипофиза.

Тиреотропный гормон

Тиреотропный гормон (тиреостимулирующий гормон, TSH, ТТН, ТСГ, ТТГ, тиреотропин) — само название говорит о том, что этот гормон влияет на функцию щитовидной железы[1], которая тоже является эндокринной.

В последние несколько лет измерение уровня ТТГ рекомендовано всем женщинам, планирующим беременность, и в первом триместре беременности.

ТТГ состоит из двух цепочек аминокислот: α-цепочка имеет одинаковое строение у ТТГ, ФСГ, ЛГ и ХГЧ, β-цепочка разная и уникальная для каждого гормона, и в этом состоит основное отличие строения и функции гормонов данной группы.

Выработка ТТГ зависит от гипоталамуса, но также и от щитовидной железы. ТРГ гипоталамуса стимулирует производство гормона, а нехватка гормонов щитовидной железы в крови является сигналом для «запуска» выработки ТТГ.

---

[1] Glandula thyr(e)oidea — щитовидная железа *(лат.)*. — *Прим. ред.*

Интересно, что ТТГ контролирует не только работу щитовидной железы, но и производство пролактина. Поэтому у очень многих женщин, страдающих разными видами расстройств функции щитовидной железы, могут наблюдаться повышенные уровни пролактина, а также неприятные изменения в молочных железах — болезненность, отечность, напряжение, уплотнения. Соматостатин, наоборот, подавляет выработку ТТГ.

На поверхности клеток щитовидной железы имеются рецепторы, сопряженные с G-белком (G-protein-coupledreceptors, GPCRs), к которым прикрепляется ТТГ и, таким образом, активирует клетки для выработки тироксина (Т4) — основного гормона этой железы.

Антитела к ТТГ

К сожалению, к ТТГ могут вырабатываться антитела, которые часто относят к аутоиммунным, то есть вырабатывающимся организмом к собственным клеткам. Впервые о них заговорили в 1956 году, когда их удалось выделить в сыворотке больных болезнью Грейвса (Базедова болезнь, диффузный токсический зоб), что подтвердило аутоиммунный характер заболевания. Эти антитела относятся к классу IgG, соединяясь с молекулами ТТГ, они мешают усвоению гормона и его воздействию на клетки щитовидной железы. Механизм выработки этих антител неизвестен, как неизвестны и методы понижения их уровня.

Каким должен быть уровень ТТГ?

Определение уровня ТТГ стало очень популярным, так как это индикатор работы щитовидной железы, и показатель ТТГ является критерием в постановке диагнозов тироидных расстройств. Повышенная или пониженная функция щитовидной железы может наблюдаться в разные возрастные периоды, а также у беременных женщин и после родов. Об этом мы поговорим в другой главе.

Около 15% женщин и 4% мужчин имеют проблемы со щитовидной железой хотя бы раз в жизни. Но когда можно заподозрить отклонения в работе щитовидной железы, если симптомы не вызывают тревоги или не совсем понятны?

Поскольку ТТГ влияет на функцию щитовидной железы прямолинейно, то его низкий уровень (в пределах нормы) свидетельствует о том, что щитовидная железа работает хорошо. Чрезмерно низкие уровни ТТГ говорят о гиперфункции, или **гипертиреозе**. Наоборот, нехватка тироксина и плохая работа железы (**гипотиреоз**) будет стимулировать гипоталамо-гипофизарную систему для большей выработки ТТГ — уровень будет высоким.

ТТГ вырабатывается гипофизом в пульсирующем режиме, поэтому его уровень может колебаться в течение суток. Уровни ТТГ здоровых людей могут отличаться на 50%, потому что каждый человек уникален. Самое важное — выработка этого гормона имеет генетическую предрасположенность (здесь замешаны гены PDE8B и CAPZB), поэтому у близняшек паттерн выделения гормона и его уровни практически одинаковы, если они находятся в одинаковых условиях жизни. А значит, есть люди, у которых уровни ТТГ могут и не вписываться в референтные значения нормы, несмотря на нормальную работу щитовидной железы.

Такие различия в уровнях ТТГ привели врачей-исследователей к выводу, что это не самый идеальный показатель работы щитовидной железы. Но известно, что ТТГ увеличивается в шесть раз при понижении выработки тироксина на 30%. Значит, как индикатор нарушения работы щитовидной железы он все же неплох.

Уровни ТТГ должны учитывать возраст, расовую принадлежность, пол и наличие беременности. Однако в большинстве лабораторий существуют ограниченные показатели нормы для взрослых людей: 0,4–4,0 мкМЕ/мл. У почти 25% людей пенсионного возраста (старше 60–65 лет) есть изменения в функции щитовидной железы, и многие требуют медикаментозного лечения. Также замечено, что антитела к гормонам щитовидной железы встречаются чаще при ТТГ > 2,5 мкМЕ/мл, а при более низких показателях ТТГ есть изменения уровней гормонов щитовидной железы.

Так ли важно иметь ТТГ < 2,5 мкМЕ/мл при беременности?

Современные семейные врачи и акушеры-гинекологи начали уделять большое внимание работе щитовидной железы. Поэтому женщине, которая планирует беременность, а также в начале беременности рекомендовано определение ТТГ в крови.

Показатель ТТГ 2,5 мкМЕ/мл и меньше является международным стандартом для первого триместра беременности.

На каком основании в 2011 году Американская Тироидная Ассоциация предложила этот максимальный уровень ТТГ, допустимый в первом триместре беременности? Никто точно не знает. Эти рекомендации на самом деле плохо учитывали исход беременности. Однако многочисленные группы врачей подняли вопрос о гипердиагностике заболеваний щитовидной железы и провели ряд исследований, которые показали, что более низкие показатели ТТГ действительно ассоциируются с лучшим исходом беременности и здоровьем новорожденного. Еще один большой анализ клинических исследований, который сравнивал субклинический гипотиреоз (о нем поговорим в главе о щитовидной железе) с нормальным состоянием щитовидной железы, показал повышенный риск прерывания беременности и повышенный уровень смертности новорожденных, особенно при наличии аутоиммунного процесса. Подход в принятии решения, назначать лекарство или нет, все же индивидуальный и должен учитывать факторы риска.

Прием йода и ТТГ

С одной стороны, стало модным говорить о нехватке йода в ряде регионов мира. С другой — йод начали добавлять во многие продукты питания, пищевые добавки. Врачи очень часто рекомендуют своим пациентам принимать его под эгидой полезности и «глобальной нехватки». Но бывает ли йод лишним и как это отражается на уровне ТТГ?

Йод играет очень важную роль в нормальной работе щитовидной железы и выработке ее гормонов. При нехватке йода может нарушаться ее функция, но это должна быть выраженная или тяжелая йодная недостаточность, которая будет проявляться не только нарушением выработки тироидных гормонов.

Если организм получает достаточное количество йода с пищей и добавками, то уровень ТТГ повышается. Чем больше принимается йода, тем выше ТТГ. В этом как раз кроется загвоздка, которая может ввести в заблуждение врача и пациента. Ведь чем больше йода, тем якобы должно больше вырабатываться гормона щитовидной железы, а значит, ТТГ должен понижаться. Но исследования показали противоположную картину. Считается, что это своеобразная реакция щитовидной железы на высокие дозы йода. Такой эффект необходимо учитывать при правильной интерпретации результатов анализов.

Вес и ТТГ

Известно, что нарушения функции щитовидной железы могут быть связаны с колебаниями веса. Но как влияет нормально работающая железа на вес, как вес влияет на железу и можно ли обнаружить нарушение до появления симптомов? Оказывается, ТТГ меняется в зависимости от изменения веса (индекса массы тела). Уровень гормонов щитовидной железы влияет на энергетический обмен и может повышать или понижать аппетит, что в свою очередь отразится на количестве принятой пищи. А ТТГ влияет на обмен жиров и их отложение в жировой клетчатке.

Увеличение ТТГ наблюдалось у некурящих мужчин и женщин, набиравших вес. Приблизительно при наборе 800 г (почти 1 кг) может наблюдаться повышение ТТГ. Что первично, а что вторично — изменения в работе щитовидной железы или набор веса, — мы не знаем.

У курящих людей зависимость ТТГ и веса найти не удалось, однако известно, что курение негативно влияет на щитовидную железу.

Больше о щитовидной железе вы узнаете в процессе чтения этой книги.

Фолликулостимулирующий гормон

Название «фолликулостимулирующий гормон» подсказывает нам, что это вещество влияет на какие-то «фолликулы». На самом деле он является чрезвычайно важным гормоном в жизни и женщин, и мужчин.

Мы обсудим тему менструального цикла в другой главе, а здесь важно упомянуть, что женские **гонады** — репродуктивные органы, или яичники, содержат большое количество пузырьков (фолликулов), где находятся половые клетки. Поэтому физиологическое строение яичников — мультифолликулярное. Без наличия фолликулярного аппарата не будут созревать яйцеклетки и не будут вырабатываться гормоны. Таким образом, фолликулостимулирующий гормон (ФСГ) влияет на созревание фолликулов и яйцеклеток в них.

> *У мужчин ФСГ вместе с тестостероном принимает участие в созревании мужских половых клеток и выработке спермы. Зернистые клетки фолликулов яичников и клетки Сертолли в яичках содержат ФСГ-рецепторы, которые реагируют на ФСГ, но механизм запуска созревания половых клеток не изучен, поэтому и искусственная регуляция этого процесса пока что невозможна.*

Состояние ФСГ-рецепторов и их активация контролируются генами. Репродуктивная медицина и генетика пытаются выяснить, какие гены и поломки в них влияют на созревание половых клеток и возможность воспроизведения потомства. Тема очень сложная и многофакторная, ее только начали изучать.

ФСГ влияет на здоровье костной ткани. У женщин климактерического возраста с наступлением менопаузы увеличивается риск переломов костей из-за потери костной ткани (такое состояние мы называем остеопорозом). Оказалось, что у женщин с поломкой гена, отвечающего за функцию ФСГ-рецепторов, не только имеются проблемы с созреванием половых клеток и зачатием детей, но и чаще бывает остеопороз.

Наличие ФСГ-рецепторов в других тканях и органах женщины говорит о том, что эти ткани могут тоже реагировать на ФСГ. Их находят во внутренней выстилке сосудов тела и шейки матки, в эндометрии, в железах канала шейки матки, в мышечной ткани матки. У беременных женщин ФСГ находят в сосудах пуповины и плаценты, в плодных оболочках. Во время беременности выработка ФСГ в гипофизе матери подавляется.

ФСГ-рецепторы найдены и в сосудах некоторых опухолей, что предполагает влияние ФСГ на образование сосудов и снабжение кровью опухолей, а также возможность использования антагонистов ФСГ в лечении таких опухолей.

Когда важно определять уровень ФСГ?

Сам по себе ФСГ не вовлечен ни в одно заболевание. Но он является отличным индикатором функции яичников. Чаще всего уровень ФСГ определяют при диагностике следующих проблем:

- нарушения полового созревания (преждевременное, запоздалое);
- нарушения менструального цикла (олигоменорея, аменорея);
- бесплодие (в том числе мужское);
- предклимакс и климакс.

Очень часто в гормональную панель входит определение лютеотропного гормона (ЛГ) и эстрадиола.

Колебания ФСГ наблюдаются в течение всего менструального цикла, если женщина не принимает гормональные контрацептивы. Если у женщины регулярные менструальные циклы, то определение ФСГ чаще всего не будет иметь практического значения. Если это все же требуется, проверять уровень ФСГ в таких случаях рекомендовано на третий день менструального цикла (первым днем цикла считаем первый день обильных менструальных выделений).

Если менструальные циклы отсутствуют или чрезвычайно нерегулярные, определение уровня ФСГ можно делать в любой день, хотя нередко сначала искусственно вызывают месячные и тогда с появлением кровотечения отмены, проводят обследование.

Как единичный показатель ФСГ имеет практическое значение при подтверждении климакса, но при этом требуется проведение двух независимых анализов в течение месяца.

Высокий ФСГ

Чаще всего ФСГ высокий у женщин, вступающих в климактерический период. Этот гормон может повышаться за 1–2 года до менопаузы, но высокий ФСГ характерен для прекращения созревания половых клеток в яичниках. Это может случиться из-за ранней менопаузы (до 40 лет), после операций на яичниках, при яичниковой недостаточности, преждевременном истощении яичникового резерва. Высокий ФСГ также наблюдается при недоразвитии яичников (гонад), синдроме Тернера, синдроме Клайнфельтера, некоторых видах врожденной гиперплазии надпочечников. У мужчин высокий ФСГ означает функциональную недостаточность яичек. При системной «красной волчанке» у женщин часто наблюдается высокий ФСГ.

А теперь поговорим о некоторых мифах вокруг высокого ФСГ. Как я уже упоминала, один показатель одного анализа без учета жалоб и клинической картины не имеет практического значения. Поэтому, когда обнаруживают повышенный ФСГ, это не всегда плохой показатель. Во-первых, выработка и выделение ФСГ происходят в пульсирующем режиме, поэтому даже в течение суток его уровень меняется постоянно. Во-вторых, повышающийся уровень ФСГ говорит о том, что организм пытается запустить созревание яйцеклеток, то есть стимулировать работу яичников. Другими словами, организм понимает, что на каком-то уровне, который может быть не понятен врачам, произошла поломка.

Хотя ФСГ играет роль в стимуляции созревания яйцеклеток, этот гормон не показывает сам процесс созревания, а может условно отражать количество яйцеклеток в яичниках, что мы называем яичниковым резервом. Если яичниковый резерв низкий, то ФСГ повышается, чтобы запустить процесс созревания оставшихся яйцеклеток. Но это не значит, что женщина находится в менопаузе.

У многих женщин 20–30 лет могут быть разные причины повышения ФСГ, при этом у них наблюдаются менструальные циклы. Это не всегда проблемы со стороны яичников. Например, опухоль гипофиза может сопровождаться высоким ФСГ, который также может блокировать работу яичников.

Конечно, когда у женщины повышенный ФСГ, у нее могут быть трудности с зачатием ребенка. Таким женщинам требуется помощь репродуктивных технологий.

> Чем выше уровень ФСГ, тем труднее получить потомство, потому что чаще всего это связано с низким яичниковым резервом. Важно знать, что до сих пор в арсенале врачей нет ни одного лекарственного препарата, который мог бы понизить уровень ФСГ и привести его в норму. И помним, что это всего лишь индикатор работы яичников и созревания в них яйцеклеток, поэтому не ФСГ мешает этому созреванию.

Низкий ФСГ

Почему-то чаще всего врачи и пациентки заостряют внимание на высоких показателях ФСГ. Но низкий уровень ФСГ тоже не является нормой. Чаще всего низкие уровни этого гормона наблюдаются при недостаточности яичников и яичек (гипогонадизме). Это может быть врожденное и приобретенное состояние. У мужчин прекращается выработка спермы, у женщин исчезают менструальные циклы.

Так как ФСГ вырабатывается в гипофизе, заболевания гипофиза могут сопровождаться понижением уровня этого гормона: подавление функции гипоталамуса, гипопитуитаризм, синдром Каллманна. Подавление работы яичников и яичек медикаментами тоже может привести к понижению ФСГ (использование GnRH-антагонистов и агонистов).

Также низкий ФСГ наблюдается при синдроме поликистозных яичников, особенно в комбинации с ожирением, повышенной волосатостью и бесплодием. Повышенный уровень пролактина, как и использование эстрогенов или их избыточная выработка в организме женщины, может понижать уровень ФСГ.

Очень редко наблюдается сбой выработки ФСГ на генетическом уровне (мутации в генах), что может сопровождаться нарушением овуляции у женщин и сперматогенеза у мужчин, а также бесплодием у обоих. Фактически ФСГ является индикатором дисфункции яичек.

Но каким бы низким ни был уровень ФСГ, очень важно учитывать жалобы и подходить к анализу ситуации индивидуально.

Синтетические аналоги ФСГ

В 1960-х годах врачи начали использовать гормональные препараты, полученные из мочи менопаузальных женщин. Это был менотропин, или человеческий менопаузальный гонадотропин (МГЧ), содержащий ФСГ и ЛГ.

Почему использовали вытяжку мочи женщин в менопаузе? Потому что у женщин в таком состоянии очень высокие уровни ФСГ и ЛГ в крови и моче. В 1949 году был разработан очень простой метод получения гонадотропинов из мочи. Первые лекарства содержали одинаковое количество ФСГ и ЛГ, но, понимая важность ФСГ в созревании яйцеклеток, эта пропорция была изменена в сторону увеличения количества ФСГ.

Позже, благодаря новым технологиям, из мочи начали вырабатывать урофоллитропин с наименьшим количеством других биологических веществ, входивших в прошлом в препараты из мочи. Некоторые препараты содержали незначительное количество ХГЧ.

Сегодня существует несколько лекарственных препаратов, содержащих ФСГ в чистом виде или в комбинации с ЛГ, ХГЧ и другими веществами. Они широко используются в репродуктивной медицине для стимуляции роста фолликулов.

Яйцеклетки нужны как для естественного зачатия, так и для искусственного (ЭКО). Вид и доза препарата зависят от того, с какой целью проводится стимуляция овуляции. В одних случаях важно получить всего несколько половых клеток, в других (для ЭКО) — необходимо более 10 яйцеклеток. Большую роль играет и личный выбор врача — его понимание, как действуют препараты, в чем отличие, какие у них преимущества и недостатки.

Лютеотропный гормон

Лютеотропный, или лютеинизирующий, гормон (ЛГ, лютропин, лютрофин, лютеотропин) играет не менее важную роль, чем ФСГ. Довольно часто эта «сладкая парочка» действует вместе, их определенная пропорция необходима для нормального функционирования женского и мужского организмов. Лютеотропный гормон тоже гонадотропин, то есть он влияет на работу яичников и яичек.

Само слово «лютеотропный» говорит о сопричастности этого гормона гипофиза к желтому телу яичника[1]. Но в организме женщины его роль не ограничивается только влиянием на формирование и функцию желтого тела. Лютеотропный гормон также стимулирует выработку женских половых гормонов зернистыми клетками фолликулов.

Пик ЛГ наблюдается перед овуляцией, за ним идет кратковременный всплеск прогестерона. Эти два зависимых друг от друга подъема гормонов влияют на выход созревшей яйцеклетки из фолликула, что мы и называем овуляцией. Поэтому без ЛГ не будет созревания яйцеклеток.

Как только произошла овуляция, ЛГ начинает постепенно повышаться, влияя на процесс превращения лопнувшего фолликула сначала в геморрагическое тело (наполненное кровью), а потом в желтое тело яичника и на выработку этим телом прогестерона. Таким образом, ЛГ контролирует гормональную активность яичников.

Выработка лютеотропного гормона, регулирующего выработку тестостерона, эстрогенов и прогестерона, зависит от гипоталамо-гипофизарной активности, и в течение дня, а также всего менструального цикла пульсация ЛГ может происходить в разных режимах:

- пульсация с высокой амплитудой (выброс большого количества ЛГ без четких временных промежутков);
- апульсация (выработка ЛГ незначительная);
- пульсация в состоянии сна (почти хаотичная по частоте и амплитуде выработка ЛГ);
- регулярная 90-минутная равномерная пульсация.

Все эти режимы являются нормальными и могут чередоваться у здоровой женщины. Но от режима пульсации ЛГ зависит и режим выработки других гормонов, включая прогестерон. 90-минутная равномерная пульсация, или классическая, о которой написано в учебниках, не является постоянным видом выброса ЛГ, но чаще наблюдается во время максимальной выработки прогестерона.

Кроме того, существует зависимость пульсирующего выброса ЛГ от возраста, стрессового состояния, переутомления, больших физических нагрузок, наличия ряда эндокринных заболеваний. Паттерн такой пуль-

---

[1] Corpus luteum — желтое тело яичника (лат.). — Прим. ред.

сации разнообразен, как и смена режимов пульсации, которая может быть частой и непредсказуемой под влиянием внешних и внутренних факторов. Поэтому единичное определение уровня половых гормонов и прогестерона в крови женщины практически никогда не будет отражать истинное состояние дел и может привести к ложным диагнозам.

Еще один очень важный гормон — хорионический гонадотропин человека (ХГЧ), который появляется при беременности, очень схож по строению с ЛГ, а поэтому оба гормона могут реагировать с одними и теми же рецепторами клеток. Считается, что координированное воздействие этих двух гормонов влияет на успешную имплантацию плодного яйца. С развитием беременности уровень ЛГ понижается в результате активности ХГЧ.

У мужчин ЛГ играет роль в стимуляции выработки и выделения мужских половых гормонов в яичках. Часто его называют гормоном, стимулирующим интерстициальные клетки (ICSH).

Определение уровня ЛГ является частью обследования у женщин, страдающих бесплодием. Также его могут определять в комбинации с другими гормонами при нарушении менструального цикла. Жалобы на общую слабость и утомляемость, неожиданную потерю веса, пониженный аппетит требуют определения уровня ЛГ.

У мужчин ЛГ часто определяют при наличии низкого уровня тестостерона, понижении сексуального влечения, уменьшении мышечной массы.

Интересно, что выработка ФСГ и ЛГ контролируется одним и тем же GnRH гипоталамуса, но до сих пор не известно, каков механизм этого регулирования, как один гормон может контролировать выработку двух разных гормонов. Излишки ЛГ и ФСГ перерабатываются печенью и через почки выводятся с мочой наружу.

Как единичный анализ определение уровня ЛГ не имеет практического значения, поскольку ЛГ взаимодействует с другими гормонами.

Высокий и низкий ЛГ

Два самых распространенных состояния, при которых наблюдается повышенный уровень ЛГ, — это климакс и синдром поликистозных яичников. Если уровень ЛГ очень высокий, необходимо исключить опухоль гипофиза.

Практическое значение низкого уровня ЛГ не изучено полностью. Низким гормон может быть при заболевании гипофиза, стрессе, анорексии, голодании. Генетическая поломка может привести к низкому уровню ЛГ, что нередко проявляется таким состоянием, как гипогонадизм.

Изолированная недостаточность лютеотропного гормона встречается крайне редко, чаще — в комбинации с недостаточностью ФСГ.

Несмотря на то что ЛГ играет очень важную роль в организме человека, куда большую популярность обрело определение соотношения ЛГ и ФСГ, так как эти гормоны взаимодействуют, о чем мы поговорим дальше.

Соотношение ЛГ и ФСГ, и наоборот

Наверняка многие женщины, которые сталкивались с диагнозом «синдром поликистозных яичников» (СПКЯ), слышали о *соотношении ЛГ и ФСГ*. Это соотношение входило в диагностические критерии СПКЯ, при котором оно было повышено, в течение многих лет. Однако предположение о высоком ЛГ/ФСГ (больше 3) при этом заболевании не имело доказательной базы. Новые исследования показали, что у здоровых женщин и тех, которые страдают СПКЯ, соотношение ЛГ и ФСГ одинаковое. Только у небольшой группы женщин с синдромом поликистозных яичников (у которых отсутствует овуляция) может быть незначительное повышение этого соотношения, но оно все же меньше 3 в большинстве случаев.

Почему все же у определенного количества женщин повышается соотношение ЛГ и ФСГ? Как я упоминала выше, выработка этих двух гормонов происходит в пульсирующем режиме, что отражает выделение гонадотропин-рилизинг-гормона в гипофизе. У здоровых женщин частота выброса ФСГ и ЛГ синхронизована по времени. У женщин с СПКЯ частота выброса ЛГ увеличивается, в то время как выброс ФСГ остается прежним или незначительно понижается. Это приводит к тому, что уровень ЛГ может повышаться на фоне более низкого ФСГ. Лютеотропный гормон стимулирует выработку мужских половых гормонов в яичниках, что при высоких его уровнях может вызвать состояние гиперандрогении — неотъемлемого признака СПКЯ на клиническом и лабораторном уровнях.

Изучение механизма выработки ЛГ и ФСГ у женщин с СПКЯ привело ученых к открытию, что частая пульсация выработки гонадотропин-рилизинг-гормона гипоталамусом отвечает за выработку ЛГ, а более медленная — за ФСГ, и в этом, возможно, кроется механизм контроля двух разных гормонов гипофиза всего одним гормоном гипоталамуса, о чем я упоминала выше. Пока что это теоретическое предположение, требующее лучшего изучения. Ведь мы не знаем, что контролирует и стимулирует такую частоту пульсаций у здоровых женщин и страдающих некоторыми эндокринными заболеваниями.

> У девочек четкого пульсирующего характера выработки гонадотропинов не наблюдается вплоть до становления регулярных менструальных циклов ближе к концу половой зрелости (к 19–22 годам).

Интересно, что у более 80% женщин с СПКЯ соотношение ЛГ и ФСГ не больше 2,5 (у почти 30% случаев — меньше 1), у около 13% — в пределах 2,5–3,5, а у остальных — больше 3,5. Таким образом, все же у большинства женщин с СПКЯ это соотношение будет в пределах нормы. Именно поэтому оно перестало быть диагностическим критерием СПКЯ (об этом заболевании мы поговорим в отдельной главе).

В медицине также используют *соотношение ФСГ/ЛГ*. Важно понимать, что это совершенно противоположное соотношение, а поэтому оно имеет другое практическое значение. Оно меняется в течение всего менструального цикла, так как меняются фазы цикла. Но можно ли по этому соотношению определить качество менструальных циклов?

Оказалось, что низкий показатель (меньше 1,4) соотношения ФСГ и ЛГ в первые дни цикла характерен для более длительных менструальных циклов с удлиненной первой фазой, меньшим уровнем овуляции и зачатий, но вторая фаза и выработка прогестерона при этом не меняются. В целом это соотношение в комбинации с низким уровнем ФСГ на 3–5-й день цикла ассоциируется с более длительной первой фазой, но не имеет прогностического значения для второй фазы цикла.

Изучение соотношения ФСГ/ЛГ проводится в репродуктивной медицине для подбора индивидуального лекарственного препарата и дозы при стимуляции овуляции. Известно, что реакция на препараты индивидуальная: у одной женщины можно получить очень много яйцеклеток после применения небольшой дозы гонадотропинов или других лекарств, у других женщин яичники могут быть инертными даже после стимуляции большими дозами лекарств. Заранее предсказать реакцию невозможно в большинстве случаев. Поэтому врачи ищут оптимальный прогностический тест, чтобы повысить уровень лечения бесплодия.

При нормальных количественных показателях ФСГ и ЛГ их соотношение может быть низким или высоким. Оказалось, что если ФСГ/ЛГ больше 3 на 3-й день цикла, реакция на стимуляцию овуляции может быть слабой, а уровень успешных ЭКО — низким. При этом у таких женщин после стимуляции овуляции может наблюдаться высокий уровень ФСГ в течение нескольких месяцев. Низкие уровни (меньше 2) этого соотношения ассоциируются с низким уровнем овуляции, а также могут наблюдаться у женщин с низким яичниковым резервом, но с появлением и применением разных лекарств и разных режимов стимуляции соотношение ФСГ и ЛГ потеряло свое прогностическое значение.

С возрастом показатели соотношения ФСГ и ЛГ меняются, поэтому его не рекомендовано определять у женщин старше 40 лет.

Кроме того, мы до сих пор не знаем идеальных параметров этого соотношения, характеризующих оптимальные уровни овуляции и зачатия.

Синтетические формы ЛГ и их применение

ЛГ в виде лекарственного препарата входит в состав менотропина в комбинации с ФСГ, а также в ряд других препаратов, которые чаще всего используются в репродуктивной медицине. Существует рекомбинантный ЛГ. Однако производство ЛГ дорогостоящее. Оказалось, что ХГЧ, который можно легко получить из мочи беременных женщин, может иметь такое же воздействие, как и ЛГ.

Пролактин

О пролактине можно написать отдельную книгу, потому что он один влияет на столько разных клеток, тканей и органов, как все остальные гормоны, вместе взятые. Это не шутка! Это действительно так.

Почему-то в ряде публикаций, очевидно, из-за ошибки, совершенной когда-то кем-то при составлении словарей медицинской терминологии, лютеотропным гормоном начали называть пролактин, гормон гипофиза, влияющий на рост молочных желез и выработку молока. На самом деле пролактин имеет другие синонимы: лактотропин, лактотропный гормон (ЛТГ). Очень редко его называют лактостимулирующим гормоном. Таким образом, понятие «лакто» связано с молочными железами. Называть пролактин лютеотропным гормоном, как это происходит в некоторых словарях, является ошибкой.

С одной стороны, этому гормону уделяется самое пристальное внимание. Благодаря выработке молока этот гормон интенсивно изучается с момента его открытия. С другой стороны, до сих пор непонятно, как один гормон может проявлять такое многостороннее воздействие на организм.

Большая часть пролактина вырабатывается особыми клетками гипофиза — лактотропными клетками. Он также может вырабатываться и вне гипофиза: в молочных железах, матке, Т-лимфоцитами и плацентой.

Регуляция выработки пролактина считается самой уникальной и неординарной по сравнению с другими гормонами гипофиза. Все гормоны гипофиза требуют стимуляции из гипоталамуса, что происходит за счет выработки рилизинг-гормонов, о которых было рассказано выше. Пролактин — исключение. Его выработка подавляется гипоталамусом, и как только подавление прекращается, возникает всплеск пролактина. Хотя подавляющее влияние на выработку пролактина приписывают дофамину, однако реальный пролактин-ингибирующий фактор никогда выделен не был.

Вторая особенность выработки пролактина связана с тем, что для него не существует обратной связи со стороны органов, которые его используют. В отличие от остальных гормонов гипофиза пролактин не воздействует на другие эндокринные органы или органы-мишени. Например, ТТГ контролирует функцию щитовидной железы, которая, в свою очередь, вырабатывает гормоны. Гонадотропины контролируют выработку половых гормонов и прогестерона гонадами. Но пролактин не влияет на выработку гормонов другими органами. Молочные железы не вырабатывают гормоны. Поэтому высокие уровни пролактина остаются без контроля, в том числе гипофизом. Возможно, молекулы пролактина воздействуют непосредственно на гипоталамус, включая в нем подавление выработки этого гормона через выработку дофамина — некий уникальный акт саморегуляции.

По строению пролактин очень близок к гормону роста и плацентарному лактогену, их выработка контролируется единичным геном, размещенным в 6-й хромосоме. Считается, что такое родство гормонов возникло около 400 млн лет тому назад у первых грызунов. Существует несколько вариантов пролактина, значение которых не изучено до конца. Пролактин соединяется с теми же рецепторами клеток, что и гормон роста, но механизм взаимодействия чрезвычайно сложный и продолжается изучаться. Существует также несколько видов рецепторов. Интересно, что первые пролактиновые рецепторы были обнаружены в клетках печени крыс.

Итак, наиболее изученные функции пролактина следующие:

- регуляция развития молочных желез;
- инициация и поддержка выработки молока (лактации);
- влияние на репродуктивную функцию;
- участие в работе иммунной системы;
- регуляция обмена веществ (осморегуляция);
- влияние на поведение человека.

Но роль пролактина выходит за эти рамки — ему приписывают более 300 функций в человеческом организме, и это далеко не все! Ученых, изучающих особенности пролактина, удивляет факт, что он выполняет разнообразные, кажется, совершенно не совместимые функции. Мы знаем, как важен пролактин для беременной и кормящей грудью женщины. Мы знаем, что излишек пролактина может негативно влиять на процесс созревания яйцеклеток. Но мы очень мало знаем о значении пролактина у небеременных и не кормящих грудью женщин, а также у мужчин.

Еще один важный факт: самые высокие уровни пролактина наблюдаются в конце беременности, в третьем триместре. Эти уровни выше таковых после родов и даже при лактации. Плод подвергается влиянию очень высокого уровня пролактина, поэтому предполагается, что этот гормон играет важную роль в процессе созревания будущего ребенка, а также в механизме запуска родов.

Во время беременности плацента вырабатывает особый вид пролактина, который, с одной стороны, считают пролактином, а с другой — пролактино-подобным веществом. Плацентарный лактоген по структуре схож с гормоном роста и с пролактином гипофиза, и трудно определить, с каким гормоном у него большее родство. Но особая ткань эндометрия — децидуальная — тоже может вырабатывать свой пролактин. Это начинается во вторую фазу менструального цикла под влиянием прогестерона и продолжается при беременности, причем после имплантации плодного яйца выработка гормона значительно увеличивается.

Околоплодные воды тоже имеют определенную гормональную активность, в том числе и из-за присутствия в них нескольких видов пролактина.

Мышечный слой матки (миометрий) может вырабатывать собственный пролактин, но какие именно клетки вовлечены в этот процесс, неизвестно. Причем регуляция выработки пролактина миометрием и эндометрием совершенно разная. Какую роль выполняет этот вид пролактина, тоже неизвестно.

> Чрезвычайно уникальный факт: пролактин может вырабатываться клетками мозга!

Еще одна мистическая загадка пролактина: в отличие от других гормонов не найдено генетических поломок (полиморфизма) для пролактина и рецепторов, с которыми он связывается. При этом лактотропные клетки (или пролактиновые клетки) занимают от 20 до 50% объема передней доли гипофиза. Да, не существует ни одного генетического заболевания, связанного с поломкой гена, контролирующего выработку пролактина. Поэтому не существует изолированной, чистой формы недостаточности пролактина. Из-за того, что в мире нет людей, у которых бы отсутствовал пролактин, мы не можем детально описать состояние «без пролактина», чтобы полностью познать роль этого гормона в человеческом организме.

Повышенный уровень пролактина (пролактинемия) — это единственное состояние, на которое врачи обращают внимание.

До сих пор не известны минимальные уровни пролактина, необходимые для нормального функционирования человека. Отсутствие участков гипофиза, вырабатывающих пролактин (например, после удаления опухоли гипофиза), не приводит к исчезновению пролактина в организме, так как существуют другие источники выработки пролактина (экстрагипофизарные источники).

> *Самое удивительное, что при острой нехватке пролактина гормон роста может соединяться с теми же рецепторами, что и пролактин, и выполнять его функцию, то есть заменять его.*

Предполагается, что пролактин — это не только гормон, но и особый вид вещества — цитокин. Цитокины — это очень маленькие молекулы белка, выполняющего информативную функцию. Они могут передавать сигналы от одной клетки к другой, взаимодействуя с их рецепторами. Некоторые формы пролактина имеют очень маленькие размеры и могут выполнять роль переносчиков сигналов.

Несмотря на то, что молоко вырабатывается всеми млекопитающими, животных моделей, у которых бы совпадали процессы выработки, регуляции и воздействия пролактина с таковыми у человека, не существует. Поэтому изучение этого гормона у людей затруднено.

Особенности выделения пролактина

Выделение (секреция) пролактина гипофизом имеет свои особенности. Самым первым был изучен механизм выделения пролактина через **акт сосания**, в частности в период лактации и грудного вскармливания. Это острый тип выработки пролактина, или так называемый **классический нейроэндокринный рефлекс**, который наблюдается в течение кратковременного периода — нескольких часов. Чем дольше акт сосания, тем больше пролактина выделяется, но играет роль и качество сосания — оно должно быть активным, или, проще говоря, для активной выработки пролактина (и молока) ребенок должен быть голодным и сосать грудь «с аппетитом».

Эстрадиол стимулирует другой вид секреции пролактина — хронический. Он зависит от времени суток. У многих животных повышающийся уровень эстрогена во вторую половину дня вызывает повышение пролактина. С каждым днем уровень пролактина растет.

Выделение и выработка пролактина имеют еще одну особенность — этот процесс зависит от сна. Повышение уровня гормона происходит с началом сна (ночного), то есть с первой стадии медленного сна (Non-REM сон), которая длится 5–10 минут. В течение суток возникает 13–14 пиков повышения уровня пролактина каждые 90 минут. На выработку пролактина влияет также прием пищи, особенно белков. Это означает, что уровень пролактина колеблется в течение суток, и разница в показателях может быть до 25%.

Во время беременности выработка пролактина тоже зависит от дневного и ночного времени. Такой вид секреции пролактина требуется для поддержки желтого тела и выработки им прогестерона на ранних сроках беременности.

Меняются ли уровни пролактина в зависимости от менструального цикла? Данные на эту тему противоречивые. Одни исследования говорят, что уровень пролактина повышается ближе к овуляции и остается высоким всю вторую половину цикла. Другие отрицают такие колебания пролактина. Чаще всего день менструального цикла не играет роли для сдачи анализа на пролактин.

С наступлением климакса почти у половины женщин уровень пролактина остается в норме, а у остальных может понижаться или повышаться, но эти изменения минимальные и не отражаются на здоровье.

Единичного измерения пролактина в крови достаточно для определения излишка этого гормона. Сдача крови утром после пробуждения или после приема пищи не является обязательным условием для проведения теста, это можно делать в любое время суток. Показатели уровня пролактина выше верхней границы нормы можно считать гиперпролактинемией, но важно учитывать наличие факторов, которые могут повышать уровень пролактина. В 30% случаев незначительное повышение уровня этого гормона происходит из-за стресса (например, страха и переживаний, названных «синдромом белого халата»). Слишком травматичный и длительный прокол вены (когда пытаются «добраться до вены») тоже может быть причиной повышения пролактина. В некоторых случаях, когда есть сомнение в показателях гормона, рекомендовано повторить забор крови через 20–30 минут с учетом пульсирующей выработки гормона. Правда, на практике женщина уходит из лаборатории и возвращается к врачу только после получения результатов обследования. Поэтому повторное определение уровня пролактина проводят тогда, когда врач сомневается в правильности полученных данных.

Пролактин и мозг

Ранее было сказано, что пролактин участвует в формировании поведения человека. Такую функцию гормона объясняют тем, что клетки мозга могут вырабатывать собственный пролактин.

Когда в разных участках мозга нашли пролактиновые рецепторы, это натолкнуло ученых на мысль, что благодаря им усваивается пролактин гипофиза, который всегда циркулирует в крови. Но в случаях удаления гипофиза было обнаружено, что мозг не обделен пролактином. Значит, должен быть еще один источник пролактина в мозговой ткани. Оказалось, что мозг сам может вырабатывать пролактин, причем в ассоциации с другими гормонами или продуктами их обмена. Например, пролактин через рецепторы эстрогенов влияет на выработку стероидных гормонов яичек и яичников.

Эксперименты на животных показали, что пролактин необходим для формирования материнского поведения, которое в первую очередь выражается в заботе о потомстве. Оно может формироваться еще в период беременности, возможно, не без помощи плацентарного лактогена. Но материнские чувства усиливаются при повышении уровня пролактина.

Считается, что пролактин стимулирует аппетит. Неудивительно, что у беременных женщин и после родов на фоне грудного вскармливания повышается аппетит и они начинают принимать большее количество пищи (и набирать лишний вес). Но при повышенном уровне пролактина (пролактинемии) женщины, не кормящие грудью, тоже могут набирать вес из-за большего аппетита.

Во время стресса в тканях мозга повышается уровень пролактина. Считается, что он участвует в понижении стрессовой реакции и успокоении нервной системы. И не секрет, что в состоянии стресса люди любят заглядывать в холодильник и постоянно что-то жевать.

Повышенный уровень пролактина — пролактинемия

Повышенный уровень пролактина в крови, гиперпролактинемия, может быть признаком какого-то заболевания, а может проявляться как самостоятельный симптом, который влияет на функцию человеческого организма, особенно женщин. Это также может быть физиологической нормой.

При анализе показателя уровня пролактина чрезвычайно важно учитывать единицы измерения этого гормона, так как можно сделать ложные выводы. Нормальными считаются показатели пролактина до 30 нг/мл, хотя ряд организаций могут иметь другие стандарты.

Показатели больше 50 нг/мл являются диагностическим признаком опухоли гипофиза (пролактиномы).

Когда повышенный уровень пролактина может быть нормой?

- В подростковом возрасте (только у девочек).
- При беременности.
- После завершения беременности (до 3 месяцев).
- В период лактации и грудного вскармливания.
- После стимуляции сосков (в том числе после полового акта).

Повышенный уровень пролактина может быть при таких состояниях, как:

- острый и хронический стресс;
- после интенсивных физических нагрузок;
- бессонница;
- голодание и гипогликемия (низкий уровень сахара в крови);
- заболевания щитовидной железы;
- оперативное лечение;
- прием некоторых медикаментов (антагонисты дофамина, эстрогены, антидепрессанты, некоторые виды обезболивающих, антигистаминные, противоэпилептические, гормональные контрацептивы и др.).

Медикаментозная гиперпролактинемия считается одной из самых частых причин повышенного уровня этого гормона, особенно у женщин. Список лекарств, которые вызывают пролактинемию, большой и увеличивается с каждым годом (а поэтому читайте инструкции по применению препарата!).

Пролактин повышается не только на фоне приема гормональных контрацептивов, но и после их отмены (эффект отмены). У 30% женщин, принимающих КОК, особенно высокодозированные препараты, встречается незначительное или умеренное повышение пролактина. Использование эстрогенов с лечебной целью тоже может повышать уровень пролактина.

Чтобы подтвердить взаимосвязь между лекарством или гиперпролактинемией, необходимо прекратить приема препарата на 3 дня, если схема лечения позволяет это сделать, и повторить определение уровня пролактина. При этом показатели будут ниже, не обязательно до нормального уровня.

Если женщина страдает каким-то длительным хроническим заболеванием, вначале уровень пролактина может повышаться, но с нарушением пульсирующей выработки гормона из-за продолжительного стресса его уровень может понижаться.

Высокие уровни пролактина (20–40% случаев) бывают чаще всего из-за опухолей гипофиза, как изолированных пролактином, так и других смешанных аденом. Аденомы до 10 мм в диаметре называются микроаденомами, больше 10 мм — макроаденомами. Микроаденомы чаще встречаются у женщин репродуктивного возраста, а макроаденомы — в постменопаузе. Аденомы могут быть функциональными, то есть участвовать в выработке пролактина, и не функциональными (не активными).

При заболеваниях гипофиза (гипофизит) и гипоталамуса, после облучения гипофиза или его травмы может наблюдаться повышенный уровень гормона. Другие опухоли мозга (глиомы, краниофарингомы) могут влиять на продукцию пролактина. Дермоиды яичников и гипернефрома, как и бронхолегочной рак, нередко сопровождаются высоким уровнем пролактина. Хроническая почечная недостаточность, особенно в комбинации с гемодиализом, может сопровождаться гиперпролактинемией.

В 10–20% случаев наблюдается идиопатическая гиперпролактинемия, когда причина повышенного уровня гормона не известна. Однако погрешность определения причины пролактинемии обусловлена тем, что в лаборатории не определяют отдельно макропролактин (о нем поговорим дальше).

Как проявляется гиперпролактинемия? Обнаружить ее у женщин намного проще, чем у мужчин, потому что у женщин чаще имеются жалобы. Самые частые жалобы следующие:

- нарушение менструального цикла (олигоменорея);
- отсутствие менструаций (аменорея);
- выделения из сосков (галакторея);
- снижение сексуального влечения;
- бесплодие;
- снижение костной массы (остеопороз).

Далеко не всегда женщины ощущают эти симптомы. Далеко не всегда это признаки пролактинемии. Например, после завершения кормления выделения из сосков могут появляться в течение нескольких лет. Бесплодие может возникнуть по многим другим причинам. Остеопороз характерен для женщин климактерического возраста. В каждом случае должен быть индивидуальный подход в понимании причин жалоб.

Уровень пролактина не соотносится с выраженностью симптоматики. Незначительное повышение гормона может сопровождаться разными жалобами, и, наоборот, высокие уровни могут не вызывать никаких жалоб — все индивидуально.

Существует ли связь между пролактинемией и раком? Имеются данные, подтверждающие связь гиперпролактинемии с раком молочной железы у женщин предклимактерического и климактерического периодов (у мужчин — с раком простаты). Точный механизм этой взаимосвязи непонятен, хотя известно, что пролактин вызывает усиленный рост молочных желез (пролиферацию), но пролиферативный эффект наблюдается при классическом раке молочной железы не часто.

Макропролактин

Большое количество вариантов пролактина затрудняет оценку реального уровня того вида пролактина, который может взаимодействовать с разными клетками и тканями. В зависимости от размеров молекул существуют следующие формы пролактина:

- мономерные (размеры молекул 14–23 kDa);
- димерные (48–56 kDa);
- полимерные (100–150kDa).

Мономерные формы являются биологически активными, и именно они чаще всего циркулируют в крови человека. Полимерные формы называют макропролактином. Он представляет собой комплекс мономерного пролактина с антителами IgG и из-за больших размеров практически не принимает участие в контакте с рецепторами клеток. Чаще всего такой пролактин не в состоянии пройти через стенку сосудов и поэтому остается в крови.

Макропролактинемия встречается довольно часто: от 10 до 40% случаев гиперпролактинемии возникают из-за этой формы пролактина, как у взрослых, так и у детей. В среднем 15% макропролактина циркулирует в крови. Повышение уровня этого вида пролактина жалоб не вызывает. Если же жалобы появляются, могут быть повышенными разные формы пролактина, что наблюдается, например, при наличии пролактиномы гипофиза, и в таких случаях требуется более тщательное обследование.

Существуют также антипролактиновые антитела, которые могут быть соединены с молекулами пролактина.

Макропролактинемия еще называется аналитической гиперпролактинемией, так как может привести к противоречиям в интерпретации результатов анализов. Таким образом, чрезвычайно важно, каким методом и какой именно пролактин определяют в сыворотке крови. Большинство лабораторий не определяют макропролактин отдельно.

Лечение гиперпролактинемии

Итак, вы уже знаете, что причин повышения пролактина очень много. Вы также знаете, что пролактин существует в разных формах, в том числе в виде макропролактина, который не вреден для организма. Поэтому решение о том, нужно ли проводить лечение гиперпролактинемии, будет зависеть от ответов на следующие вопросы:

1. Какой вид пролактина повышен?
2. Можно ли понизить уровень пролактина, устранив причину?
3. Какими симптомами проявляется гиперпролактинемия? Насколько они выражены?

В анализе жалоб чрезвычайно важно понимать, что первично, а что вторично по отношению к пролактинемии. Ведь повышенный уровень пролактина может быть только косвенным или второстепенным признаком, совершенно не причастным к жалобам.

Макропролактинемия в большинстве случаев не требует никакого вмешательства.

Если причина известна, ее необходимо устранить или же уменьшить ее влияние. Без этого попытки снизить пролактин будут безуспешными или же положительный эффект окажется кратковременным.

> **В 30% случаев гиперпролактинемия пройдет сама по себе без всякого лечения и уровень пролактина вернется в норму. Это в основном случаи идиопатической пролактинемии, когда причину повышенного уровня гормона не выяснили.**

Если источником гиперпролактинемии является пролактинома, метод лечения будет зависеть от размеров опухоли и от наличия жалоб (нарушение менструального цикла, проблемы с зачатием ребенка, проблемы со стороны зрения и др.). В качестве лечебного препарата используют каберголин (достинекс) или бромкриптин. В более 60% случаев размеры опухоли уменьшаются, в 80% — восстанавливается менструальный цикл, около 50% женщин беременеет. Лечение улучшает сексуальное влечение, и в почти 90% случаев выделения из сосков прекращаются. Уровень пролактина приходит в норму в почти 70% случаев.

Доза препарата и продолжительность лечения зависят от того, как быстро устраняются проблемы, которые беспокоят женщину. Контроль уровня пролактина проводится через месяц после начала лечения, повторная МРТ — через год при микроаденоме и через 3 месяца при макроаденоме.

Рецидив гиперпролактинемии зависит от размеров опухоли и уровня пролактина, а поэтому риск рецидива составляет от 26 до 68%.

Лечение необходимо прекратить с наступлением беременности. У беременных женщин уровень пролактина повышается с первых недель. Только в единичных случаях при наличии пролактиномы лечение бромкриптином может быть продолжено во время беременности. Достоверных данных, доказывающих связь между высоким уровнем пролактина и потерей беременности на ранних сроках, не существует.

Если лечение не эффективно или размеры пролактиномы большие, проводится хирургическое удаление опухоли.

Итак, при наличии пролактиномы, которая сопровождается высоким уровнем пролактина и жалобами, требуется медикаментозное лечение. А что делать в случаях, когда опухоли мозга нет, но пролактин повышен?

Важно понимать, что бромкриптин и достинекс, которые принадлежат к группе агонистов дофаминовых рецепторов, не понижают уровень пролактина, если его источником не является гипофиз. Если источник пролактина за пределами гипофиза, назначение этих медикаментов будет неправильным. Незначительное повышение пролактина не является причиной нарушения менструального цикла и бесплодия, а поэтому лечения не требует. При умеренной и выраженной пролактинемии (и это не макропролактинемия) можно воспользоваться медикаментозным лечением с контролем уровня пролактина через месяц.

Мы будем возвращаться к пролактину в этой книге еще не раз, а пока что рассмотрим другие не менее важные гормоны человеческого организма.

Гормон роста

Как я писала раньше, у пролактина есть родственник, можно сказать, родной брат, способный выполнять его функцию, — гормон роста, который тоже вырабатывается гипофизом. Гормон роста — это «древний» гормон, один из первых, когда-то появившихся в животном мире. Фактически гормон роста, пролактин и инсулин (точнее, его предшественник — проинсулин) являются производными одного и того же белкового вещества, выработка которого контролировалась одним и тем же геном.

Если охарактеризовать гормон роста (соматотропин) одним-двумя словами, то его можно назвать королем энергии. Именно он контролирует формирование запасов энергии при достаточном количестве еды (питательных веществ) и использование углеводов, жиров и белков в периоды нехватки пищи. Конечно, количество голодающих в современном мире значительно сократилось за последние полвека, но даже у людей, нормально питающихся, колебания энергии имеют суточный характер (ночное голодание, дневное питание), что тоже контролируется гормоном роста.

А как же насчет роста? Если этот гормон называют гормоном роста, значит, он отвечает за рост? Совершенно верно! Этот гормон очень важен для роста новорожденного и превращения ребенка во взрослого человека. Давно замечено, что излишки гормона приводят к гигантизму, а нехватка — к карликовости. Но в росте человека принимает участие много других гормонов и веществ, и сегодня известно большое количество синдромов, связанных с ростом и независимых от ГР. Оказалось также, что роль этого гормона в росте человека непонятна и требует глубокого изучения.

Помимо гормона роста в организме человека имеется несколько веществ, которые называются факторами роста. Они могут взаимодействовать с ГР, как, например, инсулиноподобный фактор роста, и играть роль в формировании скелета и мышечной массы. Другие действуют совершенно независимо от ГР.

С одной стороны, гормон роста вырабатывается гипофизом, и поэтому говорят об эндокринной функции такого гормона. С другой стороны, после удаления гипофиза в крови циркулирует определенное количество этого гормона, что говорит в пользу того, что имеются другие источники ГР. Рецепторы, с которыми связывается гормон роста, находят практически во всех органах и тканях человеческого организма. Нервная, иммунная, репродуктивная, скелетно-мышечная, сердечно-сосудистая, желудочно-кишечная, респираторная системы органов используют гормон роста как парагормон, то есть местно для роста клеток и тканей, и в этих же тканях может вырабатываться гормон роста для собственных целей.

Существует несколько форм ГР (изоформ), которые выполняют специфическую функцию, но в целом их роль изучена не до конца.

Гормон роста интересует сейчас ученых и врачей гораздо больше, чем в прошлом веке, по нескольким причинам. Если многие знают, что такое менопауза, то большинство никогда не слышали о **соматопаузе**. С момента зачатия человеческий организм постоянно растет: сначала на плодовом уровне, потом в период новорожденности, детства, юности. В течение жизни ребенка существуют периоды ускоренного и замедленного роста, механизм запуска которых не известен, но однозначно в этом замешан гормон роста. Затем у каждого человека наступает период остановки роста (обычно в районе 25 лет), что называют соматопаузой.

Если рост тела остановился, что происходит с гормоном роста? Его уровень понижается приблизительно на 15% каждые 10 лет начиная с 30-летнего возраста. Медленно, но уверенно теряется мышечная и костная ткань, накапливается жировая ткань, ухудшается память, когниция и многие другие аспекты функционирования человеческого организма. Казалось бы, введением гормона роста можно замедлить процесс старения (и это интенсивно использовалось и используется до сих пор в индустрии омоложения), но такая терапия оказалась совершенно не эффективной.

Не так давно при изучении набора генов долгожителей в поисках гена долголетия ученые обнаружили, что большинство людей, которые достигли 100-летнего возраста, невысокого роста. Эти люди не сидели ни на каких диетах, многие прожили очень скромную жизнь, у многих были вредные привычки, и практически никто не принимал поливитамины и минералы. Когда копнули глубже, оказалось, что связь между долголетием и ростом может выражаться через ген, контролирующий выработку гормона роста. Получается, что высокие уровни гормона роста как раз не гарантируют долгие годы жизни. Эта тема продолжается изучаться, ученые стараются найти другие гены — «гены долголетия», которые могут играть роль в формировании здоровья человека и его долгой жизни.

В женском организме больше гормона роста, чем в мужском, потому что продукция гормона роста зависит от уровня эстрогенов — эти гормоны взаимосвязаны между собой. Чем больше эстрогенов, тем больше гормона роста. Такое физиологическое явление несет в себе определенный парадокс. Ведь гормон роста играет роль в росте костей, формировании мышечной массы, уменьшении жировой ткани (через распад жиров). Получается, что женщины должны быть крупнее и мускулистее мужчин! Возможно, это какая-то ошибка? Нет, не ошибка. С наступлением менопаузы, когда понижается уровень эстрогенов, понижается уровень ГР, а заодно теряется костная масса (остеопороз), мышечная ткань, накапливается жировая ткань в виде отложений жира. Ожирение само по себе наблюдается у всех людей, не только у женщин, при понижении уровня гормона роста. Женский организм несет в себе немало загадок, которые требуют изучения.

> *Многогранность функциональности гормона роста является отличной мишенью для спекуляций о его роли и для назначения коммерческих препаратов ГР с целью омоложения, похудения, улучшения качества кожи, улучшения памяти и т. д.*

Наибольшие споры вокруг гормона роста вызывает вопрос, причастен ли ГР к возникновению рака, в частности рака груди. Не секрет, что многие гормоны имеют связь с появлением разных видов злокачественных образований. Например, стероидные гормоны (о них мы поговорим в других главах) практически все входят в группу так называемых канцерогенов, то есть веществ, которые могут вызывать рак.

Натуральный гормон роста, циркулирующий в организме человека, к раку не причастен — по крайней мере, такую связь ученые пока что не нашли. Дополнительное введение гормона роста, возможно, имеет такую связь, и чаще всего через продукт своего распада в печени — IGF-1. У больных раком простаты, а также у женщин в предклимактерическом периоде, страдающих раком молочной железы, нашли повышенные уровни этого метаболита. Но у тех пациентов, у кого выработка ГР повышена, частота рака не увеличивается. Также у людей с недостаточностью гормона роста злокачественные заболевания встречаются намного реже, чем у здоровых (почти на 50% меньше). Таким образом, связь гормона роста с раком не доказана и не понятна.

Проверка уровня ГР

Гормон роста, как и другие гормоны гипофиза, выделяется в пульсирующем режиме. Необходимость проверять уровень гормона роста у здоровых людей отсутствует. Чаще всего тестирование проводят у детей. В целом нарушения выработки соматотропина встречаются крайне редко. Но одного определения уровня гормона в крови обычно недостаточно, так как этот уровень колеблется в течение суток. Поэтому используют дополнительно стимулирующий или подавляющий тест.

У детей определение уровня гормона роста проводят при отставании или опережении в росте, а также при нарушениях полового созревания. У взрослых уровень ГР определяют при быстрой потере мышечной массы, при быстром ожирении, при возникновении такого заболевания, как акромегалия.

Дефицит гормона роста как физиологическое явление наблюдается у людей старшего возраста. Но рекомендаций по назначению этого гормона при возрастном уменьшении уровня соматотропина не существует.

Адренокортикотропный гормон

Адренокортикотропный гормон (адренокортикотропин, кортикотропин, АКТГ) — это еще один важный гормон, вырабатываемый в передней доле гипофиза. Это не модный гормон, его роль активно не обсуждается, но кортикотропин — чрезвычайно важное звено в так называемой гипоталамо-гипофизарно-надпочечниковой оси, отвечающей за выработку гормонов надпочечников и за реакцию организма на стресс. Поэтому его смело можно назвать менеджером стресса.

Название «адренокортикотропин»[1] говорит о том, что гормон контролирует выработку гормонов корой надпочечников — глюкокортикоидов, а точнее — кортизола. АКТГ слабо влияет на выработку минералокортикоида — альдостерона и других гормонов надпочечников. У плода этот гормон стимулирует выработку мужского полового гормона DHEA-S, из которого вырабатывается эстроген.

Предшественником АКТГ является особое вещество — проопиомеланокортин, сложное в произношении, но являющееся «мамой» для нескольких других гормоноподобных веществ: липотропина (предшественник эндорфинов), β-эндорфина и мет-энкефалина (осо-

---

[1] Название составлено из таких слов: adrenalis — надпочечный *(лат.)*, cortex — кора *(лат.)*, tropos – направление *(греч.)*. — *Прим. ред.*

бый вид белков, участвующих в болевой реакции), меланоцитостимулирующего гормона или МСГ (контролирует выработку меланина и пигментацию кожи).

Из предыдущих глав вы узнали о таких гормонах гипофиза, как гонадотропины, которые контролируют репродуктивную систему человека (гонады). Связь между гипоталамусом, гипофизом и яичниками называют гипоталамо-гипофизарно-яичниковой осью. Но так как гипофиз вырабатывает кортикотропин, который чрезвычайно важен в формировании ответной реакции на стресс (в целом для выживания организма), он может блокировать выработку гонадотропин-рилизинг-гормона, то есть блокировать гипоталамо-гипофизарно-яичниковую ось и выключать программу размножения. Не вникая во все подробности такого взаимодействия, его можно выразить одним предложением: в стрессе репродуктивная функция человека выключается или тормозится.

Как это проявляется на уровне организма? Созревание яйцеклеток нарушается или прекращается полностью, менструальные циклы пропадают. Мы будем обсуждать нарушения менструального цикла в другой главе, но самое частое нарушение — это так называемая гипоталамическая ановуляция/аменорея (до 70% случаев нарушения овуляции и менструального цикла). Слово «гипоталамическая» значит, что программа размножения заторможена на уровне гипоталамуса путем блокировки выработки гонадотропин-рилизинг-гормона. Из-за этого не вырабатываются в достаточном количестве гонадотропины — ФСГ и ЛГ, а значит, яичники остаются инертными — овуляция в них не происходит.

Стресс, который в реальности является реакцией многочисленных рецепторов нашего организма на стимулы, может проявляться на любом уровне (психоэмоциональном, физическом, метаболическом), но его воздействие на мозг, в том числе на гипоталамус и гипофиз, всегда одинаковая. При этом повышающийся уровень АКТГ стимулирует выработку кортизола надпочечниками. Кортизол — гормон стресса. Король стресса!

Острый кратковременный стресс чаще всего действует как стимулятор для созревания яйцеклеток, то есть не выключает репродуктивную функцию женщины. Хронический продолжительный стресс, наоборот, подавляет выработку гонадотропинов и приводит к ановуляции.

Определение уровня АКТГ само по себе не нашло широкого применения в медицине. Чаще всего АКТГ является частью лабораторных панелей при подозрении на ряд эндокринных синдромов, в первую очередь на болезнь Аддисона (надпочечниковая недостаточность) и синдром Кушинга, а также гиперплазию коры надпочечников.

Синтетический аналог АКТГ широко применяется в лечении многих заболеваний, даже тех, которые не связаны напрямую с функцией гипофиза. Например, при рассеянном склерозе, некоторых аутоиммунных состояниях, острой аллергической реакции, ревматоидном артрите. АКТГ не оказывает лечебный эффект, то есть не избавляет человека от заболевания, но он может устранять многие симптомы.

Меланоцитостимулирующий гормон

Меланоцитостимулирующий гормон (МСГ) часто не называют гормоном из-за его воздействия на меланоциты — клетки кожи, которые содержат пигмент. Эти клетки отвечают за цвет кожи, они также формируют родимые пятна, родинки, другие пигментные образования, в том числе злокачественные (меланомы).

Существует две формы МСГ. Альфа-МСГ отвечает за формирование загара под влиянием ультрафиолетовых лучей. Меланин защищает клетку, особенно ее ядро, от повреждающего эффекта ультрафиолетового света.

АКТГ через повышение уровня глюкокортикоидов понижает воспалительную реакцию кожи, которая возникает при воздействии солнечных лучей, особенно при длительном, что дополняет эффект α-МСГ.

Бета-эндорфины, которые вырабатываются одновременно с двумя вышеназванными гормонами, подавляют болевую реакцию после ожога кожи.

Синтетические формы МСГ используются для получения искусственного загара без ультрафиолетового облучения. Интересно, что другие виды синтетического МСГ нашли применение в лечении нарушений потенции у мужчин.

МСГ вырабатывается также другими клетками мозга, при этом гормон участвует в подавлении аппетита. В случаях генетического нарушения рецепторов, которые связываются с МСГ, люди страдают ожирением.

Заболевания гипофиза

Из предыдущих глав вы уже имеете представление, какую важную роль играет гипофиз. Как эндокринная железа он тоже может иметь собственные болезни. Также он может подвергаться «нападению» аутоиммунных антител, которые называют антипитуитарные антитела (АПА). Эти антитела могут поражать ткань гипофиза и вызывать воспаление — лимфоцитарный гипофизит.

> *Интересно, что антитела к гипофизу находят у людей, страдающих сахарным диабетом первого типа и тиреоидитами.*

К сожалению, роль таких антител все еще не изучена, а поэтому методы диагностики и лечения этого редкого заболевания тоже не известны.

Однако чаще всего разрушение клеток гипофиза происходит в каком-то определенном участке, поэтому дефицит выработки наблюдается только для одного-двух гормонов. Например, если разрушаются клетки, вырабатывающие ТТГ, может возникнуть нарушение функции щитовидной железы. Если происходит блокировка выработки ФСГ, женщины и мужчины могут страдать бесплодием. В этом и трудности диагностики лимфоцитарного гипофизита.

Существует также синдром «пустого турецкого седла», который может возникнуть или из-за опухоли, разрастающейся и сдавливающей прилегающие ткани гипофиза, или из-за того, что мягкая мозговая оболочка внедряется в полость гипофиза и вытесняет железистую ткань. При этом нарушается выработка гормонов гипофиза, также могут появляться аутоиммунные антитела к определенным видам гормонов. Такое состояние наблюдается после хирургических вмешательств на гипофизе и радиоактивного облучения.

> У некоторых женщин, страдающих ожирением и повышенным внутричерепным давлением, могут быть признаки синдрома «пустого турецкого седла».

Если синдром врожденный (первичный) или появляется в детском возрасте, он может сопровождаться нарушением полового развития и другими эндокринными заболеваниями. Основное лечение будет направлено на коррекцию нарушения уровней гормонов.

Другие заболевания гипофиза имеют хромосомно-генетическую связь и встречаются очень редко.

Вилочковая железа

Вилочковая железа, или тимус, известна как орган, принимающий участие в защитной реакции организма и формировании иммунитета. Она находится за грудиной, но с момента рождения уменьшается в размерах и у взрослых людей составляет всего около 1 см в диаметре.

Вилочковая железа не является эндокринной, а поэтому я не должна бы рассматривать функцию тимуса в книге, которая посвящена гормонам. Но до сих пор практически во всех учебниках по медицине и в популярной медицинской литературе вилочковая железа входит в список эндокринных желез. Это вызывало дебаты между врачами несколько лет тому назад, но победил прогресс науки и медицины!

Почему же такой длительный период вилочковая железа считалась эндокринным органом? Эндокринный орган должен быть железой или содержать железы, которые вырабатывают гормоны. Тимус не является такой железой, он также не имеет в своем составе желез, которые бы вырабатывали гормоны. Много лет тому назад, в 1960-х годах, в тимусе был обнаружен тимозин, который ошибочно приняли за гормон. Позже оказалось, что веществ, которые принимали за тимозин, около сорока. Они играют роль в кроветворной и иммунной функции, в первую очередь в выработке и созревании Т-лимфоцитов, но это не гормоны.

Следы некоторых гормонов можно найти в тканях вилочковой железы, но они попадают туда с кровью, а не вырабатываются тимусом.

Таким образом, название «вилочковая железа» является ошибочным, так как этот орган не является железой ни по своему строению, ни по функции.

Поджелудочная железа

Поджелудочная железа уникальна, потому что она выполняет не только эндокринную функцию, то есть вырабатывает не только гормоны. Еще она производит поджелудочный сок — особую жидкость, которая содержит большое количество веществ, необходимых для обработки пищи, распада жиров, белков и углеводов и усвоения питательных веществ.

Поджелудочная железа содержит несколько сот тысяч скоплений клеток, которые формируют островки Лангерганса, названные в честь их первооткрывателя, немецкого патанатома Пауля Лангерганса. Эти скопления являются эндокринными железами, которые содержат пять типов клеток:

• альфа-клетки вырабатывают глюкагон;
• бета-клетки вырабатывают инсулин и амилин;
• дельта-клетки вырабатывают соматостатин;
• ПП-клетки вырабатывают панкреатический полипептид;
• эпсилон-клетки вырабатывают грелин.

Глюкагон

Если об инсулине знает, наверное, большинство взрослых людей, о глюкагоне слышали или читали единицы, хотя это чрезвычайно важный гормон. Он является антагонистом инсулина, то есть выполняет противоположное действие — повышает уровень сахара и жирных кислот в крови. Именно глюкагон поддерживает нормальный уровень глюкозы в крови в период голодания (ночное время, между длительными приемами пищи).

У людей с сахарным диабетом первого типа часто наблюдается низкий уровень сахара (гипогликемия) из-за нехватки глюкагона. Наоборот, при сахарном диабете второго типа может наблюдаться гипергликемия, то есть высокий уровень сахара. Именно глюкагон является первичным гормоном, контролирующим уровень глюкозы и подавляющим активность инсулина. Он действует через глюкагоновые рецепторы, которые имеются по всему телу в разных тканях и органах. Самые высокие уровни этого гормона наблюдаются между 6 и 12 часами утра.

Глюкагон воздействует на многие органы:

- в печени повышается распад жиров, увеличивается выработка сахара, улучшается выживаемость клеток печени (гепатоцитов);
- через мозг возникает чувство сытости;
- учащается сердцебиение, клетки сердца могут испытывать энергетическое голодание;
- усиливается моторика кишечника;
- повышается температура тела;
- распадается белый жир тела;
- почки фильтруют и удерживают больше жидкости;
- контролирует вес тела.

Это далеко не все функции глюкагона. Кроме того, глюкагон нашел широкое применение в качестве лекарственного препарата.

Хотя контроль веса тела — проблема чуть ли не каждой взрослой женщины (или дилемма), без гормонального уровня глюкагона терять вес или поддерживать его в рамках нормы не просто.

Инсулин

Инсулин можно не представлять — его сегодня упоминают очень часто, потому что по всему миру увеличивается количество людей, страдающих ожирением, что часто сопровождается возникновением сахарного диабета второго типа, то есть алиментарного, из-за употребления большого количества углеводов (сахар, мучное и т. д.). Об инсулине и обмене глюкозы вспоминают и при беременности, так как у некоторых женщин возникает гестационный диабет беременных. О нем говорят и тогда, когда оценивают менструальный цикл и подозревают синдром поликистозных яичников.

Инсулин оказывает противоположное глюкагону действие — понижает уровень сахара в крови. Как только в крови повышается уровень сахара, включаются механизмы выработки инсулина, который стимулирует скелетные мышцы использовать больше глюкозы и превращать ее в гликоген.

Очень часто, когда речь идет о сахарном диабете и понижении уровня сахара в крови, врачи акцентируют внимание только на диете и приеме противодиабетических лекарств. Но первоочередным в контроле уровня сахара должна быть подвижность, физическая активность.

> Скелетные мышцы — это потребитель сахара номер один. Чем больше они сокращаются, тем больше сахара используют, потому что требуют больше энергии. Малоподвижность, наоборот, приводит к избытку сахара, который через ряд механизмов в итоге окажется «на складе» в виде жировой ткани.

Инсулин участвует в формировании белков из аминокислот, циркулирующих в крови. Он воздействует на гепатоциты печени, которые тоже синтезируют гликоген. При этом блокируется выработка ферментов (энзимов), которые участвуют в распаде гликогена. Инсулин воздействует и на клетки мозга (гипоталамуса) и подавляет аппетит. Практически нет такой ткани, на которую не действовал бы инсулин, потому что любая клетка человеческого организма требует энергии. Глюкоза — это самый простой, самый дешевый, самый легко распадающийся источник энергии, основа основ обмена веществ.

Глюкозотолерантный тест

Усвоение сахара организмом изучается при диагностике сахарного диабета с помощью ряда тестов. Самые распространенные — это скрининговый (Glucose Challenge Test) и диагностический (глюкозотолерантный тест, или ГТТ). ГТТ становится более популярным, так как он имеет диагностическое значение.

Кому показан этот тест? Его проводят не только для диагностики сахарного диабета, но и во многих других случаях. Наличие лишнего веса и ожирение часто сопровождаются развитием метаболического синдрома, когда нарушаются обменные процессы во всем организме. Клинически он может быть компенсирован и не доставлять беспокойства. Но он значительно повышает риск сердечно-сосудистых заболеваний. Поэтому ГТТ показан, когда:

- индекс массы тела больше 25;
- кровяное давление ≥ 130/85 мм рт. ст.;
- уровень сахара натощак ≥ 5,5 ммоль/л;
- уровень триглицеридов ≥ 1,7 ммоль/л.

Хотя ГТТ включает определение уровня сахара через 2 часа после приема 75 или 100 г раствора глюкозы, считается, что лучшее прогностическое значение в отношении риска сахарного диабета и метаболического синдрома имеет показатель сахара через 1 час после приема глюкозы.

Минус глюкозотолерантного теста в том, что не существует международных стандартов оценки уровня сахара, а референтные значения отличаются в зависимости от рекомендаций разных организаций (ВОЗ, эндокринные общества, профессиональные общества и т.д.).

Определение инсулина в крови

Казалось бы, по уровню инсулина в крови можно получить представление о его достаточной выработке. Но оказалось, что определение концентрации инсулина в крови не отражает его усвоения тканями, то есть не характеризует инсулиновую резистентность, поэтому имеет низкое практическое значение в медицине. Высокий уровень инсулина может быть характерен для ранних стадий метаболического синдрома, но также является тревожным показателем чрезмерной выработки этого гормона, что может наблюдаться при инсулиномах.

> **Сложность определения уровня инсулина состоит в том, что существует чрезвычайно много лабораторных тестов, при этом нет золотого стандарта измерения инсулина. Другими словами, нет международных стандартов по определению уровня инсулина.**

Чаще всего вопрос об инсулиновой резистентности возникает при обследовании женщин с подозрением на синдром поликистозных яичников. Но низкая чувствительность существующих тестов вызывает немало споров среди врачей. Когда провели сравнительный анализ нескольких тестов определения инсулиновой резистентности, оказалось, что результаты имеют слишком большой диапазон различий в зависимости от вида теста. Кроме того, уровень инсулиновой резистентности меняется у одного человека постоянно и может приходить в норму периодически.

Инсулиновая резистентность — это очень сложный комплекс, который характеризуется не только усвоением инсулина тканями. До сих пор идет поиск других возможных биомаркеров, которые бы показывали взаимосвязь между инсулином и клетками, а также имели прогностическое значение для определения уровня риска развития диабета и сердечно-сосудистых заболеваний.

Другие гормоны
поджелудочной железы

Амилин вырабатывается вместе с инсулином. Он замедляет эвакуацию пищи из желудка, что важно для более стабильного уровня глюкозы в крови, а также формирует ощущение сытости. Долгое время свойства и функцию амилина не изучали, но оказалось, что он не менее важен, чем инсулин. Он участвует в возникновении сахарного диабета второго типа. В последние годы вместе с инсулином он используется для лечения диабета.

Соматостатин называют ингибитором гормона роста. Он подавляет выработку инсулина и глюкагона. Попадая в желудок, он подавляет выделение желудочного сока и соляной кислоты. Он также влияет на выработку многих других веществ в организме.

Панкреатический полипептид, наоборот, подавляет выработку сока поджелудочной железы, но увеличивает секрецию желудочного сока. Об этом гормоне известно мало.

Грелин считается гормоном аппетита. Он выделяется на фоне низкого уровня сахара в крови, и человек чувствует голод.

Клетки желудочно-кишечного тракта выделяют ряд других веществ, которые имеют гормональную активность, они используются местно, в основном в процессе переваривания и усвоения пищи, но также воздействуют на нервную систему и другие ткани.

Яичники

С чего начинается женщина? С яичников. Это основа основ женского организма.

Женщина получает свои первичные половые клетки в первые недели после зачатия, когда яичников еще нет. Но в ходе внутриутробного развития плода эти клетки «оседают» в гонадах — так называются яичники. Многие женщины не знают, что весь этот запас половых клеток (фолликулов) в несколько миллионов, из которых зрелыми яйцеклетками станут не больше 300–400, уменьшается очень быстро, никогда не восстанавливается, ничем не заменяется. Это тот самый яичниковый резерв или яичниковый запас, который во взрослой жизни исследуют врачи, когда у женщины имеются проблемы с зачатием ребенка или другие жалобы, характерные для яичниковой недостаточности.

Природа наделила яичники двумя уникальными функциями, которые не отделимы друг от друга: в них созревают яйцеклетки, в ходе созревания яйцеклеток вырабатываются мужские и женские половые гормоны и прогестерон.

Созревание фолликулов важно не только для зачатия, но и для нормального уровня эстрогенов, тестостерона и прогестерона, которые влияют на функцию всего организма.

Яичники — это парный орган. Природа позаботилась о том, чтобы в случае потери одного яичника женщина могла забеременеть благодаря функции второго яичника. Правый яичник всегда больше левого, потому что он лучше снабжается кровью. А поэтому в правом яичнике чаще бывает овуляция.

Это неправда, что яйцеклетки созревают в яичниках по очереди. На самом деле никто не знает, что определяет очередность созревания яйцеклеток. Но в почти 70% случаев овуляция возникает в правом яичнике. Вполне нормально, когда овуляция происходит в одном и том же яичнике несколько циклов подряд.

О менструальном цикле мы поговорим в соответствующей главе дальше.

> *Выработка гормонов и созревание гамет (половых клеток) взаимосвязаны и не могут происходить независимо друг от друга. Недостаточность яичников всегда проявляется нарушением выработки гормонов и нарушением созревания яйцеклеток.*

Основной структурной единицей репродуктивных органов женщины является фолликул — пузырек, содержащий половую клетку (ооцит). Нередко после результатов УЗИ женщины расстроены заключением о «фолликулярном строении яичников» и начинают интенсивный поиск лечения для избавления от этой «фолликулярности». Ошибочно некоторые врачи ставят диагноз синдрома поликистозных яичников только на основании наличия многочисленных фолликулов, которые часто называют «кисточками».

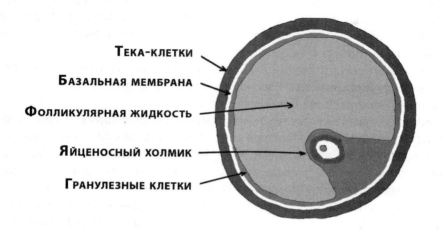

ТЕКА-КЛЕТКИ

БАЗАЛЬНАЯ МЕМБРАНА

ФОЛЛИКУЛЯРНАЯ ЖИДКОСТЬ

ЯЙЦЕНОСНЫЙ ХОЛМИК

ГРАНУЛЕЗНЫЕ КЛЕТКИ

Фолликулярное строение яичников характерно для всех млекопитающих. Ооциты, окруженные гранулезными (соматическими или зернистыми) клетками, находятся в строме яичника. Строма яичника — это своеобразный мягкий каркас, который содержит несколько видов тканей: соединительную, мышечную, а также кровеносные сосуды. Сверху яичник покрыт соединительнотканной оболочкой.

Фолликул с первичной яйцеклеткой называют также зародышевым пузырьком. Он окружен слоем гранулезных, или зернистых, клеток, которые играют важную роль в выработке гормонов. Вокруг слоя гранулезных клеток имеется тонкий слой базальной мембраны, а сверху — тека-клетки, появляющиеся только у почти зрелых фолликулов.

Роль гонадотропинов в созревании яйцеклеток

Долгое время в гинекологии существовала теория «двух клеток, двух гонадотропинов», характеризующая процесс созревания яйцеклеток (фолликулогенеза) и выработки гормонов тека-клетками и гранулезными клетками под влиянием фолликулостимулирующего гормона (ФСГ) и лютеинизирующего гормона (ЛГ). Эта теория описана в многочисленных публикациях и учебниках по медицине.

Согласно этой теории, зернистые клетки являются основным источником эстрадиола, который образуется путем превращения (конверсии) андрогенов, вырабатываемых тека-клетками, в женские половые гормоны через так называемый процесс ароматизации. Ароматизация зависит от уровня ФСГ, который связывается с рецепторами гранулезных клеток и активирует их.

В пользу этой теории говорили также изменения уровней гормонов — гонадотропинов, эстрадиола и прогестерона в течение цикла. Во многих учебниках эти изменения были описаны неточно, неправильно.

Обычно изменения гормонального фона объяснялись (и до сих пор объясняются) так: в первую фазу рост ФСГ стимулирует рост фолликулов и выработку ими эстрогенов, после овуляции рост ЛГ стимулирует выработку желтым телом прогестерона. Таким образом, в фолликулярную фазу доминирует ФСГ и эстроген, в лютеиновую — ЛГ и прогестерон. И почти все врачи направляют женщин на определение ФСГ, ЛГ и эстрогенов на 3–8-й день цикла, а на прогестерон и ЛГ (повторно) на 9–21-й день цикла.

Но суть в том, что и уровни ФСГ, и уровни ЛГ едва меняются в течение всего менструального цикла, за исключением предовуляторного периода. Уровни эстрадиола тоже невысокие в начале фолликулярной фазы, а в лютеиновую фазу они даже немного выше показателей первой половины первой фазы.

Действительно, для выработки эстрогена необходимо взаимодействие двух видов клеток — тека и зернистых. Но некоторые ученые обнаружили, что тека-клетки могут вырабатывать не только андрогены, но и эстрогены. Другие ученые утверждают, что тека-клетки чаще всего вырабатывают не эстроген, а прогестерон из-за нехватки ароматазы — фермента, который принимает участие в превращении андрогенов в эстрогены.

При учете наличия таких стадий синтеза половых гормонов становится понятным, что теория «двух клеток, двух гонадотропинов» не является точной, потому что в ней прогестерон, вырабатываемый яичниками, представлен как вторичный продукт — гормон, который желтое тело производит после свершившейся овуляции. В реальности прогестерон играет куда большую роль и является матричным, то есть первичным, гормоном, «ювелирно вклинивающимся» в функцию всех без исключения клеток яичников и влияющим на эту функцию.

> В яичниках прогестерон подавляет рост гранулезных клеток, что фактически подавляет рост фолликулов, поэтому при беременности на фоне высокого уровня прогестерона рост фолликулов и овуляция не наблюдаются.

Конечно же, и созревание клеток, и овуляция требуют определенных уровней и пропорции гормонов в крови. Но если рассмотреть очередность всех процессов, происходящих в яичнике, то первая фаза полностью «сконцентрирована» на созревании половой клетки. Гормоны, которые вырабатываются яичниками в этот период, большей частью используются внутри самого яичника, поэтому говорят о паракринной функции этого органа.

Во второй фазе в функции яичника доминирует эндокринная активность, то есть выработка гормонов, которые необходимы для имплантации оплодотворенной яйцеклетки и развития беременности. Поэтому большая часть вырабатываемых яичником гормонов поступает в общее кровяное русло женщины и разносится по всему организму, в первую очередь для их использования маткой и молочными железами.

Удаление яичников приводит к нехватке не только эстрогенов, но и прогестерона, что может повлиять на работу многих органов, в том числе других эндокринных желез. Поэтому гормональная заместительная терапия состоит не только из эстрогенов, но и прогестерона.

> *Яичники можно смело назвать царством прогестерона — именно прогестерона, который влияет на функцию всего яичника.*

Стероидные гормоны

Пришла пора рассказать об особой группе гормонов, которые называются стероидными. Многие слышали о стероидах как о лекарственных препаратах.

> **Все без исключения стероидные вещества в своем строении имеют общее образование — 4 углеродных кольца, которые часто называют ядром стероидов, или гонаном, и обозначают латинскими буквами по порядку слева направо — A, B, C и D.**

В природе существует несколько сот стероидных веществ. Стероиды находят в растениях, грибах, у животных. Современная фармакопея насчитывает несколько сот синтетических стероидов, которые используются не только в медицине, но и в некоторых хозяйственных отраслях.

Считается, что появление стероидов в природе связано с повышением уровня кислорода в атмосфере. Большинство процессов в живых организмах проходит по принципу присоединения атомов кислорода (окисления) и их потери.

Традиционно все стероидные гормоны делятся на пять классов: эстрогены, прогестероны, андрогены, глюкокортикоиды и минералокортикоиды. Все стероидные гормоны, вырабатываемые яичниками, яичками и надпочечниками, взаимосвязаны, и их функция зависит от трех важных факторов на клеточном уровне:

1) качества и количества рецепторов, способных связываться с гормонами;
2) наличия достаточного количества ферментов (энзимов), участвующих в обмене стероидных гормонов;
3) места связывания гормонов (поверхность клетки, внутриклеточная цитоплазма, ядро клетки, митохондрии).

О клетках-мишенях

Гормоны действуют не на все клетки организма, а только на клетки-мишени, которые имеют соответствующие рецепторы для связывания с молекулами гормонов или другой механизм для их усвоения. Для каждого вида гормонов существует свой вид рецептора — это как ключик, который подходит только к одному виду замка.

Под влиянием определенных факторов возможно соединение разных гормонов и химических веществ с некоторыми рецепторами (блокировка чувствительности рецепторов лекарствами применяется в лечении многих заболеваний).

Чтобы понять взаимоотношения между эндокринными железами, рецепторами и гормонами, можно воспользоваться примером радиовещания. Радиопередача какой-то станции (эндокринная железа) передает сигналы (гормоны) постоянно во все точки местности на большие расстояния (организм), но, чтобы послушать передачу, необходимо не только включить радиоприемник (орган), но и настроить его на определенную волну-частоту (рецепторы к гормону).

Стероидные гормоны воздействуют на определенные ткани-мишени. Органы-мишени или ткани-мишени — это те органы или ткани, на которые гормоны яичников воздействует непосредственно, помогая им выполнять свою функцию. В женском организме это матка, но не все ее слои, а только внутренний — эндометрий и, частично, миометрий (средний слой). Это также молочные железы, которым гормоны нужны для выработки молока.

Синтез стероидных гормонов

Стероидные гормоны являются производным холестерина (международное название — холестерол). О вреде этого вещества циркулирует немало мифов и слухов, но сейчас благодаря интенсивному изучению биохимических процессов на молекулярном и атомном уровнях, врачи и ученые начали говорить о холестерине положительно, понимая его огромное значение для нормального функционирования организма человека.

Слово «холестерол» является производным от двух греческих слов: «холе» означает «желчь», а «стереос» (как и в слове «стероиды») — «твердый», потому что он впервые был выделен в 1769 году в твердом состоянии из желчных камней французским врачом и химиком Пулетье де ла Саль. Окончание «ол» означает, что холестерол принадлежит к классу спиртов.

Холестерин является очень важным веществом — основой стероидных гормонов и желчных кислот. Он также входит в состав клеточных оболочек (мембран), делает их прочными и водостойкими. Все без исключения клетки человека вырабатывают собственный холестерин, но наибольшее количество этого органического вещества производится печенью, кишечником, репродуктивными органами и надпочечниками.

Для синтеза холестерина необходимы жиры, которые поступают с пищей. Большое количество готового холестерина также поступает с продуктами питания, в частности животного происхождения.

> *При нехватке жиров наблюдается нарушение выработки не только холестерина, но и стероидных, и особенно половых гормонов, и репродуктивная функция человека может тормозиться или полностью выключаться.*

В природе все процессы имеют стадийность, или градацию. С одной стороны, такая стадийность кажется сложным многоступенчатым процессом. С другой стороны, это комбинация многочисленных простых процессов, когда поломка на одном уровне может компенсироваться быстро и эффективно переходом на другой уровень разными путями с вовлечением разных веществ.

Чем важнее какое-то вещество для жизни организма, тем его получение и выработка проще, а среди стероидных гормонов прогестерон — один из самых главных. Поскольку он является матрицей для большого количества других субстанций, его синтез и регуляция этого синтеза обеспечиваются несколькими механизмами. Из холестерина вырабатывается промежуточное стероидное вещество — прегненолон, участвующий в синтезе и других гормонов.

Во всех органах, вырабатывающих стероидные гормоны из прогестерона, имеются специальные рецепторы. Гормональными рецепторами называются молекулы (чаще всего жировой или белковой природы), которые могут связываться с молекулами гормонов. Для каждого вида гормона есть свои специфические гормональные рецепторы. Без формирования «замочка» между рецептором и гормоном воздействие гормона на клетки-мишени и в целом на орган невозможно.

Транспорт стероидных гормонов

Существует несколько путей транспорта гормональных веществ в организме человека. Основная масса гормонов переносится в связанном с белками виде. Гормоны и другие вещества, связанные с белками, называются конъюгированными. Если молекулы гормонов и других веществ не связаны с белками, говорят о неконъюгированном состоянии. Только до 2% стероидных гормонов в крови человека находится в свободном виде. Связанный с белками гормон является неактивным веществом, поэтому не оказывает влияния на клетки и ткани.

В крови человека содержится много органических веществ и клеточных структур. Белки составляют от 6 до 8% объема крови. Наиболее распространенные виды белков — это альбумины, глобулины и фибриноген. Альбумины и глобулины называют сывороточными глобинами или глобулярными белками, потому что их молекулы имеют компактную шаровидную форму.

Кровь, сыворотка и плазма — в чем разница?

В чем разница между кровью, сывороткой и плазмой? Это необходимо понимать, потому что часто определение тех или иных веществ проводится по-разному в разных лабораториях: их можно определять в цельной крови, в сыворотке и в плазме. Результаты в таких случаях тоже будут разными, и если не учитывать эти нюансы, то интерпретация полученных результатов будет ложной.

Когда берут кровь из вены (забор крови желательно проводить из вены, а не из пальца), получают цельную кровь, которая содержит все ингредиенты. Если в такую кровь добавить антикоагулянты, то есть предотвратить процесс свертывания крови (коагуляции), а потом отцентрифугировать ее, то на дне пробирки появится осадок, состоящий из клеток крови (эритроцитов, лейкоцитов, тромбоцитов). Оставшаяся жидкость без клеток крови называется плазмой.

Если из плазмы удалить факторы свертывания крови (в первую очередь фибриноген), то получится жидкость, которая называется сывороткой. Оставшиеся белки можно выделить с помощью электрофореза. Протеины под влиянием электрического тока передвигаются к электродам с разной скоростью, поэтому таким способом можно получить разные фракции белков крови.

Альбумины

Около 50% всех белков крови являются альбуминами. Они вырабатываются печенью и отвечают за перенос по всему телу очень многих веществ, молекулы которых имеют маленькие размеры. Также альбумины принимают участие в поддержании специального давления крови, которое называется осмотическим.

Альбумины могут связываться с молекулами воды, с различными ионами (натрия, калия, кальция), с рядом гормонов, билирубином, витаминами, жирами, с многочисленными лекарственными препаратами. Во время беременности плодом вырабатывается альфа-фетопротеин (АФП), который играет важную роль в переносе многих веществ в крови ребенка и плаценте. В природе альбумины накапливаются в семенах многих растений и яйцах животных (например, белок в курином яйце).

Роль альбумина в транспорте прогестерона и половых гормонов изучена на животных моделях и на человеке еще в 70-х годах прошлого столетия. Исследования проводились у разных возрастных категорий женщин, при разных заболеваниях, а также у беременных. Поскольку прогестерон является одним из самых основных гормонов яичников, мы воспользуемся данными о его транспорте и обмене для лучшего понимания процесса усвоения стероидных гормонов.

При нормальных показателях уровня прогестерона и вне состояния беременности до 80% гормона связано с альбумином. При повышении концентрации прогестерона (при беременности, после введения экзогенного прогестерона) фракция связанного с альбумином прогестерона понижается, хотя в целом количество альбумина тоже повышается. Однако повышение уровня белка часто не совпадает с повышением уровня гормона (как это наблюдается при беременности). Часть молекул гормона в таких случаях может связываться с другими белками — глобулинами, с эритроцитами или же оставаться в свободном состоянии.

Глобулины

Сывороточные глобулины также играют важную роль в транспорте многих веществ. Все глобулины можно разделить на три вида или класса: альфа-, бета- и гамма-глобулины.

- **Альфа-глобулины** участвуют в переносе многих витаминов и гормонов, в том числе эстрогена, тестостерона и прогестерона. С глобулинами крови связано только 20% прогестерона.
- **Бета-глобулины** участвуют в транспорте ряда веществ (например, железа в виде трансферрина).
- **Гамма-глобулины** по своей функции являются антителами (их часто называют иммуноглобулинами), вырабатываемыми защитной (иммунной) системой человека против инородных агентов и веществ, попадающих в организм, или против собственных клеток и частей клеток (поврежденные, раковые и т.д.). Количество антител обычно увеличивается при появлении инфекционных агентов.

Существует пять классов антител (Ig), которые вырабатываются поочередно или одновременно в зависимости от вида инородного агента. Гамма-глобулины используются для лечения ряда состояний и с профилактической целью (входят в состав многих вакцин). Аутоиммунные антитела, которые могут образовываться и поражать эндокринные железы и влиять на выработку гормонов, чаще всего принадлежат к классу G.

Специфические глобулины,
связывающие стероидные гормоны

Существует несколько видов белков, к которым могут присоединяться половые гормоны. Одним из них является **белок, связывающий половые гормоны** (SHBG), относящийся к глобулинам. Прогестерон, в отличие от половых гормонов, связывается с этим белком не часто. С этим белком соединяются основные половые стероидные гормоны — андрогены и эстрогены.

Другой вид глобулина — это **белок, связывающий кортикостероиды** (CBG или транскортин), в частности кортизол. Его молекулы крупные и содержат 135 аминокислот. Белок, связывающий кортикостероиды, является «родственником» тех белков, которые переносят гормоны щитовидной железы. Хотя этот вид белка связывает 80–90% кортизола в плазме крови человека, он также может соединяться с прогестероном.

Существует еще один вид глобулина — **α1-кислотный гликопротеин** (AAG), или орозомукоид. CBG и AAG содержат большое количество сахара. Такие виды белка имеются у всех млекопитающих. У беременных самок ряда животных уровень связанного прогестерона повышается во много раз и быстрее, чем уровень белка, связывающего кортикостероиды. Считается, что у беременных женщин значительно увеличивается количество α1-глобулина, который связывается в основном с прогестероном и в меньшей степени с другими стероидами, в том числе тестостероном.

Понимание процесса транспорта стероидных гормонов, в частности половых и прогестерона, помогает разобраться в причинах повышения уровня этих гормонов. Ведь недостаточно знать просто о повышении уровня гормона. Важно знать, это связанная форма или свободная. Также при дефиците белков (при плохом питании, голодании) количество свободного гормона может увеличиваться.

Почему большее количество гормонов, в частности прогестерона, связано все же с альбуминами, а не глобулинами? Степень формирования связей с гормоном зависит от вида белка и температуры тела человека. Связывающая способность глобулина в 500 раз больше таковой у альбумина, но в сыворотке крови на одну молекулу CBG имеется 800 молекул альбумина. Поэтому большое количество прогестерона, как и других гормонов, связано в крови с альбумином (при беременности более 50%).

Связывание гормона с протеинами играет важную роль в обмене стероидных гормонов. Они практически нерастворимы в жидкостях человека независимо от того, вырабатываются они в организме или вводятся извне. Поэтому связь с белками способствует не только транспорту гормонов, но и их защите от атаки ферментами и, следовательно, преждевременного распада.

Прогестерон

О прогестероне и о мужских и женских половых гормонах, вырабатываемых яичниками, упоминалось на страницах этой книги уже не раз. Мы продолжим знакомство с этими удивительными веществам и пальму первенства отдадим прогестерону в силу его древности, совершенства и значимости.

> *Прогестерон — это уникальное вещество, которое вырабатывается живыми организмами, в том числе человеком. Несмотря на то, что без него невозможна жизнь очень многих животных, прогестерон бывает как полезным, так и вредным для человека, в зависимости от различных факторов и условий, а также от вмешательства в биохимические процессы организма со стороны.*

Другие названия прогестерона следующие: гормон желтого тела, лютеиновый гормон, прогестационный гормон, лютеальный гормон, лютеогормон, лютин, гормон беременности, прегнандион, прогестеронум. В некоторых странах могут быть свои специфические названия этого гормона.

Можно не знать детально строение прогестерона (даже биохимики не знают наизусть строение всех органических веществ), можно не разбираться в процессе обмена веществ в организме человека, но все же нужно запомнить несколько важных фактов, касающихся строения и функции этого органического вещества. Обретенные знания помогут понять, как функционирует организм человека, какие процессы происходят в нем и как они влияют на определенные органы и весь организм в целом.

Итак, важно запомнить, что прогестерон — это стероидное вещество, о чем я уже упоминала выше, и этот факт должен создать у думающих людей понимание, что между стероидами существует взаимосвязь, как существует связь между представителями одной большой семьи: родители, братья, сестры, внуки, правнуки и т.д. Между прогестероном и другими стероидными гормонами тоже имеется «родственная» связь, о чем мы поговорим ниже.

О прогестероне знают практически все женщины. В очень многих источниках информации, в том числе медицинских, можно найти определение прогестерона как полового гормона. Это вещество назвали женским половым гормоном еще в начале прошлого столетия, когда были обнаружены мужские половые гормоны. Если у мужчин имеются мужские половые гормоны, считалось, что у женщин должны быть женские половые гормоны. А так как из яичников получали экстракт, содержащий прогестерон, и позже этот гормон был обнаружен в плаценте (детском месте), то возникло предположение, которое стало ложным постулатом на многие-многие годы, что прогестерон — это женский половой гормон.

В организме человека имеются женские и мужские половые гормоны независимо от того, мужчина это или женщина, но в разном количестве и разной пропорции. Мужские половые гормоны называют андрогенами, а женские половые гормоны — эстрогенами.

Хотя прогестерон воздействует на женскую репродуктивную систему и участвует в регуляции менструального цикла, этот гормон не является половым.

Наибольшее количество прогестерона во время беременности вырабатывает плацента — почти в 15 раз больше, чем яичники женщины в первые недели беременности. Поэтому прогестерон нередко называют гормоном беременности. Но важно понимать, что выработка прогестерона при беременности после успешного прикрепления плодного яйца к стенке матки (имплантации) не связана с работой яичников женщины и с желтым телом беременности, а происходит независимо и автоматически за счет биохимических процессов в плаценте, которая является производным плодного яйца, а не матери. Независимо от того, является ли плод девочкой или мальчиком, количество вырабатываемого прогестерона плацентой и частично плодом одинаково. Таким образом, ни пол будущего ребенка, ни женский пол матери не определяют выработку прогестерона при беременности. Вырабатываемый же плодным местом прогестерон практически не усваивается организмом матери, а употребляется плодом для производства важных гормонов и других химических веществ.

Ошибочно принято считать, что для женского организма ключевым моментом в его функционировании является соотношение эстрогенов и прогестерона. Но что же в таком случае является ключевым моментом в функционировании мужского организма? Уровень мужских половых гормонов, тестостерона — так обычно звучит ответ. Но верно ли это? Если учитывать биохимические процессы и выработку всех половых гормонов, то и для женщины, и для мужчины важна нормальная физиологическая пропорция трех гормонов — прогестерона, тестостерона и эстрогена — «святая троица», и не иначе. Важно понять, что в процессе созревания половых клеток доминирует не пропорция эстроген/прогестерон, а пропорция тестостерон/эстроген через матричный гормон — прогестерон и гормоны гипофиза. Величина пропорции зависит не только от дня менструального цикла, но и от возраста, питания, режима отдыха и работы, наличия стресса и довольно часто может колебаться.

Прогестерон производится яичниками, яичками и надпочечниками и может быть использован частично «местно», например, яичниками для выработки половых гормонов, надпочечниками — для выработки стероидных гормонов, а также переноситься к тканям-мишеням, где происходит его наибольшее потребление — к матке и молочным железам.

Об уровнях гормонов в крови

Внутренний прогестерон хотя и курсирует по организму в свободном состоянии, но в небольшом количестве. Какую часть этой активной формы прогестерона используют клетки и ткани, а какая — распадается и выводится из организма, неизвестно. При увеличении количества свободного прогестерона он атакуется энзимами крови и других тканей для уменьшения его вредного воздействия.

Связанный прогестерон (98–99% всего вырабатываемого прогестерона) доставляется к разным органам, тканям и клеткам. Такой вид прогестерона путешествует по всему организму медленнее и тоже частично распадается в процессе транспорта, несмотря на связь с белками, особенно в печени. Однако в таком виде прогестерон не воздействует на клетки — он находится в нейтральном состоянии. Какой процент связанного прогестерона используется клетками и тканями, тоже неизвестно.

> *Уровень прогестерона, который определяют в крови женщины, — это количество связанного неактивного прогестерона, что не отражает реальную картину усвоения прогестерона клетками, а значит, и степень его воздействия на клетки.*

Здесь необходимо вспомнить ряд других гормонов.

Долгое время, определяя уровни разных гормонов в крови, многие врачи не знали, что между показателями количества связанного, свободного и общего гормона имеется большая разница. Степень влияния гормональных веществ на организм человека определяется в первую очередь наличием свободного гормона. В большинстве лабораторий до сих пор определяют общий уровень гормонов (сумму свободного и связанного). При этом показатели многих связанных гормонов могут быть повышены, например при беременности, в то время как неконъюгированные формы гормонов могут оставаться в норме. Естественно, если уровень конъюгированного гормона выше, то причин повышения этого уровня может быть несколько, но чаще всего это проявление хорошей компенсаторной реакции: каким-то образом появилось лишнее количество гормона, значит, необходимо не только подавить его активность и нанесение вреда клеткам и тканям, связав его с белками, но и быстро вывести его из организма. Поэтому неудивительно, что уровни определенных видов метаболитов (продуктов распада) могут быть повышены в некоторых жидкостях тела (кровь, моча) или кале.

Чем больше развивается медицина, тем понятнее становятся многие вопросы в отношении правильного измерения уровней гормонов. Поэтому, например, нарушение функции щитовидной железы уже не ставят только по определению одного уровня общих гормонов этой железы (T4 и T3), но учитывают уровень свободных гормонов, а также уровень гормона гипофиза (ТТГ), регулирующего работу железы (о заболеваниях щитовидной железы мы поговорим в другой главе этой книги).

То же самое можно сказать об определении уровней мужских половых гормонов — уровень свободных андрогенов куда важнее уровня связанного или общего тестостерона. При измерении уровня пролактина тоже учитывается свободная и связанная с белками форма гормона.

Но в современной женской эндокринологии царит настоящий хаос, потому что до сих пор в диагностике многих заболеваний репродуктивной системы, функция которой зависит от уровней разных гормонов, проводят измерение уровней не тех гормонов и не тех метаболитов, без учета их связи с белками. Другими словами, никто не определяет уровень свободного эстрадиола, как и свободного прогестерона, активных форм гормонов, но зато все выводы делаются на основании определения уровней конъюгированных форм. При этом ни врачи, ни ученые не знают, какой же процент гормонов будет усвоен организмом, а какой — будет выведен с мочой и калом.

К тому же каждый день менструального цикла, как и время суток, характеризуется своей уникальной пропорцией уровней разных гормонов. Исследователи и врачи знают об этой пропорции пока что чрезвычайно мало, точнее, почти ничего. Какой должна быть эта пропорция в норме не просто за весь цикл, а в отдельно взятый день менструального цикла, утром, вечером, ночью? Меняется ли она в разных циклах? Что влияет на изменение уровней этой пропорции? Как изменения пропорции воздействуют на овуляцию, зачатие и имплантацию? Графики уровней гормонов в течение суток существуют, но они отражают колебания гормонов у женщин, принимавших участие в экспериментах и клинических исследованиях, то есть они индивидуальны. Такие графики не могут характеризовать изменения уровней гормонов у всех без исключения женщин.

Таким образом, в современной женской эндокринологии существуют сплошные дилеммы не только в диагностике ряда эндокринных нарушений, но и в выборе методов лечения. Еще большая дилемма наблюдается в назначении гормонов в предклимактерическом и климактерическом периодах.

Две формы прогестерона

Большинство женщин не знает, что существует две совершенно разных формы прогестерона, которые вырабатываются разными источниками и поэтому играют совершенно разную роль.

Желтое (лютеиновое) тело вырабатывает наибольшее количество прогестерона у небеременной женщины, и этот его вид нередко называют лютеиновым прогестероном. Пик выработки гормона наблюдается на 7-й день после овуляции, когда фактически начинается имплантация плодного яйца.

Оказалось, что нормы уровней гормона не одинаковы у женщин репродуктивного возраста, как это считалось раньше. Среди ряда этнических групп уровни прогестерона очень низкие, до 70% ниже по сравнению с другими группами, тем не менее уровень бесплодия у этих женщин не отличается от средних показателей.

После овуляции лютеиновый прогестерон выполняет следующие функции:

- стимулирует дальнейшую выработку прогестерона яичником;
- подавляет рост (пролиферацию) эндометрия;
- стимулирует пролиферацию молочных желез (максимум — 24-й день цикла);
- подавляет воспалительные процессы в яичниках и матке;
- включает программу дифференциации эндометрия;
- стимулирует рост спиральных артерий миометрия;
- активирует железы эндометрия и усиливает их секрецию (выработку особой жидкости);
- вызывает приток к матке ряда клеток иммунной системы, участвующих в создании здоровой взаимосвязи между плодным яйцом и маткой;
- создает «окно имплантации» формированием пиноподиев эндометрия;
- регулирует выработку гормонов гипофизом и гипоталамусом;
- участвует в сексуальном поведении женщины (подавляет сексуальное влечение);
- влияет на психоэмоциональное состояние женщины (подавляет настроение);
- понижает моторику кишечника и желчного пузыря.

После зачатия лютеиновый прогестерон выполняет следующие функции:

- понижает сократительную деятельность матки с началом имплантации плодного яйца;
- стимулирует формирование децидуальной ткани (важного участка эндометрия в месте прикрепления плодного яйца).

У лютеинового прогестерона есть и другие функции, так как рецепторы прогестерона имеются во многих органах человеческого тела.

Молодая здоровая женщина в течение одного менструального цикла в 28 дней вырабатывает около 210 мг прогестерона, что составляет около 2500 мг в год.

С 7–8-й недели беременности формирующаяся и растущая плацента начинает выработку прогестерона, который называют плацентарным прогестероном. Его количество достигает очень больших уровней. Хотя этот вид прогестерона легко проникает через плацентарный барьер в кровоток матери, все же большая часть гормона находится в плацентарной ткани, околоплодных водах и организме плода.

С началом продукции прогестерона плацентой выработка прогестерона в яичниках значительно понижается. Уровень прогестерона в крови матери постепенно повышается и достигает максимума перед родами — все это происходит за счет гормона, вырабатываемого плацентой.

Высокий уровень прогестерона влияет на работу органов, однако этот прогестерон женским организмом практически не усваивается, поскольку выраженного повышения других стероидных гормонов — производных прогестерона и продуктов обмена прогестерона — в крови и моче не наблюдается.

> Плацентарный прогестерон проявляет уникальную автономность (независимость) не только от организма женщины, но и от организма плода, и эта автономность является загадкой для ученых и врачей.

К концу беременности плацента вырабатывает максимальное количество прогестерона, и общий уровень продукции гормона достигает 300 мг/сутки — во много раз больше, чем производят яичники.

Какова роль плацентарного прогестерона для женщины? Традиционно считается, что он выполняет следующие функции:

- подавляет воспалительную реакцию миометрия на плаценту;
- готовит молочные железы к лактации;
- создает баланс между сокращением и расслаблением мышц матки;
- подавляет выработку простагландинов в матке;
- стимулирует сокращения матки при доношенной беременности.

Другими словами, та часть плацентарного прогестерона, которая попадает в кровяное русло матери, воздействует в основном на матку и молочные железы. Плацентарный прогестерон намного важнее для плода, чем для матери.

> **До сих пор нет четкого представления о том, какую роль играет прогестерон в жизни плода, потому что не найдена зависимость между показателями уровня прогестерона в артериях и венах пуповины и плода.**

Прогестерон плаценты превращается в прегнандиол в печени плода, а затем используется для синтеза стероидных гормонов. Прогестерон участвует в синтезе кортизола надпочечниками, но чем больше кортизола вырабатывается, тем в большем стрессе находится плод. При дистрессе плода уровень прогестерона в вене пуповины тоже повышается. Повышенный уровень прогестерона в пуповине обнаружен в случаях тазового предлежания и после кесаревых сечений, хотя ряд исследователей опровергают такие данные.

Если процесс регуляции выработки и обмена лютеинового прогестерона у женщин изучен хорошо, механизм выработки прогестерона плацентой неизвестен. Механизм сигнализации со стороны плода плаценте о необходимости в прогестероне не изучен. Другими словами, что вынуждает плаценту вырабатывать прогестерон и в каком количестве — неизвестно.

Уровень ретроплацентарного прогестерона не имеет взаимосвязи с уровнями прогестерона ни в крови матери, ни в пуповине плода. Отсутствие этой связи подтверждено рядом клинических исследований. И такой феномен удивляет своей уникальностью и неординарностью, ведь тогда получается, что плацента выполняет свою программу по выработке прогестерона автономно, а плод — свою программу по его использованию в том количестве, которое необходимо ему, тоже независимо.

Основное количество прогестерона находится в плацентарной ткани, и его уровень растет с развитием беременности. Концентрация гормона в ретроплацентарной крови (между плацентой и эндометрием) составляет от 380 до 4650 нмоль/л, в то время как в плазме крови женщины находят от 100 до 620 нмоль/л. Это почти в 15 раз больше, чем до беременности. В сосудах пуповины, то есть в крови плода, уровни прогестерона составляют от 90 до 1800 нмоль/л.

Таким образом, около 30% прогестерона, вырабатываемого плацентой, используется плодом для производства многих веществ. Некоторое количество прогестерона попадает в кровяное русло матери, но большая часть все же остается в плаценте.

Уровень прогестерона в ретроплацентарном пространстве приблизительно в два раза больше уровня в пупочной вене у новорожденных после кесарева сечения. Но уровень прогестерона в плаценте также возрастает перед родами. Не найдена зависимость между полом плода и уровнем прогестерона в пуповине.

> **Исследования показали, что введение дополнительного прогестерона в кровь матери не влияет на уровень прогестерона в плаценте и в крови плода. И этим подтверждается существование уникальной автономности плацентарного прогестерона.**

Ошибки в измерении уровня прогестерона

Вопрос об определении уровня прогестерона в организме женщины возникает в разных ситуациях: при постановке диагноза, при выборе вида гормона с целью лечения, при контроле эффективности лечения. При этом врача интересует оптимальный метод определения уровня прогестерона с получением наиболее достоверных результатов. После получения результатов появляется еще один вопрос: насколько они «вписываются» в норму. Кажется, что при таком подходе к обследованию погрешностей не должно быть, однако большинство ошибок в постановке диагнозов и назначении лечения возникает не только из-за неправильного определения уровней гормонов, но и из-за неправильной интерпретации полученных результатов анализов.

В этой книге уже не раз упоминалось, что в крови прогестерон может находиться в свободном или связанном с белками состоянии. Прогестерон может также быть связан с эритроцитами. Поэтому уровни прогестерона в крови, сыворотке и плазме будут разными.

Предполагается, что для подавления роста эндометрия уровень прогестерона в сыворотке крови должен быть не меньше 5 нг/мл. Однако многие исследования показали, что введение прогестерона в разных формах часто лишь немного повышает уровень гормона. Несмотря на это, лечебный эффект все же может наблюдаться. Как его объяснить в таких случаях? Тем, что уровень прогестерона в крови не отражает его уровень в тканях и клетках, использующих прогестерон, которые также могут содержать метаболиты прогестерона. Некоторые органы очень быстро «втягивают» прогестерон: эндометрий, слюнные железы, легкие, мозг, почки, печень, кожа (через кровь) и жировые прокладки.

> *Совершенно неинформативным и устарелым является определение «гормонального зеркала» по цитологическим мазкам или кольпоскопии, что до сих пор назначают многие врачи старой школы, особенно при беременности. Абсурдно ставить прогестероновую недостаточность и прогнозировать исход беременности по таким «гормональным зеркалам».*

В разных лабораториях единицы измерения уровней прогестерона тоже могут быть разными: нг/мл, мкг/л, нмоль/л. Если сравнивать только цифры, без единиц измерения, можно сделать ложные выводы.

Каждая лаборатория имеет свои референтные значения, то есть минимальные и максимальные показатели, которые приняты за норму. Однако эти рамки могут соотноситься только с тем методом, которым определяли уровни гормонов, но не отражать реальную характеристику уровней гормонов для конкретной популяции женщин. Если, например, реактивы были куплены в другой стране, то референтные значения могут отражать нормы для той страны или региона, где эти реактивы производятся.

Референтные значения уровней прогестерона часто не учитывают состояние женщины (беременна она или нет), этническую группу и национальность, возраст, что влияет на правильную интерпретацию результатов обследования.

Особенности уровней прогестерона в женском организме

Помимо того, что в разных жидкостях и фракциях крови уровни прогестерона и его метаболитов могут быть разными, важно помнить, что прогестерон быстро распадается, поэтому его уровни колеблются в организме женщины не только в течение менструального цикла, но и в течение суток. Под влиянием пульсирующей выработки гонадотропинов выработка прогестерона тоже имеет пульсирующий характер. Поэтому один показатель одного измерения прогестерона не отражает реальную ситуацию гормонального фона женщины.

У женщин с нормальной репродуктивной функцией бывают циклы как с низким уровнем прогестерона, так и, наоборот, с высоким. Большинство врачей не учитывают важный факт — все женщины индивидуальны, а идеальные 28-дневные месячные циклы встречаются чаще в текстах учебников по гинекологии, чем в реальной жизни. Определение уровня прогестерона на 21-й день менструального цикла — это не рациональный подход к оценке ситуации и проблем женщины. Никогда постановка диагноза не должна проводиться только по одному показателю уровня прогестерона.

В зависимости от приема пищи, алкоголя, курения, занятий спортом, образа жизни женщины уровень прогестерона тоже может меняться как в считаные часы, так и на протяжении всего цикла. Прием лекарственных препаратов, в том числе других стероидных гормонов, которые могут назначаться терапевтами, семейными врачами, хирургами и другими специалистами, влияет на уровень прогестерона у женщин.

Состояние беременности уникально тем, что уровень лютеинового прогестерона после 5 недель понижается, в то время как уровень плацентарного прогестерона растет, однако этот вид прогестерона попадает в кровяное русло женщины в незначительном количестве. Уровень прогестерона на ранних сроках при первой беременности выше, чем при последующих беременностях. Пол ребенка на уровень прогестерона не влияет, так же как и вес и возраст матери.

Еще одной особенностью является то, что у беременных женщин увеличивается в крови уровень свободного прогестерона, причем быстрее, чем уровень общего прогестерона. С 24-й недели до 40-й количество свободного прогестерона увеличивается с 6 до 13% от общего прогестерона. Интересно, что буквально через два часа после родов уровень связанного и свободного прогестерона резко понижается, однако пропорция свободного прогестерона увеличивается до 19% от общего и может продержаться на таком уровне продолжительный период времени. В лабораториях уровень свободного прогестерона при беременности не определяется, поэтому могут быть сделаны ложные выводы о «нехватке гормона беременности».

Введение экзогенного прогестерона в виде лекарственных препаратов повышает уровень свободного прогестерона в крови, но обычно ненадолго, так как прогестерон быстро распадается. Кроме того, уровни свободного и связанного прогестерона будут зависеть от дозы вводимого препарата и путей введения, а также от других факторов.

Существует еще много особенностей выработки, усвоения и распада прогестерона, о которых упомянуто в других главах этой книги. Все эти особенности должны учитываться врачами, прежде всего для правильной постановки диагноза.

Мифы о минимальном уровне прогестерона, питании и условиях жизни

Очень часто женщин интересует вопрос, какой минимальный уровень лютеинового прогестерона является допустимым для зачатия и нормального развития беременности. Многие врачи также ищут связь между уровнями прогестерона до беременности и уровнями успешной имплантации и развития беременности.

В разных странах мира проводились исследования на эту тему, и мнения ученых расходятся. Одни считают, что уровень прогестерона в 5 нг/мл (16 нмоль/л) является достаточным для успешного развития беременности на ранних сроках. Многие репродуктивные клиники за минимальный уровень приняли показатели лютеинового прогестерона в 10–13 нг/мл (32–41 нмоль/л). У большинства женщин уровни лютеинового прогестерона составляют 7–57 нмоль/л. Однако референтные значения у многих лабораторий разные, как и единицы измерения прогестерона, что вносит немало путаницы в правильную интерпретацию результатов анализов. Кроме того, даже при низком уровне прогестерона у женщины есть потенциальный шанс выносить ребенка. Все эти многочисленные противоречия породили большое количество слухов, страхов и мифов о том, какими должны быть минимальные уровни прогестерона.

Известно, что самые низкие уровни рождаемости наблюдаются сейчас у белой расы, особенно у жителей развитых стран. Количество бездетных семейных пар увеличивается, в большинстве семей имеется только один ребенок, реже двое-трое детей. В медицинской литературе можно найти информацию о том, что питание играет роль в уровне зачатий и плодовитости. Но если рассмотреть уровни беременностей и родов у народов развивающихся стран, то они самые высокие.

Женщины беременеют и рожают в условиях низкого социально-экономического развития, военных действий, нехватки пищи и воды. Несмотря на многие лишения, женщины развивающегося мира беременеют до 12 раз в течение своей жизни и имеют по 7–8 детей в среднем. Многие дети умирают из-за голода и опасных инфекций, тем не менее скорость прироста населения в этих странах велика.

Фертильность очень мало зависит от питания, хотя регулярность менструальных циклов и наличие овуляции соотносятся с индексом массы тела и количеством жировой ткани в организме женщины. Исследования показали, что овуляторная функция яичников зависит от энергетического обмена и может быть нарушена при его низком или высоком уровне. Самой частой причиной нарушения овуляции у женщин развитого мира является состояние стресса, в том числе энергетический стресс. Фактически любой стресс — физический, эмоциональный или пищевой (питательные вещества — это тоже энергия) — может привести к нарушению овуляции.

Вопрос, почему у женщин «упитанного общества», в котором имеется достаточно пищи, реакция на стресс выражается нарушением функции яичников, вызывает много споров среди специалистов разных направлений и до сих пор не имеет четкого объяснения. Одна из гипотез предполагала, что такие проблемы связаны с нехваткой прогестерона, который влияет на зачатие и протекание беременности. Но уровень прогестерона до овуляции в норме очень низкий. Также известно, что нехватка прогестерона сопровождается чаще бесплодием, а не невынашиванием беременности. О стрессе мы поговорим еще в других главах этой книги.

Изучение уровня прогестерона у американских женщин из сельской (неиндустриальной) местности показало, что уровень гормона у них ниже, чем у городских жительниц, хотя уровень зачатий и беременности выше. Поскольку в целом все американские женщины питаются почти одинаково, говорить о нехватке питательных веществ, за исключением редких случаев, не приходится.

Ученые решили провести международное исследование и проверить уровень прогестерона у женщин Боливии из племени аймара, проживающих в высокогорной местности. Это племя было выбрано потому, что его поселения находятся в очень отдаленной от городов части страны, высоко в горах, и женщинам этого племени приходится заниматься тяжелым физическим трудом, часто недоедать. Кроме того, контрацепция среди мужчин и женщин в этом регионе планеты полностью отсутствовала.

Ряд предыдущих исследований показал, что уровень прогестерона у женщин высокогорных племен ниже уровня прогестерона у женщин городов и индустриальных зон. Самые высокие уровни прогестерона обычно наблюдались у беременных и кормящих женщин.

Чтобы избежать погрешностей в получении достоверных данных, участницы в группах американских и боливийских женщин были почти одинаковыми по возрасту. Средний возраст женщин, забеременевших впервые, в Чикаго — 31 год (в Канаде — 30 лет, в странах Европы — 27–29 лет, в США — 29 лет). Хотя известно, что уровень прогестерона у зрелых женщин не зависит от возраста вплоть до климактерического периода, возраст боливийских женщин был подобран в соответствии с возрастом американок из Чикаго и в среднем составлял 27–28 лет, однако большинство из них между 20 и 30 годами жизни уже прошло минимум через четверо родов. После каждых родов они кормили своих детей минимум 1–2 года, и продолжительность послеродовой аменореи (отсутствие менструаций) составляла минимум один год.

Оказалось, что уровень прогестерона у боливийских женщин был значительно ниже и составлял в фолликулярную фазу 77% уровня прогестерона американских женщин, 67% в лютеиновую фазу и на пике лютеиновой фазы — 71%. Эти показатели определялись в циклах, когда происходило зачатие. Отличия уровней прогестерона у американок среднего класса и боливийских женщин из высокогорного села в фолликулярную фазу не считались важными для выводов (статистически значимыми), но различия в уровнях после овуляции и во время месячных были значительными.

Рост уровня прогестерона после овуляции был быстрее и выше у американских женщин, особенно ближе к пику прогестерона. В период имплантации (8–10-й день после овуляции) уровень гормона у боливийских женщин был в два раза меньше его уровня у американских женщин. Независимо от того, произошло зачатие или нет, уровень прогестерона был понижен во всех циклах боливийских женщин по сравнению с американскими. Это привело исследователей к выводу, что низкие уровни прогестерона не являются показателями бесплодия и могут быть индивидуальными физиологическими особенностями многих здоровых женщин.

Низкий уровень прогестерона может быть особенностью не только жительниц сельских местностей, но и ряда этнических групп, живущих в разных регионах мира. Например, известно, что у японских женщин нормальный минимальный уровень прогестерона ниже показателей американских и европейских женщин. Низкие уровни прогестерона обнаружены у сельских женщин Польши, Непала, Конго. Эти уровни почти одинаковы с уровнями боливийских женщин, проживающих на высоте 4000 м над уровнем моря. Это означает, что географические особенности местности не играют роли в колебаниях уровней гормонов. Также было замечено, что уровни прогестерона у женщин всех этих популяций понижаются в периоды уменьшения количества пищевых продуктов (часто в зимне-весенний период).

Таким образом, уровни прогестерона в крови женщин могут зависеть от тех факторов, на которые врачи обычно не обращают внимание. Всегда в случаях низкого уровня прогестерона необходимо учитывать жалобы и признаки прогестероновой недостаточности, что обсуждается в главе, посвященной вопросам лютеиновой недостаточности.

Понятие о «прогестероновом действии»

Мы уже обсудили роль прогестерона в организме женщины, в том числе беременной (теме гормонов и беременности посвящена еще одна глава дальше). Мы также обсудили тему определения уровня прогестерона. Но существует еще одна тема, вокруг которой крутится много мифов. Очень часто в литературе говорится о «прогестероновом свойстве», «прогестероновом действии» или «прогестероновой активности», когда характеризуются свойства прогестерона и его синтетических форм. Что это за свойства и как они были определены?

Все без исключения прогестагены (так называются натуральный и синтетический прогестерон) имеют только одно общее свойство, или **прогестероновый (прогестагенный) эффект,** — все они могут воздействовать на эстрогенно подготовленный эндометрий кролика, блокируя его рост (пролиферацию) и вызывая в нем секреторные изменения. Именно воздействие прогестерона и прогестинов на эндометрий самки кролика было принято за эталон «прогестагенности». Но помимо прогестагенного свойства прогестерон и прогестины (синтетические формы прогестерона) проявляют разные другие биологические свойства при воздействии на клетки и ткани не только у животных, но и у людей.

Так как прогестерон участвует в синтезе всех стероидных гормонов, возникает вопрос: а какими свойствами обладает этот гормон? Наделяет ли его такое родство и свойствами этих стероидов? Оказывается, прогестерон может иметь как сходные свойства с андрогенами, эстрогенами, глюкокортикоидами и минералокортикоидами, так и противоположные. Это зависит от того, с какими рецепторами взаимодействует прогестерон, в каких тканях, в какие метаболиты превращается, а также в какой концентрации находится в крови и тканях.

По своему строению прогестерон ближе всего к мужским половым гормонам, поэтому чаще всего он может иметь андрогенное действие. Большинство прогестинов, используемых в медицине, тоже имеют андрогенное действие. Такой эффект наблюдается при высоких дозах прогестерона. Низкие дозы гормона, наоборот, имеют антиандрогенный эффект. В зависимости от дозы прогестерон может также иметь антиэстрогенное, антиглюкокортикоидное и антиминералокортикоидное свойство. Кроме того, эффект прогестагенов зависит от пути введения препаратов.

Помимо прогестагенов в организме человека имеется немало веществ с действием, похожим на прогестероновое. Эти вещества вырабатываются яичниками, надпочечниками, плацентой и рядом других органов.

Теперь мы оставим прогестерон, чтобы рассмотреть роль других гормонов, которые вырабатываются в яичниках. Но мы вернемся к прогестерону еще не раз на страницах этой книги.

Мужские половые гормоны

О мужских половых гормонах создано немало мифов, особенно в отношении их влияния на женское здоровье. Слово «мужские» вызывает у ряда женщин недоумение: почему что-то мужское должно присутствовать в организме женщины? Но мало кто знает, что по количеству в организме женщины намного больше мужских половых гормонов, чем женских. Кроме того, мужские половые гормоны являются именно тем веществом, из которого вырабатываются женские половые гормоны. Поэтому без мужского не будет женского.

Существует пять основных видов андрогенов:

• сульфат дегидроэпиандростерона (DHEA-S);
• дегидроэпиандростерон (DHEA);
• андростендион (A);
• тестостерон (T);
• дигидротестостерон (DHT).

Первые три вещества часто называются прогормонами, то есть предшественниками гормонов, потому что они могут превращаться в тестостерон и, таким образом, косвенно проявлять свою активность. DHT часто называют метаболитом тестостерона, или продуктом его распада. Но как раз дигидротестостерон и тестостерон обладают самой высокой гормональной активностью. Концентрация DHEA-S в сыворотке крови самая высокая среди всех андрогенов, но активность этого вещества одна из самых низких.

Яичники вырабатывают 25% андрогенов, в основном тестостерона, а остальное количество мужских половых гормонов производится надпочечниками. У мужчин андрогены вырабатываются в яичках и надпочечниках.

В зависимости от дня цикла количество тестостерона, вырабатываемое яичниками и надпочечниками, может меняться. Чем ближе к овуляции, тем больше тестостерона вырабатывается яичниками (до 65–75%) и меньше надпочечниками. Яичники также вырабатывают 50% андростендиона и 20% DHEA. В надпочечниках синтезируется практически весь DHEA-S и 80% DHEA. Поэтому при очень высоких показателях этих гормонов необходимо проверить надпочечники.

Помимо гонад и надпочечников, источниками андрогенов являются печень, жировая ткань и кожа. Андростендион и небольшое количество DHEA превращается в коже в тестостерон. Жировая ткань тоже накапливает стероидные гормоны, которые при их излишке могут превращаться в андрогены.

Ежедневно организм женщины вырабатывает от 0,1 до 0,4 мг тестостерона, однако уровни гормона в сыворотке крови зависят от дня цикла. Самый высокий уровень тестостерона наблюдается в середине цикла — почти на 20% выше уровня в начале или в конце, хотя при обследовании женщины день менструального цикла в определении уровня тестостерона роли не играет. У беременной женщины появляются и другие источники тестостерона.

Здесь важно заметить, что около 80% тестостерона соединяется с глобулином, связывающим половые гормоны (SHBG — sex-hormonebindingglobulin). Этот вид белка вырабатывается печенью, поэтому от нормальной функции печени будут зависеть уровни активного (свободного) и неактивного (связанного) тестостерона в организме женщины.

Андрогены, как и все стероидные гормоны, вызывают интерес у врачей-исследователей, поэтому все глубже изучается влияние этих гормонов не только на репродуктивную систему человека, но и на другие органы, в том числе на мозг, и на формирование поведения человека. Давайте рассмотрим, какую роль выполняют мужские половые гормоны.

Как уже упоминалось раньше, из мужских половых гормонов образуются женские половые гормоны, и это, наверное, самый важный, ключевой момент в формировании женщины как женщины.

Знаете ли вы, что половое созревание, в том числе девочки (фактически независимо от пола), начинается с повышения уровня гормонов в крови, в том числе мужских половых гормонов? Более подробно о половом созревании и роли андрогенов в становлении менструального цикла написано в моей книге «Дочки-матери».

Интересно, что когда речь идет об андрогенном действии, то имеется в виду влияние гормонов на половое созревание и физическое развитие мужчин. Впервые андрогены были описаны еще в XVIII веке, хотя тогда о них как о гормонах ничего не знали. В 1771 году Джон Хантер сделал пересадку яичек петуха в организм курицы, и у нее впоследствии вырос петушиный гребень и бородка. В 1849 году немецкий ученый Арнольд Бертольд пересадил яички от здорового петуха к кастрированному и получил тот же эффект — рост гребня и бородки. Также восстановилось поведение петуха. Но только в 1935 году Леопольд Рузика описал строение вещества, полученного из яичек (testes), и назвал его тестостероном.

Как раз влияние тестостерона и других андрогенов на поведение человека изучается сейчас многими учеными. Оказывается, в клетках мозга имеются андрогенные рецепторы двух подвидов: AR-A и AR-B. Основное воздействие андрогенов на мозг выражается в формировании агрессивного поведения как у мужчин, так и у женщин. Избыток мужских половых гормонов тоже подтверждает такое влияние гормонов на поведение людей. Нехватка андрогенов ассоциируется с развитием депрессии и раздражительности, особенно у женщин в менопаузе. Резкие колебания уровня тестостерона, особенно понижение андрогенов, замечены у людей, страдающих расстройствами настроения и психозами. Считается также, что андрогены могут иметь и нейрозащитную функцию, повышая выживаемость нервных клеток.

Итак, помимо того, что андрогены являются предшественниками эстрогенов и что они играют очень важную роль в половом созревании и становлении менструального цикла, они также важны для созревания половых клеток как у мужчин, так и у женщин. Между половыми гормонами существует тесная взаимосвязь, основанная на определенном балансе гормонов. А что происходит, если повышаются уровни мужских половых гормонов? Почему эти уровни повышаются? Об этом мы поговорим дальше.

Почему повышаются уровни
мужских половых гормонов

Если учесть механизм выработки, транспорта и усвоения стероидных гормонов, к котором относятся и мужские половые гормоны, то все причины повышения уровня андрогенов можно разделить на четыре группы.

1. Андрогены вырабатываются в излишке.
2. Не хватает белка, связывающего андрогены.
3. Нарушается усвоение и обмен андрогенов.
4. Нарушается выведение андрогенов из организма.

Источники андрогенов у не беременных и беременных женщин отличаются, как и уровни разных мужских половых гормонов, поэтому мы поговорим об этом подробнее. Сначала рассмотрим случаи гиперандрогении, то есть повышенного уровня мужских половых гормонов в крови, у женщин вне беременности.

Сразу хочу сказать, что в жизни любой женщины могут быть периоды повышенного уровня андрогенов. Гиперандрогения встречается не настолько часто, как об этом принято говорить: до 5–8% женщин могут иметь повышенный уровень мужских половых гормонов. Чаще всего гиперандрогения наблюдается в подростковом возрасте (вплоть до 21–22 лет), на фоне приема ряда медикаментов, при стрессе, что может сопровождаться нерегулярными менструальными циклами.

> **Когда мы оцениваем результаты анализов, важно знать, какие именно мужские половые гормоны повышены, в каком виде (связанном, свободном) и как такое состояние отражается на функции женского организма (как проявляется на физическом уровне).**

Повышение гормонов из-за избытка выработки андрогенов может быть незначительным и выраженным. Как раз выраженное повышение требует срочной реакции, так как оно не только будет сопровождаться жалобами, но может указывать на наличие опасной опухоли яичников или надпочечников. **Любое быстрое повышение уровня мужских половых гормонов требует срочного обследования.**

Существует десять видов опухолей (8 яичникового и 2 надпочечникового происхождения), вырабатывающих мужские половые гормоны. Почти все эти опухоли злокачественные и могут метастазировать в другие органы. Хотя опухоли, вырабатывающие андрогены, встречаются очень редко, тем не менее 30% этих опухолей являются злокачественными. С помощью УЗИ можно обнаружить образование в яичниках или надпочечниках, но невозможно определить, является ли это образование гормонально активным.

Другая причина повышения уровня андрогенов у небеременных женщин — это врожденная гиперплазия надпочечников (точнее, коры надпочечников) и, реже, обретенная гиперплазия коры надпочечников. Существует классическая и неклассическая гиперплазия надпочечников, с целым рядом различных симптомов. Все врожденные гиперплазии надпочечников связаны с недостаточностью выработки определенных ферментов и имеют генетическую основу.

Существует пять основных видов гиперплазии коры надпочечников, но помимо них насчитывается более двадцати других разновидностей врожденной гиперплазии надпочечников. Для определения вида этого заболевания имеются специальные алгоритмы обследования, то есть определяется уровень ряда веществ в сыворотке крови, реже — в моче женщины. Комбинация нарушений выработки гормонов и других веществ при каждом виде гиперплазии может быть разной. Самыми распространенными являются недостаточность 21-гидроксилазы (аутосомно-рецессивное заболевание) и 11a-гидроксилазы. Чрезвычайно важен точный диагноз, так как далеко не все виды этого заболевания можно корректировать медикаментозно.

Помимо избыточного производства гормонов частой причиной гиперандрогении является нарушение выработки белков, которые связывают андрогены, — SHGB. При избытке белка в крови повышаются уровни связанного тестостерона, что не опасно для здоровья, но может привести к ошибочной интерпретации результатов анализов. Если определять только общий тестостерон, его уровень будет повышенным.

Количество SHGB увеличивается при беременности, приеме эстрогенов, КОК, гиперфункции щитовидной железы. Наоборот, препараты, содержащие андрогены и синтетический прогестерон, понижают уровень белка. Некоторые синтетические прогестины используют для лечения слабой и умеренной гиперандрогении. Понижают уровень SHGB и глюкокортикоиды, гормон роста, инсулин, АКТГ. Гипотиреоз может сопровождаться повышенным уровнем свободного тестостерона, как и ожирение, из-за понижения уровня белка, связывающего андрогены.

Гиперандрогения может наблюдаться при нарушениях обмена андрогенов, то есть их распада на метаболиты. Метаболизм андрогенов требует наличия специальных ферментов (энзимов). При их нехватке даже нормальная выработка андрогенов может привести к избытку гормона из-за неполного выведения его из организма. Энзимопатии являются обычно врожденными и реже обретенными заболеваниями, имеющими генетическую основу. В норме большинство циркулирующего в крови тестостерона превращается в печени в андростендион и этихоланолон, связываясь с глюкуроновой и серной кислотами. При заболеваниях печени может нарушаться обмен андрогенов и поэтому наблюдаться гиперандрогения.

Выводятся продукты обмена андрогенов в виде 17-кетостероидов (17-КС) с мочой. Только 20–30% 17-КС в моче возникает за счет андрогенов яичников. Остальная порция — это метаболиты андрогенов надпочечников. При стрессе, когда увеличивается уровень кортизола в крови, количество 17-КС тоже увеличивается, что может быть ошибочно принято за нарушение работы надпочечников.

Гиперандрогения — это не диагноз. Это всегда лабораторный показатель, который может сопровождаться разнообразной симптоматикой. Повышенный уровень разных андрогенов может наблюдаться при многих заболеваниях, поэтому концентрация внимания должна быть не на одних мужских половых гормонах, а на жалобах, симптоматике, результатах других анализов.

Как проявляется гиперандрогения

Повышенный уровень андрогенов, или гиперандрогения, может проявляться по-разному, в зависимости от возраста женщины, уровня мужских половых гормонов и продолжительности их воздействия.

Поскольку андрогены влияют на разные органы, изменения могут проявляться не только на уровне функции яичников.

Воздействие андрогенов на плод женского пола может привести к изменениям наружных половых органов, в частности к увеличению клитора и сращению малых половых губ. Плоды очень чувствительны к излишку или нехватке мужских половых гормонов. Интересно, что у плодов мужского пола отсутствие андрогенов приводит к недоразвитию мужского полового органа, яичек, простаты, а новорожденный в дальнейшем развивается по женскому типу.

У девочек-подростков при наличии гиперандрогении наблюдается половое созревание, которое характеризуется усиленным ростом волос на теле и одновременно выпадением волос на голове (облысением), появлением акне[1], увеличением клитора, увеличением выработки жира в коже. Голос становится грубым, низкого тона. Месячные обычно не наступают вовремя, то есть первая менструация может отсутствовать до более зрелого возраста. Высокие уровни андрогенов могут приводить к увеличению мышечной массы. А так как андрогены влияют на обмен жиров, ожирение тоже может быть проявлением гиперандрогении.

У женщин, завершивших половое созревание, гиперандрогения часто проявляется гирсутизмом (70–80% случав). Под гирсутизмом мы понимаем избыток терминальных волос. Что такое терминальные волосы? Существует три типа волос: пушковые, щетинистые и длинные (терминальные). Первичный волосяной покров новорожденных (лануго) и пушковые волосы одинаковы по происхождению, и они не чувствительны к мужским половым гормонам. Щетинистые волосы образуют брови, ресницы, они растут в ноздрях и ушных раковинах. Длинные, или терминальные, волосы покрывают голову, они также есть в подмышечной области, на лобке и наружных половых органах. Щетинистые и терминальные волосы чувствительны к андрогенам, поэтому при гиперандрогении усиливается их рост.

Необходимо также помнить, что количество волосяных фолликулов и рост волос на теле контролируется генами, а поэтому на-

---

[1] А к н е, и л и у г р и, — воспалительное заболевание кожи. — *Прим. ред.*

следственный (или конституциональный) гирсутизм — это частое явление в жизни женщин, особенно у определенных народов и этнических групп. Прежде чем делать выводы о якобы имеющейся гиперандрогении, важно оценить семейную историю — есть ли в роду «волосатые» женщины (мать, сестра, тетки).

Нередко у молодых женщин на фоне приема гормонов и ряда медикаментов может наблюдаться незначительное повышение тестостерона. Чаще всего это связанный или общий тестостерон. Такие женщины начинают «придираться» к жирности кожи, «прыщикам» и появляющимся волосам в тех местах, где их появление нежелательно. Грубой ошибкой в таких случаях будет навязывание несуществующего диагноза гиперандрогении без уточнения всех деталей истории, а также назначение гормонального лечения.

Гирсутизм как патологическое явление появляется и развивается очень быстро на фоне истинной гиперандрогении. Так как андрогены влияют на выработку жира в коже, одновременно с гирсутизмом значительно увеличивается ее жирность. Acne vulgaris тоже появляется на коже из-за избытка андрогенов, так как бактерии Propionibacterium acnes начинают размножаться интенсивнее и вызывать воспаление кожи и волосяных фолликулов. Хотя существует немало споров о том, является ли акне признаком гиперандрогении, у более чем 70% женщин с акне определяют повышенные уровни андрогенов в крови.

Еще одно проявление гиперандрогении у женщин — это нарушение менструального цикла, что может сопровождаться отсутствием созревания половых клеток и бесплодием. Чем выше уровни андрогенов, тем обычно больше проблем с менструальным циклом. Поэтому прекращение цикла требует обследования и изучения уровня мужских половых гормонов.

> *Гиперандрогения является признаком синдрома поликистозных яичников, о чем мы поговорим в главе, посвященной эндокринным заболеваниям, чаще всего встречающимся у женщин.*

Помимо вышеперечисленных нарушений, повышенный уровень андрогенов ассоциируется с инсулиновой резистентностью и высоким риском развития сахарного диабета второго типа, особенно у женщин в предклимактерическом и климактерическом периодах, а также с нарушениями обмена жиров (дислипидемии), высоким кровяным давлением (гипертонией), заболеваниями сосудов. Гиперандрогения повышает риск развития сердечно-сосудистых заболеваний.

Появление жалоб, характерных для повышенного уровня мужских половых гормонов, требует обследования, которое может быть простым или сложным, с применением нескольких тестов. Эти тесты проводятся для уточнения источника гиперандрогении: яичники, надпочечники или другие органы и ткани. Но это не означает, что все без исключения имеющиеся анализы и тесты необходимо проводить у одной женщины.

17-гидропрогестерон

Все стероидные гормоны распадаются на другие вещества и обычно выводятся из организма в виде 17-кетостероидов. 17-гидроксипрогестерон (17-ПГ, 17-ОПГ) тоже является производным прогестерона и других стероидных гормонов. Конечно, уровень его повышается при беременности, это нормальное физиологическое явление. У небеременных женщин 17-ПГ может быть высоким на фоне опухолей, вырабатывающих тестостерон, а также при неклассической врожденной гиперплазии коры надпочечников, чаще всего при нехватке 21-гидроксилазы. Уровень в 6,05 нмоль/л и больше требует проведения стимулирующего теста с кортикотропином.

Во многих странах мира определение 17-гидроксипрогестерона проводится у всех новорожденных на предмет врожденной гиперплазии надпочечников.

Дефицит мужских гормонов

Несмотря на то, что так много известно об излишке андрогенов, практически ничего не известно о нехватке мужских половых гормонов. До сих пор нет допустимых минимальных значений андрогенов у женщин. Дефицит мужских половых гормонов намного ощутимее у мужчин.

Считается, что нехватка андрогенов у женщин может вызывать сонливость, усталость, уменьшение мышечной массы, потерю сексуального влечения, потерю мотивации, плохое настроение. В реальности такие симптомы могут возникать и при нехватке других гормонов, и при различных заболеваниях (анемия, депрессия, аутоиммунные заболевания).

Чаще всего гипоандрогения наблюдается с возрастом, особенно у женщин в постменопаузе, а также после удаления яичников, при яичниковой недостаточности, в том числе вызванной искусственно приемом химиотерапии, после облучения яичников и органов малого таза. Прием эстрогенов может приводить к понижению выработки андрогенов. Гиперпролактинемия может сопровождаться как повышением мужских половых гормонов (например, при СПКЯ), так и их понижением. Практически любые заболевания и состояния, приводящие к нарушению функции яичников и яичниковой недостаточности, могут сопровождаться нарушением выработки мужских половых гормонов.

Другая группа причин гипоадрогении может быть связана с нарушением работы надпочечников, в частности возникновением надпочечниковой недостаточности.

Диагностировать нехватку мужских половых гормонов не просто, так как не существует ни одного достоверного теста и четких референтных значений минимальных уровней андрогенов в крови женщины. Поскольку пик уровня тестостерона наблюдается чаще всего рано утром, проверку уровня гормонов рекомендовано проводить утром. День менструального цикла значения не имеет, но обычно перед овуляцией выработка тестостерона увеличивается. В целом проверка уровня тестостерона и других гормонов рекомендована с 8-го по 20-й день менструального цикла.

Стандартного лечения нехватки мужских половых гормонов не существует. Мази с тестостероном часто назначают женщинам климактерического возраста, а также женщинам репродуктивного возраста. Существующие формы тестостерона содержат слишком большие дозы гормона, так как созданы для мужчин. Заместительная тестостероновая терапия у женщин применяется очень редко.

Женские половые гормоны

Мужские половые гормоны важны для женщины, но женщину без женских половых гормонов просто невозможно представить. Основная масса эстрогенов (так условно называются женские половые гормоны) вырабатывается в яичниках во время созревания фолликулов, а небольшая часть — в надпочечниках.

Интересно, что в организме женщины (как и мужчины) не может быть нулевого уровня эстрогенов, даже после удаления яичников или прекращения их функции. Яичники содержат огромное множество фолликулов, которые даже в состоянии покоя могут вырабатывать определенное количество женских половых гормонов, и этого обычно хватает для организма. Во время менопаузы, когда в яичниках остается очень небольшое количество фолликулов, тоже вырабатываются эстрогены. Даже при понижении уровней эстрогенов еще ни одна женщина не стала внешне мужчиной.

Существует более 20 видов эстрогенов, но чаще всего внимание обращают на три основных.

Эстрон (Е1) является очень слабой формой эстрогенов, и обычно он доминирует у женщин с наступлением климакса. Определенное количество эстрона имеется в тканях мышц, в жировой и во многих других тканях. Эстрон может превращаться в эстрадиол.

Эстрадиол (Е2) — это самый распространенный женский гормон, вырабатываемый яичниками. Это также самый сильный по воздействию гормон. Он сильнее эстрона в 1,25–5 раз. Его часто называют 17β-эстрадиол. Он доминирует у женщин репродуктивного возраста. Именно этот вид эстрогена замешан в ряде гормонально-зависимых заболеваний, таких, как эндометриоз, рак эндометрия, рост фибромиом. В течение суток в организме женщины вырабатывается от 70 до 500 мкг эстрадиола.

Эстриол (Е3), как и эстрон, является очень слабым гормоном, чаще всего это продукт распада эстрадиола. При беременности появляется очень много эстриола (как и эстрадиола). В отличие от эстрон, он не может превращаться обратно в эстрадиол или эстрон.

Женские половые гормоны считаются очень сильными стероидными гормонами, имеющими как положительные свойства, так и отрицательные. Причастность эстрогенов к развитию некоторых видов рака вводит их в группу канцерогенов — веществ, которые ассоциируются с развитием злокачественных заболеваний.

До 3% эстрадиола является свободным, то есть не связанным с белками. Шестьдесят процентов гормона связано с альбуминами и остальные 37% — с SHBG.

> *Последние годы влияние эстрогенов на женский организм и, в частности, на разные системы органов, изучается очень интенсивно, так как рецепторы к эстрогенам находят во многих тканях и клетках в разных частях тела. Количество эстрогенных рецепторов меняется в течение менструального цикла, и такие изменения тесно связаны с колебаниями количества и пропорции прогестероновых рецепторов.*

Уровень эстрогена понижается при избыточном приеме клетчатки, а также и у женщин зрелого и предклимактерического возраста. Считается, что диеты, богатые волокнами, приводят к понижению активности β-глюкоронидазы в толстом кишечнике при формировании каловых масс, что вызывает нарушение всасывания эстрогена в кишечнике. Клетчатка может понижать усвоение жиров и холестерина, в том числе и из-за более частых опорожнений кишечника.

Определение уровня эстрогенов

Казалось бы, эстрогены являются основными женскими гормонами, поэтому важно знать их уровень, но в реальности нарушения выработки эстрогенов будут выражаться через нарушение менструального цикла в первую очередь. Если нет овуляции, уровни эстрогенов могут быть низкими, хотя на фоне ановуляции женщины не становятся мужчинами. Другими словами, критически низких уровней эстрогенов не бывает.

Что важно помнить об эстрогенах при проверке их уровней? Поскольку доминирующим является эстрадиол, то обычно проверяют только его. Как любой стероидный гормон, эстрадиол находится в крови в связанном и свободном состоянии.

Чаще всего определяют уровень эстрадиола в сыворотке крови при проблемах с бесплодием, нарушениях менструального цикла и при климаксе, а также при нарушениях полового созревания. Обычно при нарушении полового созревания используют специальные эстрогеновые панели, куда входит и определение уровня эстрона.

Если в оценке гормонального фона менструального цикла уровень эстрадиола обычно определяют на 3-й день (или просто в первые дни цикла), для подтверждения овуляции уровень эстрадиола важно проверять в предовуляторный пик (за 2–3 дня до овуляции), когда количество гормона повышается значительно — на 500–1000% по сравнению с базальным уровнем в начале первой фазы. Во вторую фазу менструального цикла уровень эстрогенов значительно понижается. На фоне очень низких уровней прогестерона и эстрадиола возникает «кровотечение отмены» — менструация.

Определение колебаний уровня эстрадиола важно для принятия решения о стимуляции овуляции для ЭКО и других репродуктивных технологий. При хронической ановуляции, когда созревание фолликулов не происходит по какой-то серьезной причине, искусственная стимуляция овуляции может быть неэффективной. Часто таким женщинам требуются донорские яйцеклетки для ЭКО. Ановуляторные циклы учащаются с возрастом, поэтому чем старше женщина, тем труднее получить необходимое для ЭКО количество яйцеклеток.

При исследовании уровней эстрогена учитывают три показателя:

- уровень свободного эстрадиола;
- общий эстрадиол (сумма свободного и связанного);
- соотношение свободного и связанного эстрадиола.

Уровень эстрадиола может определяться не только в сыворотке, но и в плазме крови (и тогда показатели будут отличаться). Чрезвычайно редко эстрадиол определяют в слюне или моче (сейчас такие тесты не имеют практического применения).

Низкие уровни эстрогенов

Низкие уровни эстрогенов встречаются чаще, чем высокие, но обычно такое состояние является физиологической гипоэстрогенией. Например, с каждым менструальным циклом низкие уровни эстрадиола наблюдаются перед месячными, это может сопровождаться появлением жалоб на зуд и сухость влагалища. Предменструальное состояние является отличной почвой для роста грибка, поэтому кандидоз чаще обостряется именно в это время. Однако, когда женщина с жалобами на дискомфорт, зуд, жжение перед месячными обращается к врачу и у нее не находят никаких отклонений в мазках влагалищных выделений, очень часто причиной таких жалоб будет как раз физиологическая предменструальная гипоэстрогения. Лечения как такового не существует, но женщинам, не планирующим беременность, могут предложить гормональные контрацептивы.

Еще один период физиологической гипоэстрогении наблюдается после родов, особенно на фоне грудного вскармливания, когда менструальные циклы еще не восстановились полностью. Созревание яйцеклеток может наблюдаться через 6 недель после родов, но у большинства женщин первая менструация появляется через несколько месяцев после рождения ребенка. Если женщина не кормит грудью, менструальные циклы возобновляются через 3–4 месяца после родов. У кормящих грудью матерей циклы появляются через 5–6 месяцев. Чаще всего циклы могут быть нерегулярными, так как повышающийся при кормлении уровень пролактина, как и другие факторы (недосыпание, усталость, заболевания щитовидной железы, колебания веса, стресс), может негативно отражаться на восстановлении менструального цикла. На фоне кормления грудью менструальные циклы вообще могут отсутствовать месяцами, вплоть до завершения кормления.

Как раз на фоне отсутствия регулярной овуляции после родов у женщин могут наблюдаться признаки гипоэстрогении.

Физиологическая гипоэстрогения наблюдается также у женщин в постменопаузе. Она имеет более негативное влияние на здоровье женщины, чем в другом возрасте. Считается, что гипоэстрогения повышает риск развития сердечно-сосудистых заболеваний. Повышенный уровень смертности из-за сердечно-сосудистых заболеваний (инфаркт, инсульт) наблюдается также у молодых женщин, у которых возникла гипоэстрогения из-за заболеваний гипоталамуса.

> *Гипоэстрогения проявляется не только симптомами со стороны влагалища, но может сопровождаться болезненным мочеиспусканием, что часто путают с циститом и другими проблемами мочевыделительной системы. Со стороны кожи может появляться сухость, увеличивается количество морщин.*

Помимо физиологической гипоэстрогении может наблюдаться патологическая, особенно после прекращения функции яичников (удаление яичников, преждевременная яичниковая недостаточность), а также на фоне высоких уровней мужских половых гормонов и прогестерона, при использовании медикаментов, подавляющих функцию яичников. С учетом регуляции функции яичнико, любая поломка на уровне гипоталамо-гипофизарно-яичниковой системы может закончиться развитием гипоэстрогенного состояния.

Высокие уровни эстрогенов

Высокий уровень эстрогенов в крови называют гиперэстрогенией. Чаще всего причиной гиперэстрогении являются гормональные опухоли яичников, реже — надпочечников и других тканей, где могут вырабатываться эстрогены.

Зернисто-текальные опухоли яичников являются самыми частыми источниками лишнего эстрогена, до 70% этих опухолей гормонально активны. В 90% случаев опухоли обнаруживают у взрослых женщин, в 5% — у подростков. Эстрогенвырабатывающие опухоли встречаются в 2% всех опухолей яичников. Около 10% таких опухолей может возникать у беременных женщин, что осложняет диагностику, так как при беременности наблюдается физиологическая гиперэстрогения.

Несмотря на то, что опухоли вырабатывают гормоны, самой частой жалобой у таких женщин будет дискомфорт внизу живота.

Причины развития опухолей яичников неизвестны, но считается, что в появление гормоно-продуцирующих опухолей могут быть вовлечены некоторые гены.

Другой частой причиной гиперэстрогении является синдром гиперстимуляции яичников, который наблюдается после применения лекарств для стимуляции овуляции. Так как многие женщины планируют беременность в более позднем возрасте (после 35 лет), очень часто они нуждаются в помощи репродуктивных технологий, поэтому частота синдрома гиперстимуляции яичников значительно увеличилась.

> *Очень редким состоянием является синдром излишка ароматазы, или семейный гиперэстрогенизм, возникающий на фоне генетической поломки. Процесс ароматизации необходим для синтеза эстрогенов из андрогенов. Если по какой-то причине увеличивается количество специального фермента (энзима), принимающего участие в ароматизации, увеличивается количество вырабатываемого яичниками эстрогена.*

К удивлению многих женщин, гиперэстрогенное состояние встречается на фоне приема гормональных контрацептивов, заместительной гормональной терапии из-за излишка экзогенного (внешнего) эстрогена. Реже гиперэстрогения может возникать из-за болезни печени (цирроз), так как именно печень участвует в метаболизме эстрогенов.

Хотя женские половые гормоны важны для работы организма (без них женщины не женщины), излишек эстрогенов может проявляться рядом признаков: нарушением менструального цикла, подавлением овуляции, понижением уровня андрогенов, увеличением матки и молочных желез, влагалищными кровотечениями. У мужчин избыток эстрогенов вызывает развитие гинекомастии, когда увеличиваются молочные железы.

Избыток эстрогенов требует медикаментозного или хирургического лечения в зависимости от причины.

Влияние питания на уровень гормонов яичников

В предыдущих главах уже упоминалось о синтезе стероидных гормонов из холестерина, который частично поступает с пищей, а частично вырабатывается из жиров в организме человека.

На выработку гормонов, особенно половых и прогестерона, влияет питание женщины, так как все стероидные гормоны для своей выработки требуют поступления достаточного количества холестерина с пищей, а также нормального уровня жиров в плазме крови и тканях для усвоения и обмена половых гормонов.

> Баланс необходимых питательных веществ в пище — это залог здоровья любой женщины (как и мужчины).

Немало женщин ограничивают себя в питании, стараясь сохранить или получить желаемую фигуру, поэтому нередко «садятся» на жесткие диеты, принимают много химических и натуральных добавок для похудения, подвергают тело экстремальным физическим нагрузкам, увлекаются экзотическими диетами, ограничивая себя в важных питательных веществах. И результат всегда почти одинаковый: нарушение менструального цикла. Это нарушение многие врачи называют «гормональным дисбалансом» и лечат гормональными контрацептивами, не вникая в причину такого нарушения и не объясняя женщине, что она должна поменять не только свое питание, перейдя к здоровому образу жизни, но и мышление тоже — понять, что она становится врагом собственного тела.

Диетическое питание и потеря веса кардинально влияют на уровень половых гормонов и прогестерона. Ряд исследований показал, что потеря веса в результате физических нагрузок (занятия спортом) значительно понижает уровень прогестерона, а также эстрогенов.

Прогестерон и половые гормоны являются жирорастворимыми веществами, поэтому прием с жирами или жирорастворимыми витаминами (Е, А, Д) повышает их усвоение. И наоборот, нехватка жиров понижает усвоение гормонов как из внутренних источников, так и из внешних. Пища, богатая жирами, повышает усвоение гормонов. Известно, что, если пить цельное молоко, которое содержит определенный процент жиров, уровень прогестерона и эстрогенов в сыворотке крови повышается. Обезжиренная или с низким количеством жиров пища приводит к понижению прогестерона более чем на 50% по сравнению с женщинами, питающимися нормально. Интересны результаты ряда экспериментов, которые показали, что диета, бедная калием, увеличивает концентрацию прогестерона у грызунов, а также у мужчин (на женщинах такие эксперименты не проводились).

> *Занятия спортом и обезжиренная диета сообща могут значительно понижать уровень прогестерона и эстрогенов и кардинально нарушать овуляторную функцию яичников.*

Также известно, что женщины, страдающие недоеданием, особенно в зимний период из-за нехватки пищи, чаще имеют ановуляторные циклы.

Прием клетчатки и усвоение гормонов

Увлечение диетами, разного рода схемами «очищения» кишечника, желчного пузыря, лимфатической системы является грубым вмешательством в работу человеческого организма. В большинстве случаев это приводит к негативным последствиям, а не к улучшению здоровья. Одним из таких увлечений стало применение большого количества клетчатки, или растительных волокон.

Клетчатка относится к углеводам, но в отличие от простых углеводов (сахаров) в организме человека практически не распадается и поэтому не усваивается. В растительном мире клетчатка играет роль каркаса, и в зависимости от химического строения волокна могут быть разной толщины и длины, например целлюлоза, из которой получают бумагу (существует также искусственная целлюлоза — район), хлопок. Клетчатку дерева используют в разных отраслях производства.

Волокна животного происхождения — это волосы и мех, шерсть, шелк. Известный всем асбест относится к минеральным волокнам. Существует целая группа минеральных волокон. Помимо натуральных в промышленности и хозяйстве используют большое количество искусственных волокон. Таким образом, клетчатка и волокна присутствуют в повседневной жизни человека с момента появления человечества.

Волокна растительного происхождения, в основном производные овощей, злаковых, фруктов, поступают в организм человека с пищей. Несмотря на то что полисахариды практически не усваиваются, они очень важны для нормального, здорового функционирования кишечника, так как помогают организму избавляться от отходов пищеварения. Клетчатка не только является своеобразной сеткой, улавливающей непереваренные остатки пищи, токсины, продукты обмена питательных веществ, но и стимулирует моторику кишечника, позволяя пище продвигаться по желудочно-кишечному тракту.

От количества клетчатки зависит работа прямой кишки и ее своевременное освобождение от каловых масс. Нормальное, здоровое очищение организма, в том числе кишечника, во многом зависит от количества растительных волокон, содержащихся в пище. Поэтому неудивительно, что многие диетологи, нутрициологи, терапевты рекомендуют прием клетчатки всем людям. Часто при запорах и нарушениях работы кишечника назначаются препараты клетчатки в разной форме — от порошков, таблеток, брикетов до определенных видов пищевых продуктов (батончики с зернами и орехами, овсяные и злаковые смеси, напитки и т. д.).

> *Проблема современных людей в том, что они стали зависимыми от аптечных препаратов, то есть от тех форм натуральных продуктов, которые переработаны механически и химически и продаются в виде таблеток, капсул, порошков. Вместо того чтобы научить человека сбалансированному питанию, среди людей, вовлеченных в индустрию здоровья, доминирует прерогатива назначения (продажи) разных добавок. Людей не учат употреблять свежие овощи и фрукты, но зато всюду рекламируют препараты растительной клетчатки и других важных питательных веществ в таблетированной или порошковой форме.*

Доказано, что клетчатка полезна для людей, страдающих сердечно-сосудистыми заболеваниями, заболеваниями кишечника, диабетом. Употребление клетчатки значительно понижает риск развития рака толстого кишечника и даже рака молочной железы. Поэтому неудивительно, что употреблению клетчатки начали отдавать предпочтение люди старшего возраста, которые страдают не только разными заболеваниями, но и малоподвижностью, вредными привычками, накопленными с годами, лишним весом, перееданием.

Но также оказалось, что чрезмерное употребление клетчатки имеет свои негативные последствия, в том числе оказывает негативное влияние на гормональный фон женщины.

Как показали исследования, употребление большого количества клетчатки ассоциируется с низкими уровнями половых гормонов и прогестерона, увеличивает частоту ановуляторных циклов, особенно у молодых женщин. Другими словами, чрезмерное увлечение клетчаткой приводит к нарушению овуляции. К сожалению, врачи тоже все еще не принимают во внимание этот факт.

Уровень эстрогена понижается при избыточном приеме клетчатки и у женщин зрелого и предклимактерического возраста. Считается, что диеты, богатые волокнами, приводят к понижению активности β-глюкоронидазы в толстом кишечнике при формировании каловых масс, что вызывает нарушение всасывания эстрогена в кишечнике. Клетчатка тоже может понижать усвоение жиров и холестерина, в том числе и из-за более частых опорожнений кишечника.

У женщин, злоупотребляющих клетчаткой, наблюдаются низкие уровни фолликулостимулирующего гормона (ФСГ) и лютеинизирующего гормона (ЛГ), которые влияют на фолликулогенез. У женщин с нормальной функцией яичников такие изменения уровней гормонов могут компенсироваться в течение определенного периода времени, поэтому случаи ановуляции могут быть редкими. Но у женщин, у которых уже имеются нарушения в менструальном цикле, прием большого количества клетчатки усугубит проблему еще больше. Дополнительными негативными факторами у таких женщин являются низкий вес (как и низкий индекс массы тела), интенсивные физические нагрузки и ограничения в количестве пищи и приеме ряда продуктов питания.

Алкоголь и гормоны

Влияние алкогольных напитков на организм женщин разного возраста было описано в многочисленных исследованиях за последние полстолетия или даже раньше. Такие исследования проводились часто для определения минимальных безопасных доз алкоголя под эгидой различных программ государственного уровня во многих странах мира, так как прием и использование алкогольных напитков является частью традиционных национальных кухонь народов мира.

Изучение влияния алкоголя на репродуктивную функцию женщины тоже проводилось, как и на уровни половых гормонов и прогестерона, плодовитость, возникновение менопаузы.

Исследования показали, что умеренное употребление алкоголя (100 мл в неделю) незначительно понижает уровень успешного зачатия ребенка, а также повышает риск возникновения эндометриоза.

При наблюдении здоровых семейных пар, пробовавших зачать первого ребенка в течение шести месяцев, получены следующие результаты: прием 100 г алкоголя в неделю понижает уровень успешного зачатия в два раза по сравнению с приемом 10–50 г алкоголя.

Сравнительный анализ влияния курения, алкоголя и комбинации курения и приема алкоголя тоже привел к интересным результатам. Уровень зачатий у женщин, не употреблявших алкоголь и не курящих, составлял чуть больше 24% в месяц, у курящих, но не принимавших алкоголь — почти 22%. Прием алкоголя, независимо от курения, является серьезным фактором, значительно понижающим фертильность женщины. Исследования показали, что уровень зачатий в исследуемой группе женщин, у которых были овуляторные циклы, при приеме более 90 г алкоголя в неделю составлял около 11% в месяц. Прием алкоголя в этом исследовании был кратковременным — с 14-го по 21-й день цикла, когда вероятность зачатия и имплантации самая высокая. Но влияние алкоголя было очевидным.

Другие исследователи изучали эффект употребления алкоголя за более длительный период времени (до 10 лет). Постоянный прием алкоголя, даже в умеренных количествах, усугубляет проблемы с бесплодием, повышая частоту ановуляторных циклов.

Недостатком всех проводимых исследований являлось то, что количество алкоголя выражалось в разных единицах (граммы, миллилитры), напитки тоже были разными, как и продолжительность приема алкоголя.

> *В ряде стран, где алкогольные напитки входят в состав традиционного питания (Италия, Испания, Франция), зависимость между периодическим или умеренным приемом алкоголя и уровнем фертильности не наблюдалась.*

Определение влияния алкоголя на уровни эстрогенов, андрогенов, гонадотропинов проводилось как у менструирующих женщин, так и у женщин в постменопаузе с учетом принятой дозы алкоголя — острое опьянение или хронический алкоголизм.

Употребление большого количества алкоголя приводит к значительному повышению уровня эстрадиола в плазме, что объясняется воздействием алкоголя на опиоидные рецепторы гипоталамуса, стимулирующие выработку гипофизом ЛГ, ФСГ и пролактина. Наибольшее влияние алкоголя отмечается в предовуляционный период (конец первой фазы менструального цикла) и период ранней имплантации (вторая половина второй фазы). Такое влияние объясняется тем, что алкоголь нарушает пропорцию ферментов печени, необходимых для метаболизма эстрадиола в эстрон, так как для нейтрализации алкоголя тоже необходимы ферменты (энзимы) печени. Таким образом, в плазме остается большее количество эстрадиола, не прошедшего процесс распада в печени.

В разные фазы (дни цикла) при регулярном употреблении алкоголя наблюдается повышение разных женских половых гормонов (эстрадиола, эстрона, эстриола) как в плазме крови, так и в моче женщин. Очевидным является то, что повышение биологически активных форм эстрадиола наблюдается перед овуляцией у всех женщин, употребляющих алкоголь регулярно и в умеренных количествах. При меньших дозах алкоголя у многих женщин, наоборот, отмечалось понижение уровня эстрадиола.

> **У женщин в постменопаузе алкоголь повышает уровень эстрогенов даже больше, чем у женщин репродуктивного возраста.**

Употребление алкоголя увеличивает не только уровень эстрогена в крови женщины, но и уровень ряда мужских половых гормонов. Несмотря на то что объяснение таким колебаниям гормонов имеется (это связано с работой печени и влиянием алкоголя на гипоталамо-гипофизарную систему), практических врачей больше интересует вопрос взаимодействия алкоголя с гормональными препаратами, в частности при заместительной гормональной терапии и приеме гормональных контрацептивов.

Алкоголь значительно повышает уровень эстрогенов при использовании гормональных контрацептивов и заместительной гормональной терапии, однако даже при высоких уровнях женских половых гормонов экзогенного происхождения их усвоение может быть нарушено, так же как и скорость выведения из организма, что может усилить побочные явления такой относительной гиперэстрогении.

Ряд исследований показал, что прием алкоголя не влияет на уровень прогестерона в фолликулярной фазе и в середине лютеиновой фазы, хотя теоретически предполагалось, что при нарушении пропорции ферментов, участвующих в синтезе и распаде прогестерона, процесс превращения прегненолона в прогестерон тоже должен быть нарушен.

Исследование влияния алкоголя на уровень прогестерона на начальных стадиях беременности с участием беременных женщин не проводилось (и было бы неэтично проводить такие эксперименты на беременных женщинах, зная тератогенное действие алкоголя). Однако у небеременных женщин создавалось состояние ложной беременности, в том числе с введением хорионического гонадотропина (ХГЧ) в определенные дни, когда при нормальной беременности этот гормон тоже появляется в крови. Оказалось, что алкоголь понижает уровень прогестерона в таких случаях. Поэтому существует предположение, что алкоголь может препятствовать нормальной имплантации плодного яйца.

Другие исследования на женщинах, принимающих оральные контрацептивы и заместительную гормональную терапию, подтвердили факт, что уровень прогестерона в крови при принятии алкоголя понижается, к тому же значительно.

Проводились также эксперименты в лабораторных условиях по изучению влияния алкоголя на клетки плаценты и на ее способность синтезировать прогестерон. Оказалось, что алкоголь препятствует вхождению молекул холестерина, из которого потом образуется прогестерон, в клетки плаценты. Количество алкоголя, вызывающего такие изменения, было эквивалентно 0,10–0,20% алкоголя в крови (1,5–3 стакана вина или 110–230 мл водки).

Курение и гормоны яичников

О вреде курения для здоровья человека и о его роли в развитии ряда заболеваний, в том числе рака легких, известно давно. У курящих женщин уровень фертильности ниже, качество яйцеклеток хуже, что также понижает уровень успешного ЭКО и требует большего количества эмбрионов (практически в два раза больше) для возникновения беременности. Такое явление можно объяснить прямым токсическим влиянием никотина и других вредных ингредиентов табака на половые клетки.

> *У курящих женщин выше уровень внематочной беременности, чаще бывают многоплодные беременности и выше риск преждевременных родов.*

Необходимо заметить, что у молодых курящих женщин до того, как начнется процесс старения яичников (до 25–27 лет), наоборот, отмечается слегка повышенная плодовитость. Было обнаружено, что у курящих женщин повышена активность рецепторов прогестерона в эндометрии, что увеличивает его чувствительность к прогестерону. Возможно, именно поэтому у молодых курящих женщин уровень имплантации выше.

Удивительно, но у курящих женщин уровень рака эндометрия и эндометриоза тоже ниже по сравнению с некурящей популяцией женщин. Как можно объяснить такое явление? Оказалось, что у курящих женщин, особенно старшего возраста, в целом понижен уровень эстрогена, что уменьшает рост эндометрия. И эндометриоз, и рак эндометрия в большей степени являются эстрогензависимыми заболеваниями.

Другие исследования показали, что при длительном курении уровни эстрогенов, прогестерона и белка, связывающего половые гормоны, почти не меняются. Одновременно у ряда женщин наблюдается незначительное понижение уровня прогестерона и повышение уровня эстрадиола во вторую фазу цикла. Насколько полученные данные достоверны, сказать трудно. Несомненно, требуется большее количество исследований в этом направлении.

Другая теория объясняет понижение уровня эндометриоза и рака эндометрия у курящих женщин влиянием никотина и других веществ на яичники, что приводит к их старению, понижению запаса яйцеклеток, а поэтому уменьшению выработки эстрогенов. Прогестерон, пропорция которого увеличивается, также подавляет рост эндометрия. У женщин, страдающих эндометриозом, количество прогестероновых рецепторов уменьшено, как и их активность, причем как в матке, так и внематочных эндометриоидных очагах.

> У курящих женщин из-за повышенной активности прогестероновых рецепторов уровень эндометриоза ниже. Но ошибочным будет мнение, что курение полезно в профилактике рака эндометрия и эндометриоза, потому что этот защитный эффект чрезвычайно слабый по сравнению с вредом курения для всего организма, в том числе для яичников.

Сигаретный дым содержит более 4000 ингредиентов, только один из которых может воздействовать на прогестероновые рецепторы и стимулировать гены, влияющие на рост и дифференциацию эндометрия. Поэтому следует заниматься не поощрением курения, а поиском веществ, которые могут оказать лечебное воздействие на эндометрий.

Но даже у женщин с низким уровнем эстрогена, что наблюдается при ановуляторных циклах и аменорее, уровень рака эндометрия выше. Это связано с тем, что у таких женщин также наблюдается низкий уровень прогестерона, так как нет овуляции и поэтому нет желтого тела. Гиперплазия эндометрия, которая возникает при ановуляторных циклах, является результатом диспропорции гормонов — эстрогенов и прогестерона, несмотря на их низкие уровни. Маловероятно, что незначительное понижение уровня эстрогена предохранит курящих женщин от гиперплазии. У женщин в предклимактерическом периоде, когда наблюдаются скачки эстрогенов, не компенсированные ростом уровня прогестерона из-за редкой овуляции или ее отсутствия, тоже может наблюдаться гиперплазия эндометрия.

Понятие о яичниковом резерве

Раз мы заговорили о яичниках и гормонах, которые они вырабатывают, важно вспомнить о яичниковом резерве, потому что часто этим термином злоупотребляют.

Обращаясь к врачу за помощью после неудачных попыток зачатия или невынашивания беременности, многие женщины проходят тестирование для определения яичникового запаса, или яичникового резерва.

Что такое яичниковый резерв и почему он так важен? Каждая женщина получает свой запас половых клеток, или яйцеклеток, находящихся в маленьких пузырьках (фолликулах) яичников, еще в период своего развития в утробе матери — в состоянии эмбриона. Этот запас постоянно уменьшается — половые клетки гибнут, и скорость их гибели то ускоряется, то замедляется в течение жизни женщины.

> *Определены несколько волн ускоренной гибели яйцеклеток, самые заметные из которых выпадают на подростковый (период полового созревания) и предклимактерический возраст (с 37–38 лет до прекращения менструаций).*

От чего зависит гибель яйцеклеток? Это генетически обусловленный процесс, который не может регулироваться по желанию или зависеть от ощущений женщины. Однако весьма заметное негативное влияние на него оказывают следующие факторы:

- хирургические вмешательства на яичниках и других органах малого таза, в том числе лапароскопии, приводящие к нарушению кровоснабжения яичников;
- прием и тем более злоупотребление медикаментами, стимулирующими созревание половых клеток или же нарушающими микроциркуляцию крови в органах малого таза;
- облучение и химиотерапия;

- любое нарушение кровоснабжения и иннервации яичников и органов малого таза;
- вредные привычки, в первую очередь курение, которое приводит к нарушению микроциркуляции в тканях яичников;
- изменения в ряде генов (мутации), например FMR1. Эти мутации могут возникать спонтанно или передаваться по наследству.

Каждой женщине необходимо помнить следующее:

- потерянный яичниковый резерв не восстанавливается: что утеряно, то утеряно навсегда;
- в современной медицине не существует никакого лекарственного препарата и никакого метода, который бы позволил затормозить истощение яичникового запаса и скорость потери яйцеклеток; наоборот, есть немало медикаментов, а также неправильных схем их применения, которые могут ускорить гибель яйцеклеток (например, частые перерывы в приеме гормональных контрацептивов);
- гормональные контрацептивы, как и гормональная заместительная терапия, не обеспечивают «отдых» яичников, не омолаживают их, не сохраняют и не увеличивают яичниковый резерв;
- вместе с потерей половых клеток, особенно под влиянием негативных внешних факторов, ухудшается качество яйцеклеток и увеличивается количество генных мутаций.

При созревании одной яйцеклетки гибнет около 70 фолликулов. При наличии других факторов, влияющих на темпы созревания яйцеклеток, в течение одного месяца женщина может потерять около 100 фолликулов.

Как можно оценить яичниковый резерв? До сих пор не существует четкого определения понятия «яичниковый резерв», а также адекватных методов его оценки. Имеется несколько тестов и способов, но ни для одного из них не доказано преимущество перед другими.

Например, можно провести определение уровня фолликулостимулирующего гормона (ФСГ), который непосредственно влияет на рост фолликулов на их финальной стадии развития. Уровень ФСГ зависит от уровня эстрадиола, вырабатываемого фолликулом, и ингибина В, особого вида белка, образующегося там же. Если фолликулы не растут, значит, уровень этих веществ низкий, поэтому автоматически повышается уровень ФСГ. Это называется негативной обратной связью. Поэтому повышенный уровень ФСГ (>18–20 МЕ/л) часто связывается с уменьшением яичникового запаса.

В репродуктивной медицине измерение уровня ФСГ чаще всего проводится для изучения ответной реакции яичников на их искусственную (медикаментозную) стимуляцию, что лучше помогает определить яичниковый резерв. При плохой ответной реакции на стимуляцию (заметное повышение уровня ФСГ) женщина имеет неблагоприятный прогноз в плане получения потомства, поэтому ей может быть предложено ЭКО с донорскими яйцеклетками.

Одноразовое определение уровня ФСГ в крови (например, только для оценки яичникового резерва) часто имеет ограниченное практическое значение, потому что он может меняться у каждой женщины из цикла в цикл и не отражать реальной картины. Поэтому обследование необходимо повторить еще несколько раз в течение полугода.

Антимюллеров гормон (АМГ) — это белок, который вырабатывается маленькими фолликулами. Различают несколько стадий развития фолликула: от примордиальных до антральных, а дальше — доминантных. АМГ вырабатывается зернистыми клетками растущих фолликулов. Ежегодно у женщины развивается от 20 до 150 растущих фолликулов размерами 0,05–2 мм, но обнаружить их доступными методами диагностики невозможно. Поэтому определяют АМГ, уровень которого часто связывают с количеством антральных фолликулов.

До сих пор не известно, имеется ли взаимосвязь между уровнем этого гормона и количеством фолликулов размерами меньше 2 мм. Утверждение, что количество антральных фолликулов, или же уровень АМГ, отражает величину яичникового резерва, еще не признано достоверным. В течение всего цикла уровень АМГ почти не меняется.

Уровень АМГ не отражает шансы женщины забеременеть в будущем. Однако определение уровня АМГ используется в ходе лечения бесплодия, и низкие его показатели говорят об отсутствии положительной реакции яичников на лечение. С одной стороны, это может быть результатом неправильной терапии, в том числе из-за неправильного диагноза. С другой стороны, это действительно может быть связано с истощением яичникового резерва.

АМГ не является прогностическим показателем для ранней менопаузы.

С помощью УЗИ можно увидеть и подсчитать фолликулы размером 2–10 мм в двух яичниках. Подсчет антральных фолликулов (ПАФ) связан с уровнем АМГ. Половина этих фолликулов прекратит свой рост и затем погибнет, то есть произойдет их атрезия. УЗИ не позволяет определить, является ли фолликул растущим или атрезирующим — при проведении УЗИ все они выглядят одинаково.

Проблема также в том, что не существует четких рекомендаций, фолликулы каких размеров необходимо подсчитывать: по одним рекомендациям — 2–5 мм, по другим — 2–8 мм, по третьим — 2–10 мм. Такая пестрота рекомендаций может привести к ложным выводам и, соответственно, неправильной тактике лечения бесплодия.

Показатели подсчета антральных фолликулов имеют практическое значение для решения вопроса о стимуляции яичников и получения яйцеклеток, в том числе для ЭКО. Если показатели меньше 7, считается, что такие яичники ответят слабой реакцией на стимуляцию, а значит, прогноз неблагоприятный.

Пробная стимуляция яичников часто позволяет определить, чувствительны ли видимые фолликулы к ФСГ и реагируют ли на него ростом, то есть растущие это фолликулы или атрезирующие. При преобладании «умирающих» фолликулов стимуляция будет неэффективной. В комбинации с АМГ подсчет антральных фолликулов уже имеет ограниченное прогностическое применение в отношении возможной беременности.

В современной репродуктивной медицине используют только три биомаркера при оценке бесплодия: АМГ, ингибин В и ФСГ. Других маркеров не существует. Считается, что низкие уровни АМГ и ингибина В и высокий уровень ФСГ (в фолликулярную фазу) могут быть показателем возможного бесплодия, связанного с угасанием или нарушением функции яичников.

Однако новые исследования показали, что эти биомаркеры не ассоциируются с фертильностью женщин 30–44 лет, у которых отсутствует история бесплодия и которые не пробовали беременеть хотя бы в течение трех месяцев. Оказалось, что возможность зачатия ребенка в течение 6 и 12 месяцев у женщин с низким АМГ (<0,7 нг/мл) такая же, как и у женщин с нормальным уровнем АМГ.

Определение уровня ФСГ показало, что уровень зачатия в течение 6- и 12-месячных циклов был одинаков у женщин с нормальным уровнем ФСГ у и тех, у кого он был >10 мМЕ/мл.

Уровень ингибина В тоже не играл роли, если его определяли в раннюю фолликулярную фазу, — показатели зачатий были одинаковыми в двух группах женщин.

> Если женщина не планировала беременность в течение хотя бы 6–12 месяцев, измерение уровней АМГ и ФСГ, а также ингибина В, не являются методами определения ее возможной фертильности. Наоборот, это может создать негативный психологический фактор и привести к лишнему и ненужному обследованию и лечению.

Можно ли по уровню прогестерона определить яичниковый резерв у женщин, страдающих бесплодием? Если измерения проводить без определения уровня других гормонов, то такие результаты не будут иметь диагностического значения. Уровень прогестерона и эстрогена практически не зависит от возраста женщины вплоть до предклимактерического периода и климакса, поэтому не отражает состояние яичникового резерва. Также определение уровня прогестерона при подготовке женщин к ЭКО не имеет практического значения, особенно при определении яичникового резерва, поэтому проводится редко.

Несмотря на то, что существует несколько методов оценки яичникового запаса, все они, даже в комбинации друг с другом, не зарекомендовали себя как точные практические методы, имеющие прогностическое значение для оценки фертильности женщины. Однако результаты обследования все же должны учитываться — вместе с историей бесплодной пары, осмотрами мужчины и женщины и прочими анализами. Например, если у женщины высокий уровень ФСГ при низком уровне АМГ и ПАФ и при этом она в прошлом перенесла операцию на яичниках по удалению кист, то прогноз будет неблагоприятным. Также учитывается возраст женщины — именно он может объяснить плохие показатели обследования. У молодых женщин такие показатели будут иметь меньшее прогностическое значение, чем у более зрелых.

Подход к оценке ситуации всегда должен быть индивидуальным!

Надпочечники

Надпочечники вызывают огромный интерес у врачей и ученых, поскольку они имеют очень сложное строение, вырабатывают несколько гормонов, имеют уникальную иннервацию и выполняют немало функций, важных для всего организма. Эти эндокринные железы состоят из двух основных частей — коры (10%) и мозговой ткани (90%), которые вырабатывают совершенно разные гормоны. Нарушение работы надпочечников может привести к гибели человека.

Первым надпочечники описал Бартоломео Эустахио в 1552 году, назвав их «glandulae renibus incumbents», подчеркивая их близкое расположение к почкам. До этого надпочечников не замечали даже такие известные анатомы, как Леонардо да Винчи и Гален. Но сам факт, что эти органы сразу назвали железами, говорит о том, что их строение как желез было описано правильно. В 1845 году немецкий эмбриолог и анатом Эмиль Гушке впервые описал две части надпочечников — кору и мозговую часть (медуллу).

Функцию надпочечников изучают уже почти столетие, со дня открытия некоторых гормонов, которые они вырабатывают. Но последние десять лет изучение этих уникальных желез идет в двух важных направлениях: влияние гормонов надпочечников на рост и развитие плода и стрессовая реакция человека и участие в ней надпочечников.

Здесь важно вспомнить о таком понятии, как пренатальный стресс, который подразумевает стрессовую реакцию женщины на беременность и ее осложнения. Так как женщины развитых стран начали беременеть и рожать не только реже, но и позже, они чаще сталкиваются с осложнениями беременности. О негативном влиянии стресса на беременность знали некоторые врачи XVIII–XIX столетий, которые писали об этом в своих книгах. Но серьезно к этой теме ученые подошли только в начале XXI века. Оказалось, что стресс действительно повышает уровень потерь беременности, особенно на ранних сроках, и сопровождается большим уровнем осложнений беременности. Но одно дело, когда стресс влияет на организм взрослой женщины, и другое, когда мишенью стресса становится развивающийся эмбрион и плод.

Изучением влияния внешних и внутренних факторов на плод как на будущего взрослого человека занимается эпигенетика. Стрессовая ситуация беременной женщины может проявиться появлением заболеваний у ребенка в будущем. Кстати, доказана связь между перинатальным стрессом и развитием сердечно-сосудистых заболеваний у взрослых мужчин, чьи матери проходили через этот стресс, особенно при гипертонии беременных.

Но также важно принимать во внимание факт, что понятием «пренатальный стресс» можно спекулировать, так как нет четкого определения этого состояния. А эмоциональность, переживания, боязнь потерять беременность присущи практически всем беременным женщинам, и так или иначе это сопровождается повышением уровней гормонов надпочечников.

Надпочечники плода — это фабрика андрогенов, причем они появляются буквально с первых недель беременности. С 8 недель в организме эмбриона уже синтезируется кортизол. Поскольку при беременности трофобласт-плацента вырабатывает огромнейшее количество прогестерона, часть которого превращается в андрогены, кортизол выполняет защитную функцию, особенно у плодов-девочек: предотвращает негативное влияние тестостерона на организм девочки и нарушение развития ее гениталий.

Половая дифференциация под влиянием гормонов происходит в 7–12 недель (этот период нередко называют окном половой дифференциации), когда развиваются наружные половые органы плода. После 12 недель надпочечники плода вырабатывают в большом количестве два андрогена, DHEA и DHEAS, которые могут конвертироваться в женские половые гормоны в плаценте, что также очень важно для развития плода. Плодом и плацентой вырабатывается до 90% эстриола и 50% эстрона и эстрадиола, которые циркулируют в крови матери. Но все же роль стероидных гормонов для плода не изучена до конца.

У взрослых людей надпочечники вырабатывают глюкокортикоиды, минералокортикоиды и андрогены из общего предшественника-матрицы — холестерина. Самый главный гормон надпочечников — это кортизол, который считают гормоном стресса. Нередко можно прочитать или услышать, что кортизол — это «плохой» гормон, который может привести к повреждению сосудов, развитию сердечно-сосудистых заболеваний, повышать кровяное давление, нарушать функцию очень многих органов. Его называют королем стресса. Но в реальности не все так плохо!

Андрогены надпочечников уникальны тем, что именно благодаря повышению их уровня начинается половое созревание девочек и мальчиков.

Интересно, что выработка андрогенов надпочечниками зависит от возраста. Обычно после 30 лет она понижается, и постепенно достигает самого низкого уровня, когда мы говорим об адренопаузе. Адренопауза — это не менопауза женщин, это не климакс у мужчин. Это состояние, когда выработка андрогенов надпочечниками не прекращается, а достигает минимальных уровней. Это явление практически не изучено, и мы очень мало знаем о том, в каком именно возрасте или по каким причинам может наступить адренопауза.

Считалось, что надпочечники являются единственным источником глюкокортикоидов и минералокортикоидов, но оказалось, что они также вырабатываются в кишечнике, коже, лимфатической системе, мозге, возможно, в сердце и сосудах. Значение выработки гормонов в этих частях тела не известно.

Глюкокортикоиды

Кора надпочечников является фабрикой по выработке группы гормонов, которые условно называют кортикоидами или кортикостероидами. В эту группу входят глюкокортикоиды и минералокортикоиды. Адренокортикотропный гормон (АКТГ) гипофиза является гормоном, стимулирующим работу коры надпочечников.

Название «глюкокортикоиды» говорит об ассоциации этих гормонов с усвоением глюкозы (сахара). Они действительно повышают уровень сахара в крови. В развитии сахарного диабета стресс играет очень важную роль. Известно немало случаев, когда после перенесенного сильного стресса у людей нарушался обмен углеводов. Глюкокортикоиды стимулируют выработку сахара (глюкогенез) в печени из жиров и белков.

Почему при повышении глюкокортикоидов возрастает уровень глюкозы? Это своеобразная защитная реакция организма на стресс, поскольку глюкоза — самый дешевый и простой источник энергии, который может усваиваться любой клеткой. Острый и непродолжительный стресс повышает уровень энергии во всем теле, что увеличивает выживаемость человека (да и животных тоже). При этом улучшается внимание, моторика, координация движений. Хронический и длительный стресс, наоборот, истощает энергетические запасы и понижает выживаемость человека. Поэтому производство дополнительной энергии печенью через выработку сахара под влиянием кортизола и других глюкокортикоидов помогает человеку пройти через стресс и выжить с наименьшим вредом для организма. Правда, необходимо помнить, что всему есть мера и запасы энергии и питательных веществ не бесконечны. Поэтому хронический стресс может привести и к болезням, и к гибели человека.

Когда речь идет о стрессе, важно понимать, что это не только реакция на наружные факторы (стрессоры), с которыми человек сталкивается по жизни (в быту, семье, на работе, и т.п.). Это и его образ жизни в целом (физические нагрузки, мышление, недоедание или переедание, плохие отношения с некоторыми людьми), и болезни, часто внезапные, острые, опасные. Чем больше страдает человек от болезни, тем больше в его организме вырабатывается гормонов стресса.

Существует также такое состояние, как шок. Он может проявляться по-разному, с вовлечением разных органных систем. При заболеваниях может возникать гемодинамический шок, когда нарушается кровообращение и обмен жидкостей в организме. Это состояние очень опасное и может привести к смерти. Глюкокортикоиды помогают человеку справиться с шоковым состоянием, улучшая кровоснабжение сердца, мозга, легких, обеспечивающих функции всего организма.

Самый важный глюкокортикоид — **кортизол**, который раньше называли гидрокортизоном. Если вы сталкивались с лекарством под названием «гидрокортизон», то, возможно, вспомните, что этот гормон играет важную роль в уменьшении воспалительной реакции, особенно при ревматоидных и аутоиммунных заболеваниях. Глюкокортикоиды используют также для лечения астмы, то есть подавления аллергической реакции, для лучшего приживления пересаженных органов.

Как я уже писала, при кратковременном стрессе кортизол играет положительную роль. Но в состоянии хронического стресса кортизол превращается в реального врага, он не только накапливается в излишке в организме, но и негативно влияет на многие органы. Вы, наверное, заметили, что в состоянии переживаний, депрессии, страданий очень часто тянет к холодильнику и хочется постоянно что-то жевать. Это связано с тем, что первичное повышение глюкозы в крови приводит к повышенной выработке инсулина. Если сначала жиры могут превращаться в глюкозу, то затяжной стресс, наоборот, провоцирует переработку сахара и белков в жиры, поэтому увеличивается их отложение по всему телу, но чаще всего в области живота, ягодиц, бедер. Появляется так называемый синдром Кушинга, хотя это не истинный синдром, который возникает при чрезмерном избытке кортизола. Чаще всего используют термин «метаболический синдром», который лучше характеризует это состояние — синдром нарушения обмена веществ. Чаще всего этот синдром возникает в более зрелом возрасте, когда добавляются и другие негативные факторы: малоподвижный образ жизни, погрешности в питании (прием более калорийной пищи), вредные привычки (курение, употребление алкоголя).

Как все стероиды, кортизол соединяется с белками, в основном с кортикостероидно-связывающим глобулином (CBG или транскортин), и приблизительно 10–15% кортизола связано с альбуминами. Только свободный кортизол имеет гормональную активность, то есть способен воздействовать на клеточные рецепторы. Вне состояния стресса лишь 5% кортизола находится в свободном виде. При стрессе уровень свободного кортизола повышается. Интересно, что между связанным и свободным кортизолом существует равновесие, которое предотвращает вредное воздействие гормона на ткани, но оно зависит от температуры и кислотно-щелочного баланса (рН).

У женщин уровень кортизола в крови зависит от уровня эстрогенов, которые увеличивают выработку транскортина, что повышает уровень общего кортизола. Прием эстрогенов и препаратов, содержащих эстрогены (КОК), тоже повышает уровень кортизола в крови, причем он может оставаться повышенным в течение нескольких недель после прекращения приема эстрогенов. Для оценки уровня кортизола и других стероидов необходимо прекратить прием гормональных контрацептивов с эстрогенами минимум на 6 недель.

К сожалению, современные методы определения кортизола не учитывают его состояние — связанное или свободное. Общий кортизол, который чаще всего определяют в сыворотке, не является точным показателем биоактивности гормона, что может привести к ложным выводам. Значит, запоминаем: чрезвычайно важно определять свободный кортизол!

Высокие уровни кортизола наблюдаются при наличии опухолей коры надпочечника, а также при злоупотреблении лекарствами, повышающими уровень этого гормона, в частности при длительном приеме глюкокортикоидов. В таких случаях возникает синдром Кушинга. При наличии опухоли, вырабатывающей кортизол, говорят об эндогенном синдроме Кушинга, а при поступлении глюкокортикоидов в виде лекарственных препаратов — об экзогенном синдроме Кушинга.

Существует также болезнь Кушинга, которая возникает при избытке адренокортикотропного гормона, вырабатываемого гипофизом, что бывает при опухоли этой железы.

Аденома надпочечников — это самая частая причина синдрома Кушинга. Это гормонально активная опухоль, но она доброкачественная.

Синдром Кушинга является редким заболеванием, он сопровождается быстрым набором веса, появлением отложений жира в области лица, груди и живота. Руки и ноги в таких случаях выглядят тонкими. Часто повышается кровяное давление, возникает потеря костной ткани (остеопороз), на коже появляются фиолетовые растяжки и кровоподтеки, теряется мышечная масса. Люди, страдающие этим синдромом, становятся более раздражительными, агрессивными, а некоторые, наоборот, впадают в депрессию, при этом настроение нестабильное, часто меняется от хорошего к плохому и наоборот. Половое влечение уменьшается, иногда исчезает совсем.

У женщин повышенный уровень кортизола из-за стресса, как и синдром Кушинга, сопровождается нарушением овуляции. Циклы становятся нерегулярными, иногда пропадают на какой-то период времени. О гипоталамической, или стрессовой, аменорее я уже упоминала в этой книге. Как раз стрессовое нарушение менструальных циклов происходит за счет повышения уровня кортизола и выключения репродуктивной программы: в стрессе организм не может заниматься зачатием и вынашиванием потомства, так как ему необходимо позаботиться о себе и просто выжить. Именно поэтому и потери беременности выше в состоянии стресса.

> *В последние годы большой интерес ученых вызывает влияние глюкокортикоидов на психоэмоциональное состояние, психосоматику и возникновение психических заболеваний, как, например, депрессия и тревожное расстройство. Пока что данных, имеющих практическое значение, мало.*

При нехватке кортизола возникает Аддисонова болезнь. Это очень редкое заболевание, и оно развивается на фоне повреждения надпочечников, в том числе в результате аутоиммунного процесса, когда вырабатываются антитела на ткань надпочечников. При этом появляются слабость, утомляемость, головокружение, потеря веса, мышечная слабость, потемнение кожи.

Аддисонова болезнь названа в честь Томаса Аддисона, английского ученого и врача, который описал состояние надпочечниковой недостаточности в 1855 году у 11 пациентов. Все они умерли, и уменьшение размеров надпочечников было обнаружено при вскрытии.

Операции по удалению надпочечников проводились как у животных, так и людей в течение многих лет, начиная с конца XIX столетия. Первое удаление опухоли надпочечников было проведено в 1905 году. Но длительный период времени роль надпочечников не понимали, при том, что большинство животных умирало после удаления этих желез, и у более чем 30% людей такие вмешательства были фатальными. Только с появлением кортизона в 1934 году, который начали использовать как заместительную гормональную терапию, понятие надпочечниковой недостаточности стало научно обоснованным.

Вокруг гормонов существует немало мифов, и моя книга как раз посвящена разоблачению этих мифов, научному объяснению многих процессов, в которых участвуют гормоны, вырабатываемые человеческим телом. В последнее время в обиходе появился не существующий в реальности диагноз, вымышленный врачами, очевидно, для получения прибыли от доверчивых пациентов. Речь идет о так называемом синдроме уставших надпочечников. Такого диагноза в медицине не существует, поэтому не существует и диагностических критериев его постановки, как и необходимого обследования и лечения. Этим нереальным диагнозом просто злоупотребляют и нередко назначают разные препараты — от гормонов (что очень опасно, ибо они принимаются без показаний) до препаратов, которые вообще не являются лекарствами, их эффективность не была доказана, как и безопасность тоже. Обычно этим диагнозом злоупотребляют в тех странах, где система здравоохранения находится на низком уровне и не существует серьезного контроля деятельности врачей и медицинских учреждений.

Минералокортикоиды

Минералокортикоиды — это второй вид стероидных гормонов, вырабатываемых корой надпочечников. Они контролируют водный и солевой обмен (баланс) в организме человека. Альдостерон — это один из самых важных минералокортикоидов.

Хотя в обмен натрия вовлечены разные вещества, именно альдостерон играет очень важную роль. Его обнаружили одним из последних гормонов в 1953–1956 годах, но значение альдостерона для организма не меньше других стероидных гормонов.

Говоря о кортикостероидах, важно вспомнить о ренин-ангиотензиновой системе (РААС), сложной гормональной системе, контролирующей выработку минералокортикоидов. Ренин — это особый вид фермента, который вырабатывается в почках при изменении в них кровяного давления, объема циркулирующей крови и концентрации натрия и калия в сыворотке. Ренин воздействует на другой белок — ангиотензиноген, который превращается в ангиотензин I, дальше в ангиотензин II. Именно последний стимулирует выработку альдостерона в надпочечниках.

При заболеваниях почек, связанных с нарушением их кровоснабжения (сужение почечных артерий, например), одним из признаков является повышение кровяного давления. Такой вид гипертонии часто называют рениновой (почечной) или реноваскулярной, она практически не поддается лечению гипотензивными препаратами и сопровождается нарушением выведения натрия и воды из организма. Реноваскулярная гипертония сопровождается не только высоким давлением, но и нарушениями выработки альдостерона.

Альдостерон влияет не только на нефроны почки, но и на кишечник, где происходит всасывание натрия. Нехватка этого гормона может сопровождаться возникновением реноваскулярной гипертензии, а также очень опасной для жизни потерей минералов, натрия и калия. Низкий уровень минералокортикоидов в крови может привести к сердечному приступу и остановке сердца.

На данный момент о влиянии альдостерона на женское здоровье практически ничего не известно.

Катехоламины

В надпочечниках вырабатывается еще несколько важных веществ с гормональной активностью. Уверена, что об адреналине и норадреналине слышали многие. Часто при характеристике поведения людей говорят, что у кого-то слишком «нервного» в крови много адреналина. Когда кто-то занимается экстремальными видами спорта, мы слышим, что этому человеку не хватает адреналина, чтобы чувствовать себя счастливым.

Действительно, в организме имеется несколько гормонов, которые играют очень важную роль как нейротрансмиттеры, передающие сигналы в центральной нервной системе и помогающие контролировать моторную функцию, эмоции, когницию, формирование памяти, работу эндокринных желез. К этим веществам относят адреналин (эпинефрин), норадреналин (норэпинефрин) и дофамин (допамин), которые вырабатываются мозговой частью надпочечников.

Я упоминала о кортизоле, который тоже вырабатывается надпочечниками, как о гормоне стресса, фактически хронического стресса. Но давайте вспомним реакцию человека при кратковременном стрессе, например испуге. Наверняка каждый взрослый человек может описать эту реакцию, так как перенес ее, возможно, не один раз. Острый, внезапный стресс нередко вызывает учащение сердцебиения, дыхания, человека бросает сначала «в холод», а потом в пот. Кровяное давление повышается, а потом понижается. Нередко появляется боль внизу живота, может быть позыв на мочеиспускание. И, конечно, подкашиваются ноги, стоять не легко. В такой реакции основную роль играет как раз не кортизол (он будет выделяться в кровь чуть позже), а эпинефрин и норэпинефрин. Но поскольку они быстро распадаются, их воздействие кратковременное. Буквально через несколько минут человек может прийти в себя, его сердцебиение и дыхание приходит в норму, и от испуга остаются только воспоминания. Если стрессовый фактор присутствует более длительный период времени, помимо катехоламинов появляется и кортизол.

Эпинефрин и норэпинефрин действуют в определенной пропорции, то есть балансе, и нарушение этой пропорции приводит к возникновению неврологических и психических заболеваний. Роль катехоламинов в работе мозга и организма в целом детально изучается, в том числе на животных моделях. Эксперименты на мышах показали, что, например, нарушение выработки допамина приводит к нарушению моторики, уменьшению движений, худшему запоминанию сигналов.

Так как выделение катехоламинов часто синергическое, очень трудно представить их действие друг без друга и так же сложно разобраться, что конкретно контролирует каждый из них. Известно, что норэпинефрин вовлечен в формирование длительной памяти, накопление навыков, процесс обучения из разных источников информации-сигналов. Допамин участвует в формировании эмоций и чувств, в том числе эмоциональной памяти. Но самым важным из катехоламинов считают эпинефрин, который участвует в формировании защитной реакции человека по типу «бей или беги». Он выделяется в любой неблагоприятной ситуации: страх, тревога, шок, стресс.

В организме человека нет такого органа или ткани, на которые бы не воздействовали катехоламины, поскольку они участвуют во включении программы самовыживания. Их смело можно называть **гормонами защиты**. Они влияют на работу всех без исключения эндокринных желез и выработку других гормонов.

> **Катехоламины не воздействуют непосредственно на репродуктивную функцию человека (хотя могут быть причастны к развитию нарушения эрекции). Но так как они являются одной из самых важных частей реакции на стресс, то косвенно они могут дополнять факторы, подавляющие созревание половых клеток и нарушающие менструальный цикл. Рядом исследований доказано, что хронический стресс причастен к потерям беременности на любом сроке, к задержке роста плода и преждевременным родам.**

Проверка уровней разных катехоламинов практически не проводится, так как они очень быстро распадаются и выводятся из организма. Но во всем мире проводится огромное количество научных и клинических исследований, изучающих роль катехоламинов во всевозможных функциях человеческого организма — от рождения до глубокой старости. За последнее десятилетие опубликовано почти сто тысяч статей о роли катехоламинов в обмене веществ, ожирении, обучении, развитии дегенеративных заболеваний, нарушениях памяти, формировании и нарушении внимания, возникновении заболеваний сердца и сосудов.

Мы не будем останавливаться на детальном описании всей значимости катехоламинов, но сделаем важный вывод: действительно, все болезни от нервов, потому что выделяются гормоны. Много гормонов!

Щитовидная железа

В предыдущих главах уже упоминалось о ТТГ, гормоне гипофиза, регулирующем функцию щитовидной железы. Это тоже эндокринный орган, вырабатывающий гормоны.

Знаете ли вы, что первая эндокринная железа, которая развивается в человеческом эмбрионе, — это щитовидная? На 22-й день после зачатия в области глотки начинает образовываться будущая щитовидная железа и обычно к концу 49-го дня эмбрионального развития появляется примитивная железа с формирующимися фолликулами спереди трахеи. С 11-й недели в железе начинает накапливаться йод и синтезируется тироксин (Т4). Однако плод во многом зависит от гормонов щитовидной железы матери, потому что его железа начинает вырабатывать достаточное количество гормонов только со второго триместра беременности.

Щитовидная железа является самой большой железой у новорожденных (1–2 грамма) и взрослых людей (20–30 г). Но с возрастом объем железы уменьшается, появляются отклонения в ее функции. У почти 40% людей в возрасте 60 лет находят изменения в строении щитовидной железы (кисты, опухоли). В 75–80 лет у более 30% людей имеются нарушения функции щитовидной железы. С возрастом железа накапливает лимфоциты в своих тканях, у почти 50% женщин старшего возраста в крови появляются антитела к тироидным гормонам.

Два основных тироидных гормона — это **тироксин** (Т4) и **трийодтиронин** (Т3), для синтеза которых необходимы йод, селен, бор и ряд других микроэлементов. Т4 всегда вырабатывается больше, чем Т3, и пропорция количества гормонов в крови составляет 14:1. Т3 считается более активным гормоном (активнее в 4 раза), чем Т4, но полураспад этого гормона происходит за сутки, в то время как Т4 — в течение 5–7 дней.

Около 99,9% всего циркулирующего в крови тироксина связано с белками плазмы: 85–90% — с тироидсвязывающим глобулином (TBG) и приблизительно 10% — с транстиретином и альбумином.

Щитовидную железу можно назвать самой древней, так как упоминания о ней, а точнее, о лечении зоба с помощью морских водорослей (они богаты йодом), имеются в китайской медицине еще с 1600 года до н. э. Практически нет такой древней цивилизации, от которой не осталось бы упоминаний о щитовидной железе и ее заболеваниях. Так как она находится в самом видимом и обозреваемом месте человеческого тела, изменения в ней — увеличение — легко заметить. Римский писатель Цельсий (не путать со шведским ученым, благодаря которому мы измеряем температуру в градусах Цельсия) в 15 году н.э. назвал зоб «бронхоцеле» (опухоль шеи). Интересно, что несколько столетий подряд в Европе зоб лечили обгоревшей губкой (имеется в виду морское или пресноводное животное; для лечения губку использовали перорально. — *Прим. редактора*).

История изучения щитовидной железы и лечения ее заболеваний очень длинная и интересная, она также содержит факты об анекдотических методах лечения. В XVI веке Парацельс впервые предположил, что заболевания щитовидной железы могут возникать из-за нехватки некоторых минералов в питьевой воде.

Длительный период времени считалось, что щитовидная железа увлажняет трахею, но также играет очень важную косметическую роль у женщин. Увеличенная железа считалась опасным сигналом, который должны были замечать мужья, так как их жены становились более раздражительными, плаксивыми и капризными. Действительно, проблемы щитовидной железы встречались чаще у женщин, как в древние времена, так и сегодня, поэтому ее можно смело назвать «женской железой». Это правда, что нарушения функции щитовидной железы сопровождаются ухудшением психоэмоционального состояния. В зависимости от вида нарушения женщины могут быть плаксивее, раздражительнее, капризнее, агрессивнее и т.д. — от выраженного всплеска негативизма до апатии и безразличия.

Впервые увеличенная щитовидная железа была удалена в 1884 году. Но может ли врач, удаляющий какой-то орган, получить Нобелевскую премию? Оказывается, может. Шведский хирург Теодор Кошер получил эту премию в 1909 году, проведя более 2000 таких операций (уровень смертности после операций составлял тогда 5%).

> Тироксин был впервые выделен в 1914 году, но синтетическое производство гормона началось только в 1926 году. Это позволило использовать заместительную гормональную терапию у людей без щитовидной железы или тех, у кого она не выполняет функцию полноценно.

Какова роль щитовидной железы? Чтобы описать роль этого эндокринного органа в деталях, понадобится еще одна книга такого же объема, как эта. И таких книг уже создано немало. Но я наверняка удивлю вас, когда скажу, что основным потребителем гормонов щитовидной железы являются мышцы.

При чрезмерном увеличении тироксина в крови, что наблюдается при гипертиреозе, моторная активность мышц уменьшается, нарушается энергетический и солевой обмен в них, что также значительно понижает процессы окисления и использования глюкозы. Длительное воздействие высоких уровней Т4 приводит к потере мышечной массы тела. Период отдыха (релаксации) мышц при этом тоже уменьшается. Именно поэтому сердце сокращается чаще, но оно не успевает расслабляться полноценно, то есть не успевает отдыхать между сокращениями. При нехватке гормона, наоборот, период отдыха затягивается, что ухудшает кровоснабжение всего организма.

Тироксин влияет на работу отдельных структурных единиц клеток, например на митохондрии, на синтез и распад белков, чувствительность тканей к катехоламинам, уровень антиокислительных ферментов, рост мелких сосудов (капилляров), дифференциацию мышечных волокон, циркуляцию крови, в том числе в мозге.

За последнее десятилетие появилось огромное количество научных публикаций, посвященных влиянию гормонов щитовидной железы на работу мозга и всей центральной нервной системы. Оказывается, эти гормоны играют критическую, незаменимую роль в развитии и работе ЦНС, начиная с эмбрионального периода. Без достаточного количества тироксина не будет правильного формирования человеческого мозга. Именно поэтому сейчас состоянию и функции щитовидной железы беременных женщин (да и планирующих беременность тоже) уделяется очень много внимания.

Тироксин регулирует нейронную клеточную архитектуру (цитоархитектуру), рост нервных волокон и формирование их оболочки (миелинизацию). Нехватка или избыток гормона может привести к невозвратным (не поддающимся исправлению) нарушениям нервных клеток на разных уровнях, дезорганизации нейронов, их биохимической и жизненной функции. Причем эти необратимые процессы могут начаться не только в первые годы жизни ребенка, но и до его рождения на эмбриональном уровне.

Если мы говорим о женском здоровье, нормальная функция щитовидной железы чрезвычайно важна для созревания половых клеток. У женщин с заболеваниями щитовидной железы часто бывают нарушения менструального цикла, маточные кровотечения, проблемы с зачатием ребенка. Давайте обсудим некоторые заболевания.

Скрининг функции щитовидной железы

Очень часто длительный период времени проблемы с щитовидной железой могут быть компенсированы и не проявляться жалобами и симптомами. Универсальных рекомендаций по скринингу тироидных заболеваний нет, но все же он рекомендован следующим группам людей:

• беременным женщинам;
• женщинам старше 50–60 лет;
• больным сахарным диабетом первого типа;

- больным любым аутоиммунным заболеванием;
- больным с историей облучения шеи.

Эти категории людей называют также высокой группой риска по возникновению гипотиреоза.

> **Эндокринные профессиональные общества рекомендуют проводить скрининг у всех женщин с 35-летнего возраста каждые 5 лет.**

Скрининг начинают с определения уровня ТТГ. Этого анализа достаточно в большинстве случаев. Если уровень ТТГ выше или ниже показателей нормы, рекомендовано определить Т4 и реже Т3.

Нужно ли проводить определение антител к щитовидной железе? Существует несколько видов антител, которые вырабатываются при аутоиммунных тиреоидитах (особенно гипотиреоидитах). Но чаще всего практическое значение имеет определение антител к антитироидной пероксидазе (анти-ТПО) и антитироглобулину (анти-Тг), что позволяет понять, является ли заболевание аутоиммунным или нет. Однако, если однажды обнаружен положительный уровень антител, в дальнейшем тестирование на антитела не будет иметь практического значения.

Также уровень антител не определяет выраженности патологического процесса. Низкие уровни (немного выше нормы) могут сопровождаться серьезными жалобами и симптомами, и, наоборот, при высоких уровнях антител жалоб может и вовсе не быть. Однако найдена связь между высоким уровнем антител к пероксидазе и повышенным уровнем бесплодия, выкидышей и замерших беременностей на ранних сроках. В таких случаях рекомендована терапия тироксином, эффективность которой не высокая, но все же уровень зачатия и вынашивания улучшается.

Так называемый ТТГ-стимулирующий тест проводится в основном у старших женщин и мужчин, в первую очередь для оценки работы гипофиза и гипоталамуса.

Заболевания щитовидной железы

Как уже было сказано, щитовидную железу можно смело называть женской железой, потому что чаще всего ее заболевания встречаются у женщин. Обычно первенство в таких заболеваниях можно видеть уже в подростковом возрасте.

Если говорить о заболеваниях щитовидной железы, то их условно можно разделить на следующие группы:

- гипотиреоз — пониженная выработка гормонов щитовидной железы (гипотиреоидизм);
- гипертиреоз — повышенная выработка гормонов (гипертиреоидизм);
- аутоиммунное воспаление щитовидной железы — тиреоидиты. Они могут быть с повышенной, пониженной и нормальной выработкой гормонов;
- кисты и опухоли щитовидной железы (доброкачественные, рак щитовидной железы, гормонально-активные, гормонально-неактивные).

Деление на такие группы условное, потому что причины заболеваний могут быть разными.

Дисфукнкциональные расстройства щитовидной железы можно назвать обезьяной, копирующей многие болезни. Жалобы и симптомы гипотиреоза и гипертиреоза настолько разнообразные, проявляющиеся на уровне разных органов, что нередко их можно спутать с другими заболеваниями. Например, на учащенное сердцебиение (тахикардия) и боль в сердце нередко жалуются люди с гипертиреозом, что можно отнести к сердечно-сосудистым заболеваниям. Раздражительность и плаксивость, как и проблемы со сном, могут быть приняты за депрессию. Отечность кожи и слабость в теле могут встречаться при нарушениях обмена веществ и ряде системных заболеваний.

Длительный период времени на щитовидную железу обращали внимание только тогда, когда она увеличивалась в размерах, то есть появлялся зоб, и доставляла человеку дискомфорт. Сейчас функцию эндокринного органа изучают как у маленьких детей, так и у подростков, взрослых, при беременности и у людей старшего возраста.

При постановке диагноза необходимо учитывать возраст и состояние женщины, особенно в оценке показателей ТТГ. Измерение Т4 и Т3 имеет меньшую практическую значимость и проводится при отклонениях в уровне ТТГ.

Гипотиреоз

Недостаток гормонов щитовидной железы или гипотиреоз (гипотиреоидизм) встречается в большем количестве случаев по сравнению с гипертиреозом. Чаще всего гипотиреоз наблюдается у женщин обычно в 30–50 лет, хотя он может появляться в любом возрасте. В среднем от 1,4 до 2% женщин страдает разными формами гипотиреоза.

Впервые гипотиреоз описал японский врач Хакару Хашимото в 1912 году, и ему мы также обязаны появлением диагноза болезнь Хашимото, или тиреоидит Хашимото. Это аутоиммунное состояние, при котором наблюдается инфильтрация (заполнение) лимфоцитами тканей щитовидной железы. При этом железа увеличивается, часто становится болезненной и наблюдается нехватка тироксина. Инфильтрация лимфоцитами щитовидной железы — это не всегда болезнь, она наблюдается и просто с возрастом. У женщин старше 60–70 лет инфильтрация лимфоцитами разной степени встречается почти в половине случаев.

При гипотиреозе уровень ФСГ будет выше референтных показателей этого гормона (обычно больше 4 мМЕ/л). Некоторые люди ошибочно думают, что раз ФСГ высокий, то это показатель гипертиреоза, когда наблюдается избыток Т4. Наоборот, уровень ФСГ повышается при гипотиреозе.

Далеко не всегда гипотиреоз сопровождается жалобами. Чаще всего он может длительный период протекать бессимптомно. Высокий уровень ТТГ на фоне отсутствия жалоб и клинических симптомов и при нормальных уровнях Т4 и Т3 называют субклиническим гипотиреозом. По поводу этого состояния существует много разногласий у врачей, особенно в отношении его лечения заместительной гормональной терапией. Но выявление этого состояния очень важно для тех, кто планирует беременность, и беременных женщин, так как гормоны беременности угнетают работу щитовидной железы. Мы до сих пор не знаем, какую роль играет субклинический гипотиреоз у небеременных женщин и у мужчин. Повышенный уровень ФСГ может потребовать дополнительного обследования как щитовидной железы, так и ряда других органов.

> **Необходимо помнить, что функцию щитовидной железы подавляют некоторые лекарственные препараты, поэтому важно оценивать наличие заболеваний у человека до назначения гормональной терапии.**

Гипотиреоз может сопровождаться разными симптомами. Наиболее часто встречаются следующие:

- слабость, ощущение отсутствия энергии, сонливость;
- понижение аппетита;
- набор веса (часто из-за отеков);
- сухость кожи;
- потеря волос;
- бессонница;
- непереносимость холода, озноб;
- боль в мышцах;
- нестабильность эмоций, депрессия;
- нарушение памяти;
- нарушение зрения;
- чувство онемения в ногах и руках;
- нарушение менструального цикла;
- ложное бесплодие;
- боль в горле и при глотании (если железа увеличена).

К этому списку можно добавить более пятидесяти других жалоб и симптомов. Их проявление будет зависеть от степени выраженности нарушений функции железы, хотя показатели ТТГ, Т4 и Т3 могут не соответствовать тяжести заболевания. Реакция организма всегда индивидуальна.

Считается, что для постановки диагноза достаточно определить уровень ТТГ, и если его показатели выше нормы, следующим шагом будет определение уровня свободного Т4, а также индекса свободного тироксина. Гипотиреоз сопровождается низким уровнем свободного Т4.

Определение Т3 не рекомендуется в большинстве случаев. Почему? Первичный гипотиреоз (возникший впервые в жизни человека) проявляется повышением ТТГ. При этом организм старается выработать больше Т4, а значит, большее количество Т4 превращается в Т3. Поэтому обычно в начале болезни ТТГ повышенный, Т4 может быть в пределах нормы или низкий, а Т3 — в норме. Но для назначения лечения и контроля эффективности лечения индикатором будет всегда уровень ТТГ.

УЗИ щитовидной железы рекомендовано в случаях жалоб на боль и дискомфорт в горле, при обнаружении увеличенной железы, при наличии семейной истории заболеваний щитовидной железы, в ряде других случаев. Дополнительные обследования, в том числе с использованием радиоактивного йода, проводятся строго по показаниям. При наличии узлов необходима биопсия для исключения рака щитовидной железы.

Лечение гипотиреоза проводится синтетическими препаратами тироидного гормона (левотироксин, эутирокс и др.), что называют заместительной гормональной терапией. Полная доза гормона может быть назначена сразу людям, у которых нет других фоновых заболеваний. В старшем возрасте рекомендовано постепенное увеличение дозы тироксина — начинают с четвертной или половинной дозы и увеличивают в течение 4–6 недель после повторного измерения ТТГ. Клиническое улучшение наблюдается обычно через 3–5 дней после начала лечения.

Гипертиреоз

Гипертиреоидизм представляет собой несколько видов заболеваний щитовидной железы разного происхождения, сопровождающихся усиленной выработкой гормонов. Так как этот орган вовлечен в обменные процессы, нередко избыток гормонов щитовидной железы приводит к состоянию, которое называется гиперметаболический синдром, или тиреотоксикоз (тиротоксикоз). Самые распространенные тиреотоксикозы — это диффузный токсический зоб (болезнь Грейвса), токсический узловой зоб (болезнь Пламмера) и токсическая аденома.

Впервые связь между увеличением щитовидной железы и гипертиреозом была описана в 1786 году английским провинциальным врачом Калебом Парри, благодаря которому в списке классификаций болезней существует также синдром Парри-Ромберга, хотя публикация на эту тему вышла намного позже — в 1825 году. Почти одновременно ирландский врач Роберт Грейвс (1835 г.) и немецкий врач Карл Адольф фон Базедов (1840 г.) описали состояние, которое теперь называется болезнью Грейвса или Базедовой болезнью, но также болезнью Парри.

> **Доктор Грейвс обнаружил увеличенные щитовидные железы у трех женщин, причем у 20-летней девушки это состояние сопровождалось истерическим поведением и выраженной тахикардией, бледностью кожи, большими выпученными глазами, которые она не могла закрыть даже во сне.**

Проявляется тиреотоксикоз по-разному, симптомы зависят от возраста и от наличия иных системных заболеваний. Его можно ошибочно принять за другие болезни. Например, у молодых людей тиреотоксикоз часто сопровождается проблемами психоэмоционального характера: тревожность, придирчивость, гиперактивность, раздражительность, злость, истерия. Нередко бывает тремор рук. У старших людей основные жалобы гипертиреоза проявляются на уровне сердечно-сосудистой системы: повышенное кровяное давление, тахикардия, одышка, боль в сердце. На ЭКГ у таких больных могут быть отклонения, в том числе разные виды фибрилляций.

Независимо от причины гипертиреоза он сопровождается чаще всего следующими симптомами:

- нервозность, тревожность, раздражительность;
- повышенное потоотделение;

- непереносимость тепла и жары;
- повышенная моторная активность;
- дрожание (тремор) рук;
- мышечная слабость;
- ощущение пальпитации[1];
- влажная, горячая кожа;
- изменения со стороны глаз: большие, «выходят» из орбит, что выглядит как пристальный взгляд, веки не смыкаются;
- повышенное кровяное давление;
- ускоренное сердцебиение (тахикардия);
- повышенный аппетит;
- потеря веса («еда сгорает»);
- нарушения менструации.

Гипертиреоз, в отличие гипотиреоза, не оказывает выраженного влияния на овуляцию и менструальный цикл. Если циклы становятся реже и менструации скуднее, то скорее из-за потери веса, гиперактивности, негативного психоэмоционального фона. Чаще всего возникают нарушения самих месячных — они становятся скуднее, иногда растягиваются на нескольких дней в виде кровянистых выделений. На зачатие и вынашивание детей гипертиреоз влияет меньше, чем гипотиреоз.

Для диагностики гипертиреоза определяют уровень ТТГ, свободный тироксин и индекс свободного тироксина, трийодотиронин. При этом ТТГ ниже нормы, Т4 обычно повышен, Т3 может быть в норме или повышен. Существует и такое состояние, как субклинический гипертиреоз, когда уровень ТТГ ниже нормы, а Т4 и Т3 — в пределах нормальных показателей. Но практического значения такой диагноз не имеет, поэтому оспаривается многими врачами.

Определение антител к щитовидной железе при гипертиреозах чаще всего не рекомендовано. ТПО находят только у 8% людей, страдающих болезнью Грейвса. Однако при этой болезни в крови можно найти другие виды антител: тиреотропный или тиреостимули-

---

[1] Пальпитация — усиленное, неправильное биение сердца (от лат. *palpito* — дрожу, сильно бьюсь). — *Прим. ред.*

рующий иммуноглобулин (TSI), антитела к ТТГ-рецепторам (TRab) и длительно действующий тироидный стимулятор (LATS), которые часто называют тиреостимулирующие антитела (TSab). Они встречаются почти у 80% людей с болезнью Грейвса. Комбинация антител позволяет различить вид тиреотоксикоза.

Лечение зависит от состояния человека и выраженности симптомов, а поэтому может проходить как в больничных условиях, так и амбулаторных, с применением разных медикаментов. Некоторые виды терапии противопоказаны при беременности и женщинам, планирующим беременность. Удаление щитовидной железы считается радикальным методом лечения и проводится по разным показаниям, в любом возрасте, и при беременности тоже.

Тиреоидиты

Тиреоидиты редко рассматриваются врачами как заболевание щитовидной железы, но только потому, что долгое время воспаление этого органа не упоминалось даже в учебниках по медицине. Увеличенная и к тому же болезненная железа может быть признаком зоба и других заболеваний.

Тиреоидит может возникать как самостоятельное заболевание, а может протекать на фоне существующей дисфункции железы. Чаще всего тиреоидиты наблюдаются при гипотиреозе.

Существует три группы тиреоидитов.

- **Бактериальный тиреоидит** чаще встречается в случаях нарушения развития щитовидной железы, когда бактерии из верхних дыхательных путей могут попадать в железу. Обычно бактериальный тиреоидит вызывается золотистым стафилококком, рядом стрептококков и пневмококками. В воспаление могут быть втянуты любые бактерии, живущие на слизистых и коже человека.
- **Вирусный тиреоидит** встречается как осложнение общей вирусной инфекции, чаще у детей, болеющих гриппом, корью, инфекционным мононуклеозом, коксаки-вирусной инфекцией, ОРВИ и другими. Обычная простуда может закончиться развитием тиреоидита. Поражение щитовидной железы вирусами

чаще наблюдается у людей, имеющих человеческий лейкоцитарный антиген HLA-Bw35, роль которого не изучена до конца. Возникает такой тиреоидит обычно в детстве.
- **Хронический аутоиммунный тиреоидит** — это один из самых частых видов тиреоидитов, при котором наблюдается выработка антител на собственные ткани щитовидной железы. Его называют хроническим, потому что это постоянный воспалительный процесс без вовлечения инфекции, с периодами обострения и ремиссии. Количество антител не отражает степень воспалительного процесса и нарушения функции щитовидной железы.

Тиреоидиты могут протекать с нарушением работы железы, или же функция может оставаться нормальной. Чаще всего наблюдаются тиреоидиты с гипофункцией щитовидки. При этом размеры железы могут увеличиваться в 2–3 раза по сравнению с нормальными, а иногда и больше. Такое состояние часто называют зобом.

Причин развития аутоиммунных тиреоидитов много, но заболевание настолько сложное и не контролируемое лекарственными препаратами, что до сих пор нет четких данных, почему оно возникает.

В зависимости от выраженности симптомов тиреоидиты могут быть острыми, подострыми и хроническими. Острые тиреоидиты требуют противовоспалительного лечения. Подострые или субклинические тиреоидиты могут протекать без выраженных симптомов, в большинстве случаев железа приходит в норму в течение 2–7 месяцев без лечения.

Хронический аутоиммунный тиреоидит у взрослых чаще наблюдается с обострениями и ремиссиями, и эта частота зависит от влияния других факторов, в частност, стресса, приема гормональных контрацептивов и стероидных препаратов. На нормализацию процесса нередко уходит несколько лет.

Болезнью Грейвса, о которой упоминалось выше, страдают в основном женщины — в 8 раз чаще, чем мужчины. Она сопровождается гипертиреозом. Болезнь Хашимото, наоборот, характеризуется пониженной функцией щитовидной железы, хотя могут наблюдаться и периоды гипертиреоидизма. Первоначально этот вид тиреоидита называли лимфоцитарным тиреоидитом, аутоиммунным тиреоидитом, лимфатическим аденоидным зобом. Это заболевание встречается у женщин в 15–20 раз чаще, чем у мужчин. Считается, что оно может быть обусловлено генетически. Человеческий лейкоцитарный антиген (HLA) тоже играет большую роль в возникновении тиреоидита. Появление антител может наблюдаться за несколько лет до первых признаков нарушения функции щитовидной железы.

Так как аутоиммунным тиреоидитом болеют чаще всего женщины, существует выраженная связь между половыми гормонами и возникновением этого заболевания. До подросткового возраста случаи аутоиммунного тиреоидита у детей чрезвычайно редки и частота заболевания у девочек и мальчиков одинакова. Но с наступлением полового созревания и появлением менархе[1] уровень заболеваемости среди девушек и женщин значительно повышается.

У небеременных женщин дополнительные дозы прогестерона могут привести к возникновению гипертиреоза, и наоборот, нехватка прогестерона на фоне повышенных уровней эстрогенов (даже только по отношению к низкому уровню прогестерона) приводит к развитию зоба и гипотиреоза. Поэтому до назначения прогестерона

---

[1] Мена́рхе — первое менструальное кровотечение (от др.-греч. «месяц» и «начало»). — *Прим. ред.*

необходимо провести обследование щитовидной железы и корректировку ее функции, если есть нарушения.

Гормональные контрацептивы оказывают защитное действие на щитовидную железу, и преимущество отдается эстрогенам с их положительным влиянием на этот эндокринный орган. Прогестерон, наоборот, повышает уровень антитиреоидных антител и риск возникновения тиреоидита.

Почему прогестерон повышает риск развития одних аутоиммунных состояний и понижает риск развития других, неизвестно. Но скорее всего, это связано с вовлечением веществ, которые по-разному взаимодействуют с прогестероном, в частности разных классов и подклассов антител.

Заболевания щитовидной железы и беременность

Долгое время роль щитовидной железы в протекании беременности не изучалась, но, как я уже не раз упоминала, этот эндокринный орган чрезвычайно важен для нормального созревания яйцеклеток, зачатия и вынашивания беременности. О роли щитовидной железы для беременности я также писала в книге «9 месяцев счастья».

Гипертиреоидизм — нечастое явление при беременности, его обнаруживают намного реже (до 0,4% случаев), чем гипотиреоидизм (2–3%). Прогестерон, уровень которого при беременности значительно повышается, угнетает работу щитовидной железы.

Беременность влияет на аутоиммунный тиреоидит: чем чаще женщина беременеет и рожает, тем у нее выше риск развития этого заболевания. В свою очередь, тиреоидит негативно отражается на беременности. Антитела к щитовидной железе могут проникать через плаценту и поражать эмбрион, особенно ткани щитовидной железы и мозга. Известно, что у женщин, страдающих аутоиммунным тиреоидитом, особенно с гипофункцией железы, уровень спонтанных потерь беременности и невынашивания выше по сравнению со здоровыми женщинами. Только у небольшого количества женщин болезнь Грейвса может затихать во время беременности, но после родов снова обостряется.

> *Послеродовые тиреоидиты встречаются намного чаще, чем до и во время беременности (4–10%). Этот диагноз выделен как самостоятельный, его ставят в течение первого года после родов. Такое заболевание щитовидной железы нередко протекает бессимптомно, но может переходить в хронический тиреоидит.*

Гипертиреоидизм опасен чаще всего для второй половины беременности. Он может привести к возникновению преэклампсии, преждевременным родам, потере беременности, отслойке плаценты. У новорожденных может развиться врожденная сердечная недостаточность. Но самым опасным для женщины является так называемый тиреоидный шторм (тиреотоксический криз), который требует безотлагательного лечения из-за высокого риска потери жизни.

Гипотиреоз встречается чаще и тоже сопровождается большим количеством осложнений. В первой половине беременности такое состояние щитовидной железы может привести к выкидышу. Во второй половине гипотиреозы, особенно аутоиммунные гипотиреоидиты, могут быть причастными к возникновению преэклампсии, отслойки плаценты, потере беременности, преждевременным родам, а также к развитию у матери нарушений работы сердца, анемии, кровотечений в родах и после них. Такие беременности сопровождаются большим количеством отклонений у плодов и новорожденных: низкий вес, врожденные аномалии, плохое неврологическое развитие, врожденные заболевания щитовидной железы.

Считается, что гормоны щитовидной железы матери влияют на развитие мозга ребенка, о чем было сказано выше, так как собственные гормоны щитовидки у плода начнут вырабатываться не раньше 10–12-й недели. Антитела, которые могут проникать через плаценту и попадать в кровеносное русло плода, отрицательно воздействуют на него.

В свою очередь, лечение заболеваний щитовидной железы может иметь негативное влияние на будущего ребенка, вызывая у него ятрогенный фетальный гипотиреоидизм. Поэтому требуется контроль дозы лекарственного препарата и уровней ТТГ.

Беременность — это состояние физиологически повышенных уровней антител, причем практически всех классов. До 15% беременных женщин имеют антитиреоидные антитела. Но в ряде случаев они могут повышаться значительно. Известно, что повышение уровня антител на 300% и больше может привести к возникновению зоба и нарушениям функции щитовидки у плода, что требует проведения УЗИ-контроля размеров щитовидной железы и сердечной деятельности (из-за высокого риска сердечной дисфункции). Даже если у матери не проверяли работу щитовидной железы, при обнаружении постоянной тахикардии у плода (больше 160 ударов в минуту) необходимо провести обследование щитовидной железы у женщины.

Лечение щитовидной железы у беременных женщин должен проводить опытный эндокринолог, знающий, как меняется состояние и работа этого органа при беременности.

Узлы и рак щитовидной железы

В щитовидной железе могут образовываться кисты и опухоли, что также может оказаться раковым процессом. Поскольку определить, что собой представляет кистозно-опухолевое образование, без изучения строения тканей нельзя, часто такие находки называют словом «узел». Это не совсем правильное название с точки зрения медицины, но к нему привыкли и врачи, и пациенты.

Сейчас можно услышать, что количество людей с разными опухолями щитовидной железы возросло, но это не совсем точные данные. В прошлом УЗИ щитовидной железы проводили очень редко, а сейчас это часть профилактических осмотров в ряде стран. Таким образом, количество людей, у которых могут быть обнаружены узлы, стало значительно больше.

Хотя увеличение щитовидной железы встречается у 15% людей, узлы находят только в 3–7% случаев. Обычно узлы не являются злокачественными и возникают по многим причинам. Это может быть йодная недостаточность, воспалительный процесс. Кисты могут быть истинными, когда накапливается жидкость без образования дополнительной ткани (тиреоидные кисты), а могут возникать из старых аденом. Но чаще всего опухолевидное разрастание тканей сопровождается накоплением жидкости, и тогда мы говорим о тироидных аденомах. Окончание «ома» означает «опухоль». Очень редко такие образования могут содержать участки злокачественных клеток.

Существует также узловой зоб, когда в ткани щитовидной железы можно найти кистозные образования. Конечно, чаще всего мы обеспокоены тем, что любое образование в этом эндокринном органе может оказаться раком.

Впервые врачи забили тревогу по поводу возрастающего количества нарушений функции щитовидной железы и рака после аварии на Чернобыльской АЭС в 1986 году. Это катастрофическое событие показало реальную связь между радиоактивным йодом и раком щитовидной железы. Хуже всего, что частота появления рака выросла среди детей и подростков. Теоретически предполагается, что до 10 000 случаев рака возникло у детей после облучения радиоактивным йодом во время этой аварии, но истинные показатели могут быть хуже. Огромное количество людей из аварийной зоны переселилось в разные города и села бывшего СССР. Учет заболеваний вели только у людей, непосредственно работавших в зоне по устранению последствий аварии, в то время как большая часть населения осталась без надлежащего медицинского контроля. Кроме того, часто не учитывался фактор времени: от аварии до развития рака у конкретного человека.

Конечно, такие данные долгое время оспаривались. Но когда в 2011 году произошла авария на японской атомной электростанции Фукусима из-за сильного землетрясения и цунами, всплеск рака щитовидной железы у детей повторился.

Рак щитовидной железы относят к очень редким злокачественным заболеваниям, он чаще всего наблюдается в семьях (существует определенный наследственный фактор) и при наличии рака других эндокринных желез. Этим видом рака страдают чаще мужчины, чем женщины, хотя доброкачественные опухоли и кисты встречаются больше среди женщин. Негативное влияние оказывает радиация, особенно облучение области шеи и головы.

Существует несколько видов рака щитовидной железы, самые распространенные — папиллярный или сосочковый (80%), фолликулярный, анапластический и медуллярный рак (карциномы). Крайне редко могут встречаться лимфомы и саркомы.

Своевременное лечение рака щитовидной железы проходит успешно, поэтому чрезвычайно важно обнаружить его как можно раньше. Что для этого необходимо делать?

- Определить уровень риска (высокий или низкий) развития рака щитовидной железы. В этом поможет врач.
- Высокая группа риска требует проведения регулярных УЗИ. Частота УЗИ определяется группой риска и обнаружением в железе каких-то образований.
- Хотя рак чаще встречается у мужчин, тем не менее акцентировать внимание нужно на детях и взрослых до 30 лет и после 60 лет.
- Быстрый рост узла и/или появление жалоб требует срочного обследования (появление боли чаще характерно для воспаления или кровоизлияния в узел).

При необходимости врач может предложить провести биопсию узла с помощью специальной иглы.

> *Любые изменения в области шеи, появление жалоб, дискомфорта требуют консультации врача — и это будет залогом своевременной диагностики и лечения всех заболеваний щитовидной железы.*

Существует ли тироидная диета?

Сбалансированное (здоровое) питание играет важную роль в работе многих органов, включая щитовидную железу. Для синтеза тироксина необходимы йод и селен. Известно, что йодная недостаточность сопровождается гипотиреозом.

Так как дисфункция щитовидной железы не редкое явление в жизни людей, особенно женщин, появилось и продолжает появляться большое количество диет, якобы улучшающих ее работу. Давайте все-таки согласимся, что существуют разные «поломки» этого органа, поэтому не может быть одной универсальной тироидной диеты «на все случаи жизни».

Гипотиреоз и гипертиреоз — это совершенно противоположные состояния, они могут сопровождаться аутоиммунной реакцией с выработкой антител. Опухоли щитовидной железы вообще не имеют связи с питанием.

Еще не так давно дополнительный прием йода рекомендовался беременным женщинам и кормящим грудью матерям, но дозы были значительно выше, чем сейчас. Дело в том, что реальный дефицит йода встречается в развитых странах редко. Теоретически предполагается, что около 1 миллиарда людей могут находиться в группе риска по развитию йодной недостаточности, но это в основном жители социально-экономически бедных стран.

Сейчас добавки йода имеются, например, в соли (йодированная соль), морепродуктах (водоросли и рыба), в некоторых видах мучных изделий и зерновых продуктов. Но при производстве продуктов питания и их фортификации (обогащении минералами, витаминами и другими добавками) очень часто не указывается количественное содержание йода, так как нет законодательного регулирования дозировки этого минерала.

Существует еще один минус: четких рекомендаций по количеству приема йода (как и других минералов и витаминов) нет, поскольку за последнее десятилетие кардинально пересмотрены старые нормы. Например, считается, что взрослому человеку достаточно 150 мкг йода в сутки, беременные женщины должны получать 220 мкг, а в период лактации — до 290 мкг йода в день. В прошлом количество йода, рекомендованного для дополнительного приема, было значительно выше.

Кроме того, содержание йода во многих продуктах увеличилось, поэтому большинство людей все же не страдает от его нехватки.

Во многих «магазинах здоровья», как и в ряде аптек, в том числе онлайн, продаются БАДы «для щитовидной железы», которые содержат йод и другие ингредиенты. Во многих таких добавках количество йода превышает суточные нормы не только в несколько раз, но даже в несколько сот раз, что на самом деле опасно для здоровья. Прием чрезмерного количества йода как раз может приводить к еще большей дисфункции щитовидки. В таких случаях чаще обостряются аутоиммунные тиреоидиты.

Понятием нехватки йода в питьевой воде в ряде регионов часто спекулируют, так как человек получает йод не только из воды. В прошлом часто говорили об эндемическом зобе из-за йодной недостаточности. Слово «эндемический» означает «свойственный какой-то местности или народу». Действительно, существовали села, где уровень гипотиреоза был выше, чем в других регионах. Но во внимание не принимался тот факт, что в прошлом люди мигрировали меньше, многие села были изолированными из-за больших расстояний, поэтому родственные браки в таких закрытых селениях встречались часто. Конечно, определенные геологические особенности местности могут влиять на качество питьевой воды, в частности, на низкую или высокую концентрацию ряда минералов. Но в возникновении эндемического зоба играет роль не только вода. Современные люди питаются разнообразно и в достаточном количестве, даже излишне, поэтому вероятность дефицита йода сводится практически к нулю.

Замечено также, что как раз у тех, кто принимает йод дополнительно из-за возможной его нехватки в местности, где они проживают, чаще наблюдаются нарушения функции щитовидной железы из-за передозировки йодных препаратов, особенно у людей, имеющих какие-то нарушения работы железы. Конечно, этим людям желательно принимать йод, но суточная доза не должна превышать 500 мкг.

В состав некоторых добавок входит спирулина, которую наделяют чуть ли не магическими свойствами, называя супередой для щитовидной железы. Эффективность спирулины не доказана.

В последние 10–20 лет на рынке разных стран появилось огромное количество разнообразных добавок — несколько десятков, а возможно, и сотен тысяч наименований. Среди них так называемые гойтрогены, или зобогенные вещества, подавляющие функцию щитовидной железы. С одной стороны, их рекомендуют при гипертиреозах. С другой — эндокринологи и диетологи предупреждают, что при гипотиреозах необходимо избегать гойтрогенов, и особенно тех видов пищи, в которых они содержатся. Очень часто зобогенным веществом называют все то, что может привести к возникновению зоба — увеличению щитовидной железы. Чаще всего это так называемая группа крестоцветных овощей и продукты из сои.

Крестоцветные овощи — это белокочанная капуста, брокколи, брюссельская капуста, редька, цветная капуста, кейл (кале), бок чой и ряд других зеленых овощей. Они богаты веществами, которым приписывают противораковые свойства. Однако эти вещества могут нарушать обмен йода и подавлять выработку гормонов щитовидной железы. Это не значит, что люди с дисфункцией щитовидки должны избегать этих овощей. Наоборот, разные виды капусты и редьки очень полезны. Предполагается, что необходимо не злоупотреблять количеством этих овощей в суточном рационе, особенно при наличии гипотиреоза.

Точных данных о том, какая максимальная порция крестоцветных допустима, чтобы не навредить щитовидной железе, не существует. Обычно эксперименты проводятся на здоровых людях с использованием завышенных количеств овощей или продуктов из них. Кроме того, разнообразие овощей не позволяет определить их суммарное воздействие. Чаще всего негативный эффект наблюдается у людей, страдающих некоторыми нарушениями обменных процессов, и в старшем возрасте. Прием 1–2 кг сырых овощей, особенно капустных, для улучшения здоровья не оправдан.

В целом клинических исследований о реальном вреде или пользе крестоцветных овощей для функции щитовидной железы не существует.

Еще одним модным и популярным продуктом, который начал завоевывать западный рынок, является соя. Чаще всего используют соевое молоко, тофу, соевый соус и мисо. Соя содержит ряд веществ, которые называются изофлавоны. Их чуть ли не боготворят, приписывая им массу полезных свойств, хотя они едва изучены и не отвечают требованиям доказательной медицины. Считается, что изофлавоны сои могут подавлять воздействие пероксидазы щитовидной железы, особого фермента, необходимого для выработки гормонов. Теоретически предполагалось, что избыточный прием продуктов сои может быть связан с гипотиреозом, а поэтому не полезен для людей с дисфункцией щитовидной железы. Практически ряд исследований показали, что прием сои здоровыми людьми, живущими в зонах с нехваткой йода, не имеет негативного воздействия на щитовидную железу. Влияние сои на больных людей не изучалось. Таким образом, сою и соевые продукты питания можно принимать людям с нарушениями щитовидной железы, но ими не нужно злоупотреблять.

Я упоминала уже не раз, что для выработки гормонов щитовидной железы необходим селен. Считается, что его суточная доза — 55 мкг для всех взрослых людей, включая беременных и кормящих грудью женщин. Такую дозу минерала человек получает с пищей. Много селена содержится в морепродуктах, потрохах, зерновых, хлебе, рыбе и яйцах. В ряде случаев эндокринологи рекомендуют принимать селен дополнительно (100–400 мкг в день), особенно при аутоиммунном тиреоидите. Часто курсы приема селена длительные — не меньше 6 месяцев.

В ряд добавок «для щитовидной железы» входят магний, медь и цинк. Их значение в работе этой железы не изучено. Все рекомендации являются теоретическими предположениями и не имеют достоверной клинической базы.

Хотя существует немало спекуляций о вреде кофе, этот напиток не влияет на функцию щитовидной железы, как и чай, алкоголь. Однако известно, что кофе может понижать усвоение тироксина у людей, принимающих заместительную гормональную терапию для лечения гипотиреоза.

Еще один крик моды — это безглютеновая диета (gluten-free diet), появившаяся буквально десятилетие назад. Сейчас во многих супермаркетах продаются продукты без глютена, цены на которые значительно выше. Я вспомнила о ней, потому что очень часто встречаю людей, в том числе среди пациентов, которые используют модные диеты. Более 63% «сидящих на диетах» думают, что это улучшит их здоровье, хотя на самом деле эффект чаще всего противоположный. Хуже всего, что такие диеты рекомендуются людьми без медицинского образования, но нередко и врачами, которые далеки от понятий питания и обмена веществ.

Безглютеновая диета — это медицинская необходимость, и она не может быть рекомендована всем подряд, даже если ее советуют новоиспеченные модные гуру по питанию.

Около 1% людей страдает серьезным заболеванием — целиакией, или глютеновой болезнью. Они не могут переносить особый вид растительного белка — глютена, которого много в злаковых. Такие люди нуждаются в диете, не содержащей глютен, с раннего детства.

В отношении безглютеновой диеты существует много преувеличений, а значит, ложной информации. Клинические же исследования показали, что безглютеновая диета:

- не приносит пользы в профилактике сердечно-сосудистых заболеваний, а, наоборот, незначительно повышает их уровень;
- приводит к недостаточности фолиевой кислоты, витаминов B_{12}, Д, кальция, железа, цинка, магния, а также клетчатки;
- повышает уровень диабета и не понижает уровень метаболических синдромов;
- значительно повышает уровень мышьяка, ртути, меди, кадмия и других токсических веществ в крови и тканях человека.

Безглютеновая диета показана тем, кто страдает глютеновой болезнью или другими расстройствами пищеварения, связанными с повышенной чувствительностью к глютену (FODMAPs). При заболеваниях щитовидной железы она совершенно не эффективна и не полезна, как и бессолевая, безуглеводная, пробиотическая, кетоновая и ряд других модных диет.

Как показывают исследования доказательной медицины, в мире не существует ни одной эффективной тироидной диеты.

Паращитовидная железа

Многие люди не догадываются о том, что в их организме имеются четыре маленьких железы, которые называют паращитовидными железами. Само название говорит о локализации желез — рядом с щитовидной. Их размеры настолько малы (3–4 мм в диаметре), что их не так просто заметить с помощью УЗИ.

Тем более их трудно было заметить даже известным анатомам прошлого. Впервые эти железы описал сэр Ричард Оуэн, куратор Музея истории природы, британский врач и анатом, но не у человека, а умершего в Лондонском зоопарке носорога, в 1850 году. В 1877–1880 годах Ивар Сэндстрём, 25-летний студент и будущий врач, впервые обнаружил паращитовидные железы в период изучения анатомии и был изумлен разнообразием положения этих желез по отношению к щитовидной, что до сих пор является некой головоломкой для врачей. Фактически это было последнее анатомическое открытие в медицине.

> Даже современные медицинские публикации посвящены не изучению функции паращитовидных желез, а анатомическим особенностям их локализации, что важно при удалении щитовидной железы.

О роли паращитовидных желез ничего не знали вплоть до начала прошлого столетия, когда французский физиолог Юджин Глей связал появление судорог с удалением щитовидной железы. Длительный период времени щитовидную железу удаляли вместе с паращитовидными, что в некоторых случаях приводило к смерти больных по «непонятным причинам». А в 1907 году после смерти человека из-за размягченных костей были обнаружены значительно увеличенные паращитовидные железы, и это натолкнуло на мысль, что они влияют на состояние костной ткани.

Паращитовидные железы играют важную в обмене кальция, без которого костная ткань не будет здоровой. Они вырабатывают паратиреоидный гормон (ПТГ), или паратгормон. С одной стороны, он повышает уровень кальция в крови за счет вымывания этого минерала из костной ткани. С другой стороны, он увеличивает усвоение кальция из пищи, а также влияет на удержание кальция в циркулирующей крови, воздействуя на почки. Поэтому две основных мишени паратгормона — это кости и почки.

> *Особенность паратгормона — это участие в превращении витамина Д в более активную форму, что также важно для костной ткани и многих других органов.*

Кальций, витамин Д, кости — с чем ассоциируются эти слова? С таким состоянием, как остеопороз, который возникает чаще всего у женщин в климактерическом периоде. Но значение паращитовидных желез в отношении развития остеопороза как раз неизвестно.

Самое частое заболевание, связанное с функцией паращитовидной железы, — это гиперпаратиреоз, когда вырабатывается слишком много паратгормона. Это приводит к повышению уровня кальция в крови и разрушению костной ткани — остеодистрофии.

Приблизительно у одного человека из ста (у одной женщины из пятидесяти старше 50 лет) возникает опухоль паращитовидной железы, что может сопровождаться гиперпаратиреоидизмом, то есть повышенной выработкой паратгормона. У женщин старшего возраста состояние остеопороза может серьезно усугубляться. Повышается также риск сердечного приступа, кровоизлияния в мозг и других осложнений. Чаще всего требуется удаление опухоли.

Намного реже встречается рак паращитовидной железы, но его трудно диагностировать на начальных стадиях. Гипопаратиреоидизм встречается крайне редко и, как правило, возникает после операции по удалению щитовидной железы, особенно проведенной неопытным хирургом.

В целом очень мало известно о влиянии паращитовидного гормона на женское здоровье, в том числе на плод и женщину при беременности.

Глава 3

Менструальный цикл и гормоны

Менструальный цикл — это основа женского репродуктивного здоровья. Это то, ради чего происходит половое созревание каждой девочки, превращающейся в девушку, а в дальнейшем в женщину.

Хотя название подсказывает, что менструации (месячные) имеют циклический характер, но не менструация определяет регулярность цикла. Я как-то вывела свой философский закон женского здоровья, которым охотно делюсь на семинарах и лекциях, во многих публичных постах. О нем я уже упоминала в начале книги, но еще раз повторю здесь: *овуляция — первична, менструация — вторична.*

Что означает этот закон? Все половое созревание будущей женщины и мужчины направлено на запуск созревания половых клеток. У женщин — это яйцеклетки, и процесс их созревания называется фолликулогенезом, а выход созревшей яйцеклетки из фолликула — овуляцией. У мужчин — это сперматозоиды, которые созревают через сперматогенез и выходят наружу через эякуляцию (семяизвержение).

Хотя резерв яйцеклеток женщина получает еще в эмбриональном периоде, они проходят некоторые этапы деления, а завершающий период созревания наступает с формированием менструальных циклов. Так как созревание яйцеклеток сопровождается выработкой гормонов, гормональный фон зависит от возраста женщины, а также от ее состояния (беременность, лактация), о чем мы поговорим дальше.

Как меняется гормональный фон женщины в разные возрастные периоды

Гормональный фон женщины — это всегда некая загадка природы. С одной стороны, она любит стабильность многих процессов, обеспечивая функциональность и выживание живых организмов, в том числе человека. С другой стороны, женщины уникальны тем, что в животном мире нет таких видов (нет таких самок), у которых все гормональные и репродуктивные процессы совпадали бы с женскими.

Из предыдущих глав вы узнали о том, что в женском организме существует несколько эндокринных органов и вырабатывается около 50 гормонов, которые могут влиять на качество менструального цикла — от созревания яйцеклеток до менструального кровотечения.

Уровни гормонов меняются не только в течение дня (вы уже узнали из предыдущих глав, что многие гормоны выделяются в пульсирующем режиме), но также в зависимости от дня менструального цикла, что тоже может влиять на общее состояние тканей, органов и всего организма. Еще в период моего обучения на врача хирурги рекомендовали проводить операции в первой половине менструального цикла, не зная всех деталей эндокринологии, которые мы знаем сейчас. Они объясняли свои рекомендации тем, что после месячных заживление тканей (рубцов) лучше и воспалительная реакция меньше.

Хирурги были правы! Под влиянием повышения уровня эстрогенов за счет растущих фолликулов улучшается заживление операционных разрезов, уменьшается отечность тканей, что способствует формированию качественного рубца. К тому же оперативное вмешательство в первой фазе цикла исключает риск влияния на возможную беременность (в этот период женщина не может быть беременной).

Уровни гормонов зависят и от возраста женщины, о чем мы поговорим дальше.

Странные явления у новорожденных

С рождением ребенка родители, врачи и медсестры уделяют большое внимание его росту и развитию, кормлению и активности. Уровни разных гормонов обычно не исследуются, и в этом чаще всего нет потребности. Но в первые недели жизни новорожденного могут появляться странные признаки, которые практически не описаны в книгах для родителей. Обычно это объясняют тем, что гормоны матери попадают в кровяное русло ребенка и после родов могут вызывать такие изменения.

В книге «Дочки-матери», посвященной вопросам формирования женского организма с момента рождения девочки до завершения полового созревания, я объясняю многие гормональные изменения, в том числе и у младенцев. Но так как многие из вас, возможно, не читали этой книги, я кратко упомяну об этих изменениях здесь для лучшего понимания уникальности человеческого организма, особенного женского.

Во время беременности, буквально с 7–8-й недели, основным «заводом» по выработке необходимых для плода гормонов становится плодное место (плацента). Чуть позже многие гормоны вырабатывает и сам плод. В этом проявляется автономность, то есть независимость плода от гормональных процессов в организме женщины.

> Яичники будущей матери становятся вполне инертными, и можно смело утверждать, что гормоны, вырабатываемые плацентой, имеют куда большее влияние на организм женщины, чем ее собственные.

Плацента становится основным производителем прогестерона, который расходуется на выработку эстрогенов, тестостерона и других стероидных гормонов. С увеличением его выработки автоматически повышаются уровни эстрогенов и андрогенов, причем настолько, что невозможно даже сравнить эти уровни гормонов с таковыми у небеременных женщин. Какая часть прогестерона и других гормонов плаценты используется плодом для собственных нужд, точно не известно, но предполагается, что от одной четверти до одной трети, хотя в реальности, возможно, и больше. Но концентрация этих гормонов в жидкостях и тканях плодного яйца, окружающих плод, намного выше, чем в крови матери. Фактически плод находится в определенном гормональном «рассоле».

Значит, правильным выводом будет такой: от матери плод до конца беременности получает в основном питательные вещества, в то время как гормоны вырабатываются детским местом и самим плодом. Мы не затрагиваем случаи гормональных нарушений у матери перед зачатием или в первые недели беременности, когда влияние материнских гормонов на формирование и развитие эмбриона вполне возможно. Но практически все стероидные гормоны, в том числе эстрогены, тестостероны и прогестерон, плод получает из собственного источника — детского места.

Что происходит в первые дни после рождения? Действительно, уровень стероидных гормонов в организме новорожденного в первые минуты жизни чрезвычайно высок — такой уровень не встречается в норме у взрослого человека. В большинстве лабораторий четких значений показателей нормального уровня гормонов для новорожденных не существует, особенно для детей первых двух месяцев.

Новорожденный ребенок, с одной стороны, не является гормонально активным, так как большинство его эндокринных и других желез не зрелые, и требуется определенное время (от нескольких месяцев до лет), чтобы эти железы начали функционировать полноценно. С другой стороны, сывороточные уровни гормонов, которые вырабатывала плацента, очень высокие. С рождением ребенок лишается такого щедрого источника гормонов, а те, которые циркулируют в его крови после родов, начинают очень быстро распадаться и выводиться из организма.

Усиленный распад стероидных гормонов происходит в первые 24 часа жизни ребенка, а дальше скорость распада и выведения гормонов постепенно понижается. Например, уровень прогестерона в плазме матери перед родами составляет приблизительно 45–400 нг/мл (в среднем 130 нг/мл). У новорожденного ребенка уровень прогестерона в пуповине составляет от 440 до 2000 нг/мл (в среднем

1030 нг/мл). В течение 12 часов после родов уровень прогестерона понижается до 20 нг/мл, к концу первых суток жизни — до 16 нг/мл, а через три дня он составляет 8 нг/мл.

> **В организме ребенка после рождения значительно понижается уровень эстриола в крови. Уровень другого гормона — кортизола, который является производным прогестерона плаценты (у взрослых этот гормон вырабатывается надпочечниками), тоже понижается.**

Так как уровни стероидных гормонов в крови новорожденного сразу после родов очень высокие, то и количество метаболитов тоже увеличено. Одним из них является 17-ОПК (17-оксипрогестерон). В крови пуповины непосредственно после родов уровень 17-ОПК составляет 10 000–30 000 нг/л, а уже через 24 часа он понижается до 1000 нг/л и обычно не повышается больше 2000 нг/л в течение всей жизни человека.

Таким образом, в первые часы и дни после родов у новорожденного значительно понижаются уровни стероидных гормонов плацентарного происхождения.

И здесь мы подошли к понимаю того, почему возникает ряд симптомов, связанных с таким понижением гормонов: отечность половых губ, девственной плевы, выделения из влагалища, нагрубание молочных желез и выделения из них.

Если рассматривать состояние новорожденной девочки, то буквально через несколько дней по уровню половых гормонов оно напоминает состояние женщины перед менструацией. Знаете ли вы, что пусковым механизмом появления кровянистых выделений во время месячных является значительное понижение гормонов, в первую очередь прогестерона?

Точно такая же реакция на значительное понижение прогестерона и половых гормонов наблюдается в организме новорожденных девочек. Эта реакция может проявляться покраснением и отечностью малых половых губок. Нередко у девочек появляются обильные прозрачные жидкие выделения — физиологическая лейкоррея, а также кровянистые выделения, похожие на менструацию. В норме такие кровянистые выделения длятся не больше 2–3 дней.

Отекает и краснеет не только вульва. У новорожденных девочек девственная плева тоже отекает, становится толще, часто бледно-розового цвета, может иметь складки, а поэтому выступать из половой щели. Обычно отечность половых губок и плевы проходит в течение 2–4 недель, но иногда такое явление может наблюдаться дольше.

Помимо изменений со стороны половой системы у девочек, впрочем, как и у мальчиков, могут наблюдаться и изменения со стороны молочных желез, что тоже связано с изменением гормонального фона ребенка, в частности, с понижением еще одного гормона — пролактина.

После родов у женщины понижается не только прогестерон, но и пролактин и благодаря акту сосания запускается процесс лактации. В организме новорожденного тоже происходят изменения, похожие на таковые в организме матери. Уровень сывороточного пролактина в первые пять дней жизни составляет от 100 до 500 мкг/л. Уже к 2 месяцам этот уровень понижается до 5–70 мкг/л и держится в пределах этих показателей до 12 месяцев, а дальше постепенно падает до 2,5–25 мкг/л до начала подросткового возраста (11–13 лет). С началом полового созревания уровень пролактина повышается только у девочек, а у мальчиков остается достаточно низким.

Таким образом, резкое понижение пролактина в крови ребенка в первые дни после рождения на фоне понижения прогестерона приводит к похожей на материнскую реакцию со стороны молочных желез — они опухают, и у некоторых детей могут появиться выделения из сосков. В отличие от материнского организма, стимуляции для продолжения лактации у младенцев нет, да и молочные железы практически не развиты. Поэтому такие явления исчезают в течение нескольких дней.

Все подобные явления у новорожденных обычно проходят быстро. Но даже если они затягиваются на несколько недель при нормальном самочувствии ребенка, его нормальном развитии и при отсутствии других признаков, которые могут быть проявлением назревающего заболевания, переживать не нужно.

Скрытый период полового созревания

Очень часто можно услышать мнение, что подростковый период — это период полового созревания, когда у девочек начинаются менструации, а у мальчиков — поллюции. Но половое созревание начинается задолго до появления видимых признаков этого созревания (вторичных половых признаков), задолго до появления первой менструации — менархе.

> Во многих медицинских источниках можно прочесть, что подростковый период — это не 13–16 лет, как обычно его характеризуют. В реальности подростковый период начинается с 11–12 лет и завершается в 20–21 год, когда заканчивается половое созревание.

Помимо видимых изменений в организме мальчиков и девочек существует скрытый период (начальный), когда половое созревание начинается на самом деле. Он протекает на уровне гормонов. Два важных процесса часто упускаются в описании развития детей, но это самые важные пусковые механизмы полового созревания.

- Гонадархе — повышение активности гипофиза и выработки гонадотропинов.
- Адренархе — повышение уровня мужских половых гормонов в крови.

Также очень важную роль играет гормон роста.

Гонадархе

Впервые всплеск выделения гонадотропинов (ФСГ и ЛГ) наблюдается в трехмесячном возрасте у девочек и мальчиков, что связано с понижением в крови уровня гормонов плаценты (прогестерона и эстрогенов), которые ребенок получил еще внутриутробно, и этот уровень гонадотропинов остается повышенным у девочек первые 1–2 года жизни, а у мальчиков до 6 месяцев. Дальше уровень гонадотропинов хотя и понижается, но все же с периодическими колебаниями до 4 лет. В 4 года наблюдается незначительное повышение уровней гормонов гипофиза. В отличие от взрослых, у девочек четкого пульсирующего характера выработки гонадотропинов не наблюдается вплоть до становления регулярных менструальных циклов ближе к половой зрелости (к 19–22 годам).

Приблизительно с 10–11 лет, когда половое созревание уже может проявляться некоторыми наружными признаками, во время сна гипоталамус начинает вырабатывать гонадотропин-рилизинг-гормон, который приводит к повышению уровней гонадотропинов и эстрогенов. Пропорция ЛГ к ФСГ нестабильна и колеблется постоянно. Такое повышение гонадотропинов не влияет на созревание половых клеток, поэтому длительный период у девочек-подростков, даже с появлением менструации, овуляции нет. Чем старше девочка, тем четче становится взаимосвязь между гипоталамусом, гипофизом и яичниками.

Между повышением уровней гонадотропинов (гонадархе) и мужских половых гормонов (адренархе) связи не существует, то есть это вполне автономные явления у растущих и зреющих детей. Но чем старше ребенок, тем выработка гонадотропинов становится ритмичнее, появляется пульсирующий режим и устанавливается связь между гонадотропинами и синтезом половых гормонов, а также прогестерона.

Переход с хаотичного выброса гонадотропинов на пульсирующий режим знаменуется появлением первой менструации у девочек (менархе), а у мальчиков — первого самопроизвольного семяизвержения (спермархе), что в дальнейшем называют поллюциями.

Адренархе

Повышение уровней мужских половых гормонов у девочек и мальчиков в препубертатный и подростковый (пубертатный) периоды называется адренархе. Очень часто родители и даже врачи не знают о таком явлении, а поэтому при обнаружении повышенных уровней мужских половых гормонов у девочек начинают переживать и подвергать ребенка длительному ошибочному лечению.

У детей первыми начинают повышаться андростендион, дегидроэпиандростерон (DHEA) и сульфат дегидроэпиандростерона (DHEA-S), которые вырабатываются корой надпочечников. Определить повышение уровней андрогенов лабораторными методами можно в 6 лет, но у многих детей оно наблюдается в 7–8 лет.

Повышенные уровни мужских половых гормонов могут сохраняться вплоть до конца полового созревания, что также необходимо учитывать при оценке жалоб на жирность кожи, появление прыщей и нерегулярность менструального цикла у девочек. В большинстве случаев все это является физиологической нормой.

> **Адренархе наблюдается у людей, шимпанзе и горилл, но отсутствует у других видов животного мира.**

Повышенный уровень андрогенов влияет на весь организм ребенка, то есть на все его органы, особенно на мозг. Считается, что такое повышение мужских половых гормонов в этом возрасте стимулирует развитие особой части коры головного мозга — префронтального кортекса, а также играет очень важную роль в созревании мозговой ткани в целом. В последние годы ученые и врачи-исследователи уделяют много внимания изучению расстройств психики и поведения у подростков с учетом гормональных колебаний в их организме.

Андрогены также влияют на рост волос, особенно в подмышечной (аксиллярной) области и на лобке.

Гормональный период — первые изменения на гормональном уровне у девочек и мальчиков — остается незаметным этапом полового «пробуждения», самым первым и чрезвычайно важным, потому что это инициирующий период. Он зависит от многих внешних факторов, а не только от генетических особенностей — от питания, режима активности и отдыха, наличия стресса, социально-экономических условий, в которых ребенок живет и учится, отношений с родителями и другими членами семьи.

Подростковый период

Подростковый период считается одним из самых сложных и противоречивых в разных областях — от физиологических до психоэмоциональных и когнитивных изменений. Повышение уровней гормонов сопровождается также появлением вторичных половых признаков. В 7–8 лет начинается рост молочных желез (телархе) и волос на лобке (пубархе).

> *Многочисленные исследования в области педиатрии и других смежных наук показали, что возраст появления первых наружных признаков полового созревания зависит от многих факторов, но чаще всего определяется генетическими, этническими и расовыми особенностями. Например, у чернокожих девочек половое развитие начинается на 1–1,5 года раньше, чем у девочек белой расы.*

У некоторых девочек лобковые волоски можно заметить в 4–6 лет, увеличение сосков и молочных желез тоже может иногда наблюдаться в таком раннем возрасте. При отсутствии других признаков и гормонально-активных опухолей они не считаются симптомами преждевременного полового созревания и лечения не требуют.

На половое развитие ребенка влияют питание и физическая активность. У слишком полных и слишком худых девочек период телархе можно не заметить. У девочек, занимающихся спортом, молочные железы могут быть не развиты длительный период времени.

Необходимо также знать, что рост молочных желез может быть не симметричным, что является нормой в большинстве случаев. Нередко разный размер этих желез остается у очень многих женщин пожизненно. При обнаружении этой разницы ребенку необходимо объяснить, что такие отличия в размерах не являются чем-то страшным и не требуют корректировки. После завершения полового созревания некоторые девушки и женщины могут воспользоваться пластической операцией и «выровнять погрешности природы», но такие операции не должны проводиться в подростковом возрасте (до 20–21 года).

У современных девушек груди растут быстрее и больше, о чем свидетельствует увеличение случаев оперативного уменьшения размеров молочных желез (редукция). Причин такого явления не знает никто, но есть предположение, что пища многих людей включает продукты питания с большим количеством антибиотиков и гормонов, которые используются в технологиях скоростного выращивания сельскохозяйственной продукции.

В подростковом возрасте наблюдается также скачок роста — у большинства девочек в 10–14 лет, и прирост в этот период может составлять 6–8 см за год, что меньше по сравнению с мальчиками. Всплеск роста обычно длится два года. Увеличивается и вес девочек — приблизительно на 2 кг в год.

> Самым важным моментом в половом развитии девочек является появление первой менструации — менархе. В прошлом (у ряда народов до сих пор) появление менструации считалось готовностью девушки к замужней жизни и рождению детей.

Первая менструация возникает обычно через два года после появления телархе. Около 10% девочек начинают менструировать с 11 лет, а у 90% подростков менструации начинаются в 13,8 лет. К 15 годам 98% девочек имеют менструации. В 60% случаев менструальные циклы определяются генетическими факторами.

Считается, что для появления менархе важную роль играет вес девочки, пропорция веса и роста, а также процентное содержание жировой ткани от веса тела. Вес девочки (да и женщины тоже) очень важен для наступления менструации и формирования регулярных циклов. Это связано не только с уровнем обмена энергии, но и с тем, что жировая ткань играет очень важную роль в обмене и усвоении половых гормонов. Критический вес для наступления менархе — это 48 кг, а количество жировой ткани — 17% от веса (по некоторым данным — 21–22%).

Первые три года после наступления менструации циклы длятся 28–35 дней, но с возрастом они становятся короче, регулярнее, и чаще сопровождаются полноценным созреванием яйцеклетки. Нормой считаются следующие колебания циклов у подростков:

- первый год после менархе — 23–90 дней (в среднем 32 дня);
- четвертый год — 24–50 дней;
- седьмой год — 27–38 дней.

Регулярность менструальных циклов у большинства девочек наблюдается не раньше 18 месяцев после первых месячных. Через два года обычно циклы становятся не только регулярными, но и овуляторными, однако у 50% подростков в течение первых трех лет наблюдается ановуляция. Чем позже наступило менархе, тем дольше устанавливаются овуляторные циклы.

Репродуктивный период

Слово «репродукция» редко использовалось в научно-популярной литературе, чаще всего его упоминали, когда описывали размножение животных. Но с развитием репродуктивной медицины, которая помогает людям в создании потомства, это слово стало приемлемым не только среди врачей, но и для людей без медицинского образования.

> *Слово «репродукция» означает воспроизведение потомства, поэтому репродуктивные органы, или репродуктивная система, — это те органы, где происходит выработка половых клеток, зачатие и вынашивание беременности.*

В прошлом женщины выходили замуж в раннем возрасте (14–16 лет), приступая сразу же к выполнению своих обязанностей, где первоочередным было рождение детей. Надежные контрацептивные средства отсутствовали, да и контрацепция вовсе не почиталась. У многих народов менструация не считалась нормальным явлением, потому что женщины прошлого редко менструировали. Ведь они беременели, рожали, кормили грудью, снова беременели, рожали, кормили грудью. И так несколько лет подряд. К 35 годам многие женщины имели по 7–14 детей, но большинство не доживало до менопаузы, которая обычно наступала в 37–39 лет. Таким образом, здоровой женщина считалась тогда, когда у нее были периоды беременности и лактации, а не менструации.

Современные женщины, особенно жительницы развитых стран, относятся к появлению потомства совершенно по-другому. Многие выходят замуж в районе 30 лет, планируют первую и часто единственную беременность между 30–35 годами. Все больше женщин желает иметь детей, особенно второго ребенка, после 40 лет. Такое отношение к возрасту создания семьи возникло под давлением социально-экономических факторов: образование стало дороже и дольше, подорожали условия жизни, выросли потребительские запросы, поменялись представления о семейности, роли женщины в обществе.

Согласна ли природа с изменением приоритетов современных женщин? К сожалению, полезные знания о репродукции человека, которые могут быть использованы на практике в будущем, в школе не преподаются. Оказывается, проще рассказать школьникам о том, что такое половой акт, чем объяснить природу возникновения менструаций, формирования менструального цикла, от чего зависит зачатие и вынашивание и когда (в каком возрасте) лучше всего создавать потомство.

Под репродуктивным мы понимаем возраст, когда женщина может забеременеть, выносить и родить ребенка. Если сейчас первая менструация начинается раньше (с 11–12 лет), а менопауза наступает позже (52–54 года), то получается, что 40–43 года может быть потрачено на рождение детей. Однако это призрачная цифра, так как наличие менструальных циклов еще не означает возможность иметь детей.

Репродуктивная способность человека включает созревание полноценных половых клеток, в том числе полноценных генетически, проходимость маточных труб у женщин, качественный эндометрий матки, отсутствие болезней, которые могут привести к серьезным осложнениям беременности.

В подростковом возрасте созревание яйцеклеток происходит нерегулярно, организм все еще в процессе роста и развития, хотя генный материал в хромосомах половых клеток не поврежден многими факторами жизни, как внешними, так и внутренними. Уровень осложнений беременности в таком возрасте все же высокий.

Самым оптимальным периодом для зачатия ребенка считается возраст от 20 до 30 лет, когда наблюдается высокий уровень естественного зачатия и низкий уровень естественных потерь беременности, генетический материал все еще в хорошей форме, да и состояние здоровья большинства женщин в норме. В этот период самые низкие уровни осложнений со стороны матери и плода.

После 30 лет уровень зачатий начинает постепенно понижаться, а уровень потерь беременности — повышаться. До 35 лет скорость изменений мала, поэтому все еще много женщин может зачать в этом возрасте без проблем. Но с 35 до 38–39 лет уже половина семейных пар обратится к врачам за помощью, хотя большинство смогут зачать без вмешательства репродуктивных технологий. После 38–39 лет, когда начинается последняя волна ускоренной гибели оставшихся яйцеклеток, зачатие детей сопровождается определенными препятствиями. При этом генетический материал половых клеток подпорчен сильнее, поэтому растет количество дефектных беременностей, зачатие детей с врожденными пороками.

> После 40 лет большинство женщин нуждаются в помощи репродуктивной медицины. Значительно увеличивается уровень осложнений беременности.

К сожалению, многие женщины не любят осознавать старение. А ведь с момента рождения мы не становимся моложе — мы стареем каждый день. Представьте себе, как годовалый малыш рассматривает фотографии, где ему всего 1–2 месяца, и говорит: «Боже, как я состарился! Здесь я такой маленький, мой вес всего 3 кг, а теперь я вешу почти 10 кг, вырос, постарел». Десятилетним детям сорокалетние люди кажутся стариками, а взрослые воспринимают свой возраст с перепадами настроения: то им плохо, что они «такие старые», то звучит оправдание, что они чувствуют себя на 25! Правда, кто на самом деле помнит свои чувства и эмоции в 25 лет?

Женщины могут пользоваться макияжем и даже пластическими операциями, улучшая свои внешние характеристики, но никто никогда не исправит «морщины» внутренних органов, в том числе яичников. А так как яичники стареют одними из первых, то их макияж провести тем более невозможно. Правда, находится немало шарлатанов, занимающихся «омоложением яичников» какими только хочешь методами. Яичники невозможно омолодить, но можно потратить очень много денег и даже навредить своему здоровью.

Так как яичники содержат фолликулы всю их жизнь (всю жизнь женщины), то бывают случаи (часто казуистические, очень редкие), когда беременеют девочки в 7–8 лет и женщины в менопаузе. Хотя в старшем возрасте количество фолликулов значительно уменьшается, иногда бывают прорывные овуляции оставшихся единичных фолликулов. Поэтому зарегистрировано несколько случаев самостоятельного зачатия детей у женщин в климактерическом периоде.

Видите ли, природе все равно, кем станет женщина по профессии, какую карьеру она сделает, сколько приобретет домов и автомобилей, сколько денег заработает. У природы свои законы, которым подчиняется и человеческое тело. Удлинение жизни не означает удлинение репродуктивных возможностей.

Как объясняют некоторые ученые, на физиологическое приспособление организма к новым условиям жизни уходят столетия и тысячелетия (это эволюционные изменения), хотя условия жизни (среды), качество питания и медицины увеличили продолжительность жизни человека значительно, практически в два раза за последние 150–200 лет. Поэтому люди могут жить до 80–90 лет, но они имеют все те же ограничения естественного воспроизведения потомства.

Я не отрицаю возможности, что в течение последующих 50–100 лет период естественного зачатия удлинится на 1–2 года, так как и возраст менопаузы увеличился. А достижения медицины позволят определять дефектное зачатие и осложнения беременности вовремя, как и диагностировать генетические повреждения на ранних сроках беременности.

Климакс

Процесс старения организма у женщин сопровождается угасанием репродуктивной функции. Видимая часть такого угасания проявляется прекращением менструаций, а невидимая — прекращением созревания яйцеклеток (ановуляцией).

Под менопаузой мы понимаем период, начинающийся через один год после прекращения менструаций (аменореи) из-за ановуляции. Когда удаляют матку по каким-то причинам, женщина перестает менструировать, но ее гормональный фон может оставаться в норме длительный период времени, если сохранены яичники. Поэтому, говоря о менопаузе, мы часто подразумеваем именно гормональную менопаузу.

Среди европейских женщин более популярно слово «климакс», характеризующее период прекращения менструаций. В чем разница между климаксом и менопаузой? Под климаксом часто понимают гормональные изменения в течение первых 5–6 лет после прекращения месячных. Менопауза — это кратковременный момент, то есть остановка (пауза) менструаций. Последующий период называют постменопаузой. Но так как слово «постменопауза» длинное, чаще всего в разговорной речи используют слово «менопауза».

Впервые понятие «менопауза» (la Ménopause) появилось в обиходе благодаря описанию этого состояния французским гинекологом де Гарденном в 1816 году. В 1839 году была опубликована первая книга на тему менопаузы, автором который был другой французский врач, доктор Менвилл. Понятие «климактерический синдром» (или климакс) появилось в 1899 году благодаря статье под названием «Эпохальные безумия», в которой симптомы, наблюдаемые у женщин в постменопаузе, были названы «климактерическим сумасшествием». Слово «климакс» в разговорной речи имеет несколько значений.

Перименопаузой, или предклимаксом, называют период между 45 и 54 годами, когда наблюдаются перепады гормональных уровней, частые периоды эстрогенной недостаточности (природной или возрастной), резко понижается фертильность женщины.

За последние сто лет возраст женщин, вступающих в менопаузу, значительно увеличился, как и продолжительность жизни. В XVIII–XIX столетиях средняя продолжительность жизни женщин составляла 35–37 лет (мужчин — 40–45 лет), и до менопаузы доживали далеко не все женщины. Так как угасание функции яичников наблюдалось после 37–39 лет, менопауза тогда наступала в этом возрасте. Около 70–80 лет тому назад ранней менопаузой считали прекращение менструации (и овуляции) после 40 лет, потому что у 90% женщин 40 лет и старше уже была менопауза. Этот диагностический критерий для ранней менопаузы так и остался в медицине до сих пор без изменений.

В целом нормальный возраст наступления менопаузы — это 40–60 лет, но большинство женщин перестают овулировать-менструировать в 51–52 года. Тенденция сдвига возраста продолжается, и уже есть немало публикаций о том, что все больше женщин менструирует до 52–54 лет.

Необходимо понимать, что после 40 лет качество менструальных циклов кардинально меняется. Во-первых, появляется больше циклов, в которых не происходит созревание яйцеклеток (ановуляторных). До шести ановуляторных циклов в год в таком возрасте считается нормой. Чем старше женщина, тем реже бывает овуляция.

Во-вторых, у большинства женщин менструальные циклы укорачиваются и становятся меньше 26 дней, что также сопровождается (или объясняется) возникновением неполноценности желтого тела и уменьшением выработки прогестерона.

Врачей и их пациенток часто интересует вопрос, можно ли предсказать наступление менопаузы. Клинические исследования показали очень интересный феномен: период между прекращением естественного зачатия (возможности забеременеть самостоятельно без репродуктивных технологий) и наступлением менопаузы весьма стабильный у людей и составляет 10 лет. Однако сложность возникает в определении уровня фертильности каждой конкретной женщины. Например, если женщине 35 лет и она предохраняется от беременности, потому что уже родила детей, узнать ее индивидуальный возраст естественной фертильности невозможно. Женщина, которая не живет половой жизнью, тоже окажется вне расчетов предполагаемой менопаузы.

Существуют также понятия натуральной и искусственной менопаузы. Натуральная менопауза возникает при естественном угасании функции яичников, а искусственная — при подавлении овуляции путем приема медикаментов или при удалении яичников. Но даже наступление натуральной менопаузы может быть искажено применением гормональных контрацептивов или заместительной гормональной терапии. При этом женщина может иметь регулярные кровотечения (искусственные месячные), принимая их ошибочно за натуральные менструации, но ее яичники будут не только подавлены гормонами, которые она принимает, но и гормонально не активны из-за возрастных изменений.

> Исследования, которые проводились в группах женщин, не использующих контрацепцию, или же, другими словами, отдающих предпочтение естественной фертильности, показали, что средний возраст бесплодия (стерильности) составляет 41 год. Учтите, речь идет о среднем возрасте, а не абсолютном. Другими словами, большинство женщин в 41 год не может зачать детей. Это подтверждает как раз существование 10-летнего переходного периода в состояние менопаузы, которая в среднем наступает в 51 год.

Наступление менопаузы контролируется генами, то есть это генетически заложенный срок прекращения функции яичников, хотя существует ряд факторов, которые могут ускорить климакс. Тесная генетическая связь прослеживается в поколениях, где у женщин доминирует ранняя менопауза — в 6 раз сильнее, чем в поколениях с нормальной менопаузой. Наследственный фактор «матери-дочери» наблюдается в 50% случаев наступления менопаузы, но еще выше этот показатель между сестрами, особенно близняшками. Но пока что чрезвычайно мало информации о конкретных генах, вовлеченных в наступление менопаузы. Выделено 17 генов-«кандидатов», которые могут быть причастны к угасанию функции яичников и климаксу, однако они не изучены детально.

Наступление натуральной менопаузы можно предсказать по уровню ФСГ и подсчету антральных фолликулов. Повышение уровня ФСГ в первую фазу цикла, как и нерегулярность менструального цикла, считалось предшественником менопаузы. Не так давно с целью прогноза наступления менопаузы начали определять уровень АМГ. АМГ повышается в подростковом периоде, с 20–25 лет имеет стабильный уровень, а дальше с возрастом медленно понижается. Обычно за 5 лет до наступления менопаузы его уровень настолько низкий, что практически не определяется в крови. Как раз момент, с которого уровень АМГ невозможно определить, считают прогностическим в отношении наступления менопаузы. Но с улучшением лабораторных технологий тесты становятся более чувствительными, поэтому, возможно, в скором будущем определение АМГ уже не будет иметь практического значения.

В современной медицине имеет место настоящий хаос в отношении понимания гормональных изменений в период климакса, а также влияния заместительной гормональной терапии на здоровье женщины. Такая неразбериха связана с тем, что животных моделей, которые бы в точности отражали состояние менопаузы у женщин, не существует. Другая причина состоит в огромном количестве гормональных препаратов, в том числе синтетических прогестеронов, которые женщины используют в менопаузе с разными целями.

Хотя при менопаузе понижаются уровни половых гормонов и прогестерона, это не болезнь, а естественный процесс старения организма. Тем не менее этот период жизни женщины может сопровождаться неприятными симптомами:

- нерегулярные менструации;
- сухость влагалища;
- горячие приливы;
- ночное потение;
- бессонница;

- озноб;
- изменения настроения;
- набор веса;
- изменения в груди;
- утончение волос и появление морщин на коже.

Существует много других признаков старения женского организма на фоне понижения гормонов. Важно понимать, что не каждая женщина испытывает все симптомы, несмотря на их распространение. Это индивидуальная реакция женщины на процесс увядания репродуктивной функции, ее восприятие происходящего. Поэтому в проявлении неприятных симптомов доминирует психосоматическая реакция.

Как показывает анализ нарушений, с которыми сталкиваются женщины во время менопаузы в разных регионах мира, уровень «страдания» очень зависит от культурных, религиозных и этнических взглядов на этот период жизни. У тех народов мира (чаще всего восточных), которые рассматривают менопаузу не как болезнь или что-то плохое, а как очередной виток жизни женщины, заслуживающий уважения, неприятные менопаузальные симптомы встречаются не часто. И наоборот, в обществе, где задолго до наступления климакса женщину пугают горячими приливами, потерей женственности, старой кожей, негативное восприятие этого периода приводит к большим страданиям. При использовании огромнейшего арсенала препаратов для «борьбы с менопаузой», эффективность которых не доказана или опровергнута, плацебо-эффект проявляется в большинстве случаев, потому что доминирует психосоматика. К сожалению, большинство населения развитых стран, особенно белое, создает из менопаузы монстра, с которым нужно постоянно бороться. Здесь также задействован колоссальный коммерческий фактор: продажа средств по омоложению и разных медикаментов, в том числе гормонов.

Менопаузу стоит рассмотреть более детально, потому что в наше время средняя продолжительность женщин начала достигать 70–80 лет, а это значит, что треть или даже половину жизни они проживут в состоянии менопаузы. Больше информации о климактерическом периоде вы сможете найти в моей будущей книге, посвященной именно этой теме.

Что такое менструальный цикл

В предыдущих главах я упоминала о половом развитии, наступлении первой менструации, а также о том, что на формирование менструального цикла уходит время. Но чтобы лучше понять этот процесс, рассмотрим в деталях, что такое менструальный цикл, как и почему меняются уровни гормонов и от чего зависит эта гормональная гармония как часть гармонии женской жизни.

В классическом описании менструального цикла говорится, что существует две фазы: эстрогенная и прогестероновая, которые разделены овуляцией и менструацией.

В современной гинекологии и репродуктивной медицине весь цикл имеет более детальное деление на периоды, когда происходят кардинальные изменения на гормональном и тканевом уровнях. Поэтому для понимания процессов, происходящих в женском организме, 28–30-дневный менструальный цикл можно разделить на следующие периоды, или фазы:

- **ранняя фолликулярная фаза** (РФ) — 1–8-й день от начала менструации — в этот период наблюдается постепенный рост уровня эстрогенов, уровень прогестерона остается очень низким, происходит рост фолликулов;
- **поздняя фолликулярная фаза** (ПФ) — 9–13-й день цикла — уровень эстрогенов достигает максимума, что приводит к подъему ФСГ и ЛГ, рост доминирующего фолликула продолжается;
- **предовуляторный период** (ПО) — 14–16-й день цикла — эстроген резко понижается, прогестерон и 17-ОПГ начинают повышаться;
- **овуляция** — быстрый разрыв фолликула и выход зрелой яйцеклетки из яичника;
- **ранняя лютеиновая фаза** (РЛ) — 15–23-й день цикла — быстрое повышение прогестерона и достижение его максимального уровня, незначительное повышение эстрогенов, формирование желтого тела;

- **поздняя лютеиновая фаза** (ПЛ) — 23–30-й день цикла — быстрое понижение уровня прогестерона, понижение уровня эстрогена, повышение уровня 17-ОПГ, угасание функции желтого тела, если не произошло зачатие и имплантация плодного яйца.

Прогестерон влияет на протекание предовуляторного периода, ранней лютеиновой фазы и при возникновении беременности участвует в поздней лютеиновой фазе.

Что такое овуляция и для чего она нужна

Итак, в яичнике имеются фолликулы, где размещены первичные яйцеклетки. В одном фолликуле содержится одна яйцеклетка — ооцит. Может ли быть больше ооцитов? Этого никто не знает.

В процессе полового созревания и репродуктивного периода очень маленькая часть фолликулов начинает свой рост, а еще меньшее количество (всего 300–400 из нескольких миллионов) созреет полностью до момента овуляции с выходом зрелой полноценной яйцеклетки за пределы яичника. В зависимости от стадии развития различают примордиальные, первичные, вторичные и предовуляторные (третичные) фолликулы.

Как созревают яйцеклетки

Рост и созревание фолликулов называется фолликулогенезом. Фолликулы имеют свою градацию, или степень зрелости: практически все они являются примордиальными с момента своего возникновения. Размеры примордиальных фолликулов составляют 0,03–0,05 мм, поэтому они не видны невооруженным глазом, и даже на УЗИ невозможно увидеть примордиальные фолликулы.

Активация примордиальных фолликулов является сложным и контролируемым процессом, и она начинается с полового развития девочки в подростковом возрасте быстрым ростом пузырьков и является необратимым процессом.

> Если фолликул не стал доминантным, его гибель прохо-
дит через атрезию, то есть размеры фолликула уменьшаются, ооцит гибнет. Более 99% всех фолликулов, полученных при рождении, гибнут через процесс атрезии.

В последние две недели жизни ооцита происходит его окончатель-
ное созревание, которое завершается овуляцией и регулируется гормонами — гонадотропинами. Механизм регуляции роста примордиальных фолликулов неизвестен.

Когда происходит активация примордиальных фолликулов, они
начинают расти, так же как и пузырьки, которые классифицируют-
ся теперь на первичные, вторичные, ранние антральные, антральные
фолликулы. Размеры всех этих фолликулов не превышают 2 мм в диаметре. В их росте играет роль фолликулостимулирующий гормон
(ФСГ), однако он не имеет прямого влияния на них, поэтому рост
происходит медленно.

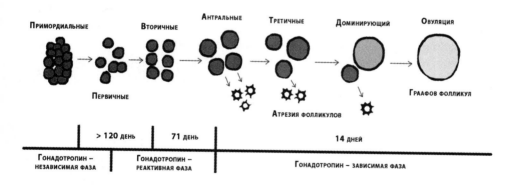

Обычно около 70 первичных фолликулов начинают рост, вто-
ричного состояния (класс 1) достигают около 60 фолликулов, дальше около 50 становятся ранними антральными фолликулами (класс
2), что происходит в течение последующих 25 дней; около 20 фолликулов в течение 20 дней достигают уровня антральных (класс

3), и только приблизительно 10 из них окажутся чувствительными к ФСГ и начнут расти, чтобы в течение 14 дней рост одного из них закончился овуляцией. Все остальные фолликулы погибнут.

> Под влиянием ФСГ антральные фолликулы начинают расти, но только один из них в большинстве случаев естественного менструального цикла станет доминирующим (доминантным) и достигнет размеров 2 см, когда обычно происходит овуляция.

Появление доминирующего фолликула наблюдается в первой трети фолликулярной фазы, обычно сразу после завершения менструации. Однако такое явление наблюдается у молодых женщин. У женщин более зрелого возраста доминирующий фолликул может появляться и раньше — в конце второй фазы предыдущего цикла (за несколько дней до менструации).

На развитие от первичного до преантрального фолликула уходит больше 4 месяцев, а на достижение размеров 2 мм (антральный фолликул) уходит еще 2 месяца. В этот период зернистые клетки пузырька проходят деление и их количество увеличивается. Это означает, что, если в течение 6 месяцев присутствуют факторы, влияющие на функцию гипоталамо-гипофизарно-яичниковой системы, в любое время процесс созревания яйцеклеток может быть нарушен, что может завершиться ановуляторным циклом и/или аменореей (отсутствием менструации).

Самые высокие уровни зачатия наблюдаются при размерах зрелого фолликула около 21 мм. Чем больше размеры фолликулов, тем чаще в них наблюдается процесс старения, или постлютенизации. В таких фолликулах нарушается пропорция стероидных гормонов и доминирующим гормоном, вырабатываемым гранулезными клетками, становится прогестерон, то есть независимо от того, произошла овуляция или нет, такой фолликул начинает превращаться в желтое тело без разрыва оболочки, что называется процессом лютенизации.

В таблице, представленной ниже, приводится сравнительная характеристика размеров фолликулов и периодов их роста у ряда млекопитающих:

Вид	Преантральный фолликул (мкм)	Период роста (дни)	Зрелый фолликул
Мышь	100–200	10–12	500–600 мкм
Свинья	150–300	40–50	3–10 мм
Овца	180–250	40–50	3–10 мм
Корова	180–250	40–50	4–9 мм
Человек	180–250	≥90–180	17–20 мм

Таким образом, у женщин рост и развитие фолликула из преантрального состояния до овуляции происходит дольше и предовуляторный период больше по сравнению с другими представителями животного мира.

В первые пять дней менструального цикла уровень прогестерона и эстрогена в организме женщины самый низкий, что позволяет эндометрию успешно отслоиться и удалиться из полости матки. В первую фазу уровень ФСГ и эстрогенов увеличивается, хотя наблюдаются колебания с падениями и повышениями их уровней, однако уровень прогестерона остается низким практически до конца фолликулярной фазы. Уровень ФСГ тоже понижается к этому времени, но с 21–22-го дня цикла может наблюдаться его постепенный рост, как и рост новых фолликулов в яичнике.

Несмотря на очень низкий уровень прогестерона в крови в фолликулярную фазу, абсолютно противоположное явление наблюдается с уровнем гормона в фолликулах.

То, что уровень прогестерона в зреющем фолликуле перед овуляцией выше его уровней в крови, было известно еще в 60-е годы. Доктор Зандлер в 1954 году провел измерения уровня прогестерона в крови женщины, фолликулярной жидкости, желтом теле и плаценте и определил, что уровень прогестерона в фолликуле в сотни раз выше, чем уровень гормона в крови беременной женщины во втором и третьем триместрах. Но эти данные не были приняты во внимание, и о них вспомнили только через 40 лет.

Современные исследования показали, что уровень прогестерона в фолликулярной жидкости в 6100 раз выше уровня эстрадиола и в 16900 раз больше уровня тестостерона. Эти пропорции гормонов не зависят от зрелости фолликула до овуляции. Перед овуляцией, несмотря на чрезвычайно высокие уровни прогестерона в фолликулярной жидкости, существует баланс (корреляция) между эстрогеном и прогестероном. После овуляции уровень фолликулярного эстрадиола становится зависимым от уровня тестостерона, а не прогестерона.

Интересно, что уровни фолликулярного прогестерона и тестостерона в фолликулярной жидкости остаются одинаковыми в течение всего цикла — значительно меняется только уровень эстрогена, причем он ниже в больших фолликулах (диаметр 10–15 мм). Не найдена также зависимость между уровнем стероидных гормонов и количеством (объемом) фолликулярной жидкости как у фолликулов, ооциты которых были оплодотворены впоследствии, так и если фертилизация не состоялась. Маленькие фолликулы вырабатывают столько же прогестерона, сколько и большие.

Эти исследования изменили взгляд на гормональную теорию фолликулогенеза и показали, что основным гормоном, который вырабатывается в процессе созревания фолликула, является прогестерон, а он под влиянием гонадотропинов может превращаться в андрогены и эстрадиол. Это подтверждает тот факт, что прогестерон является матрицей стероидных гормонов, поэтому неудивительно, что во время беременности, когда для развития плода необходимы стероидные гормоны, плацента вырабатывает большое количество прогестерона, также трансформирующегося в эстрогены и тестостерон, уровень которых тоже повышен при беременности.

Овуляция

Когда фолликул достигает размеров больше 2 см, обычно происходит его разрыв, что и называют овуляцией. И казалось бы, это всего лишь миг, кратковременный период — был фолликул, и вдруг его не стало, но в реальности даже процесс разрыва имеет определенные этапы. В среднем процесс разрыва фолликула, то есть овуляции, занимает 7 минут.

Приблизительно за 8–10 минут до разрыва фолликула часть гранулезного слоя, очевидно, содержащего половую клетку, отслаивается. Фолликул незначительно уменьшается в размерах. Кровоток в сосудах, окружающих фолликул, увеличивается, что можно обнаружить с помощью доплер-УЗИ.

Механизм непосредственного разрыва оболочки яичника и фолликула все еще непонятен, хотя стадийность овуляции изучена. Сразу же после разрыва фолликула его стенки спадаются. Из-за резкого понижения давления внутри лопнувшего пузырька и выхода фолликулярной жидкости за пределы яичника происходит разрыв мелких сосудов и полость пузырька быстро заполняется кровью. Другим источником крови являются поврежденные в месте разрыва кровеносные сосуды оболочки яичника.

Существует немало мнений о том, каких размеров должен быть растущий фолликул, чтобы произошел его разрыв. В среднем овулируют фолликулы размерами 2–3 см, однако чаще всего разрыв происходит при размерах фолликула в 2,1–2,5 см.

Овуляция играет очень важную роль в жизни женщин, особенно планирующих беременность. Сам по себе прогестерон овуляцию не вызывает и даже тормозит ее, если его уровни выше нормальных физиологических в первой фазе менструального цикла или его вводят дополнительно.

Как уже упоминалось выше, в течение всей первой фазы менструального цикла уровень прогестерона в крови женщины очень низкий, но без него овуляция тоже невозможна, и вещества, подавляющие выработку прогестерона, или антагонисты прогестерона, могут тормозить и подавлять овуляцию. Отсутствие рецепторов прогестерона в яичниках тоже приводит к ановуляции.

Как прогестерон может одновременно подавлять овуляцию и стимулировать ее? Эти две противоположные стороны воздействия прогестерона на процесс созревания яйцеклетки требуют объяснения.

Считается, что повышение уровня 17-α-гидроксипрогестерона в сыворотке крови женщины является первым признаком назревающей овуляции, и это повышение наблюдается за 12 часов до роста ЛГ, по которому обычно определяют предстоящую овуляцию.

Феномен повышения уровня ЛГ перед овуляцией стал основой при создании тестов на овуляцию. Но длительное время ни ученые, ни врачи не могли объяснить, почему происходит такой скачок и какова его роль. Исследования в этом направлении проводились как на животных моделях, так и на людях.

Оказалось, что у 20% женщин начало подъема ЛГ перед овуляцией наблюдается в 4 часа утра, а у остальных 80% — в 8 часов утра. Такую четкую зависимость начала пика ЛГ от времени суток связывают с пиком суточного ритма кортизола. Максимальная концентрация кортизола в плазме у женщин достигается к 4 часам утра с началом роста ЛГ в это время, и к 8 часам утра, когда рост ЛГ начинается в 8 утра.

> *У других овулирующих животных пик ЛГ может наблюдаться в другое время суток, однако он тоже имеет тесную взаимосвязь с суточным (циркадным) ритмом кортикостероидов.*

Эстрогены могут вызывать подъем ЛГ, но он будет постепенным и длительным, так как уровень эстрогенов тоже повышается без скачков.

Считалось также, что низкий уровень прогестерона перед овуляцией приводит к резкому подъему ЛГ. Однако, когда у животных и у людей после удаления яичников проводили стимуляцию эстрогенами, пика ЛГ не наблюдалось независимо от дозы, но уровень ЛГ повышался без скачков. Именно поэтому у женщин, страдающих синдромом поликистозных яичников, стимуляция гипофиза эстрогенами приводит к постоянному повышению уровня ЛГ.

У животных и людей наблюдается четкая зависимость между кратковременным повышением уровня прогестерона и пиком ЛГ. Например, у крыс между повышением прогестерона и ЛГ существует промежуток в 14 часов. У женщин, а также у макак-резус такой временной промежуток между повышением уровня прогестерона и началом роста ЛГ составляет 12 часов.

Необходимо вспомнить о некой путанице в определении промежутка времени между повышением уровня ЛГ и возникновением овуляции. Во многих публикациях, учебниках по гинекологии и аннотациях к тестам на овуляцию можно найти утверждение, что после выброса лютеинизирующего гормона разрыв фолликула наблюдается в течение примерно 24–48 часов.

Тесты на овуляцию основаны на реакции реактива на определенную концентрацию ЛГ в моче или других жидкостях организма женщины. Но у каждой женщины величина и скорость повышения/падения гормона индивидуальны. Требуемая концентрация может быть достигнута, например, за двое суток до овуляции, и наоборот, уровень ЛГ может быть слишком низким для определения тестом, но достаточным для овуляции. Погрешностей, из-за которых такие коммерческие тесты выдают ложноположительные и ложноотрицательные результаты, много.

Важно понимать, что в определении временного промежутка между повышением уровня ЛГ и овуляцией неточности возникают по двум причинам: (1) за начало отсчета этого периода берут начало повышения уровня ЛГ, (2) за начало отсчета берут пик ЛГ, то есть его максимальные показатели. Публикации ВОЗ (1980 г.) утверждают, что разрыв фолликула возникает через 32 часа после начала роста уровня ЛГ и через 17 часов после достижения пика ЛГ. Исследования показали, что рост ЛГ может начаться раньше — до 40 часов или немного позже. Но разрыв фолликула действительно чаще всего возникает через 17 часов после скачка ЛГ. К сожалению, в многочисленных ранних исследованиях упускали момент подъема уровня прогестерона после подъема уровня ЛГ или же это явление оставалось без всякого объяснения.

Интересно, что активация прогестероновых рецепторов наблюдается минимум через 4 часа после подъема уровня ЛГ и достигает максимума через 8 часов после пика гонадотропина.

При использовании разных схем лечения бесплодия, в частности стимуляции и индукции овуляции, процесс разрыва фолликула после скачка ЛГ может затягиваться. Живые яйцеклетки были получены через 36 часов после пика ЛГ.

Между резким повышением уровня ЛГ и затем прогестерона перед овуляцией существует очень шаткий, кратковременный период, нарушение которого может закончиться ановуляцией — лютеинизированным неразорванным фолликулом.

Если подъем уровня прогестерона после скачка ЛГ запаздывает, овуляции не будет. Это связано с тем, что активность ферментов, расщепляющих оболочку яичника в месте роста фолликула, зависит от подъема уровня прогестерона. У некоторых женщин может наблюдаться дефект в выработке этих ферментов, и такие женщины страдают бесплодием.

Эксперименты показали, что противовоспалительные средства, в частности нестероидные противовоспалительные препараты (ибупрофен, аспирин), назначенные в предовуляторные дни, вызывают ановуляцию через образование лютеинизирующего фолликула, а также меньшее повышение уровня прогестерона во второй половине цикла. Эти же препараты могут нарушить качество эндометрия и процесс имплантации, если их принимать во второй половине лютеиновой фазы.

Помимо подъема уровня ЛГ перед овуляцией наблюдается подъем уровня ФСГ. Роль этого явления до сих пор неизвестна. Предполагается, что скачок уровня этого гонадотропина важен для разрыва фолликула. Замечено также, что у женщин с короткой лютеиновой фазой подъем уровня ФСГ перед овуляцией незначительный или отсутствует.

Желтое тело и его роль

В организме женщины существует несколько источников прогестерона. У небеременной женщины основную роль производителя гормона берут на себя яичники, в первую очередь желтое тело яичников, дополнительно этот гормон вырабатывается в надпочечниках, реже — в других тканях, о чем упоминалось выше.

Что такое желтое тело? Во время овуляции фолликул разрывается (лопается), яйцеклетка выходит за пределы яичника в брюшную полость в районе отверстия маточной трубы, а объем лопнувшего фолликула быстро заполняется кровью — возникает геморрагическое тело (corpus haemorrhagicum).

На УЗИ геморрагическое тело может выглядеть как кровотечение в яичнике и нередко ошибочно принимается за кровоизлияние в яичник или апоплексию яичника, и женщину направляют на операцию.

Формирование геморрагического тела, то есть заполнение фолликула кровью, происходит в течение 1–2 минут, хотя фолликул все еще остается маленького размера. Через 12–14 минут после разрыва фолликул начинает увеличиваться и достигает приблизительно 20% своего максимального размера до овуляции.

Пока яйцеклетка путешествует по маточной трубе, в лопнувшем фолликуле происходит так называемый процесс лютенизации, когда фолликул становится желтым телом — corpus luteum.

Желтое тело имеет три вида клеток: зернисто-лютеиновые, тека-лютеиновые и К-клетки. Первые два вида иногда называют большими и малыми гранулезными (зернистыми) клетками — именно они являются производителями гормонов. Большие лютеиновые клетки вырабатывают эстроген, не исключено, что под контролем ФСГ. Маленькие лютеиновые клетки являются источниками прогестерона и андрогенов.

Corpus luteum имеет то же кровоснабжение, что и доминантный фолликул. Благодаря росту уровня прогестерона эндометрий матки становится «сочным», «рыхлым», наполняется большим количеством веществ, важных для имплантации плодного яйца.

Под лютеинизацией понимают процесс васкуляризации (образования сосудов), пролиферации (деления и роста) зернистых клеток и накопления ими жиров и лютеина с формированием желтого тела.

Зернистые (гранулярные, гранулезные) клетки фолликула могут контролировать свое созревание сами путем производства фолликулярного ингибина, который влияет на выработку ФСГ. Эти клетки также содержат большое количество рецепторов к ЛГ, однако высокое содержание эстрогена и лютеинового ингибитора (ЛИ) в фолликулярной жидкости предотвращает процесс ранней лютеинизации. Когда возникает предовуляторный пик ЛГ, в фолликуле происходит несколько изменений: возобновляется мейоз (половое деление) ооцитов, комплекс энзимов переходит с выработки эстрогенов на выработку прогестерона, а дальше возникает разрыв фолликула.

Пролиферация зернистых клеток фолликула начинается еще до овуляции, с ростом и скачком ЛГ в предовуляционный период, однако в норме этот процесс медленный и не мешает овуляции. После разрыва фолликула и выхода яйцеклетки процесс лютеинизации активируется, что приводит к возникновению желтого тела.

> *Без скачка ЛГ и ФСГ перед овуляцией желтое тело не будет полноценным, поэтому не сможет вырабатывать достаточное количество прогестерона.*

Лютеин, которым насыщены зернистые клетки, имеет желтую окраску, отсюда и название «желтое тело». В природе этот вид каротеноида содержится в зеленых листьях растений, так как он участвует в фотосинтезе. У животных лютеин входит в состав жировых клеток (поэтому жир желтый). Желтоватая окраска кожи является результатом наличия этого вещества в клетках кожи, особенно в жировой прокладке.

Может ли желтое тело возникать без овуляции, то есть без разрыва фолликула? Может, и такое состояние называется синдромом лютеинизированного неразорванного фолликула. Этот синдром может встречаться у женщин, страдающих бесплодием, но довольно редко.

Под влиянием ЛГ маленькие *лютеиновые клетки*, или *тека-люте-иновые клетки*, вырабатывают прогестерон. Большие лютеиновые клетки, производные гранулезных, содержат простагладиновые рецепторы — PGF(2 alpha), играющие роль в регрессии (лютеолизисе) желтого тела, если беременность не состоялась.

В течение 7 дней после овуляции желтое тело достигает размеров 1,5 см в среднем (хотя может быть и больше — до 3–3,5 см) и вырабатывает максимальное количество прогестерона, что можно обнаружить по росту уровня этого гормона в крови женщины.

Если беременность возникла, определенное количество прогестерона требуется для нормального прикрепления плодного яйца и формирования им собственного источника прогестерона, поэтому из матки поступают сигналы в желтое тело разными путями: выработка ХГЧ, противолютеолитический фактор, нейроэндокринный рефлекс. У женщин основным сигналом, поддерживающим активность желтого тела, считают появление ХГЧ трофобласта.

Если беременность не возникла или же имплантация не состоялась, после 24-го дня цикла (10-й день после овуляции) желтое тело прекращает свою функцию и начинается процесс его регрессии. Считается, что 2α-простагландин принимает активное участие в лютео-лизисе.

Простагландины вырабатываются тканями матки у большинства приматов, в том числе у человека. Предполагается, что яичники вырабатывают свой 2α-простагландин, который принимает участие в подавлении функции желтого тела и его инволюции путем апоптоза (клеточной смерти). К 26-му дню цикла уровень прогестерона, эстрадиола и ингибина значительно понижается, что приводит в дальнейшем к кровотечению отмены — натуральной менструации.

За счет такого строения и функции желтого тела между фолликулами яичника и желтым телом существует тесная связь, выражающаяся обменом сигналов, и желтое тело необходимо рассматривать как закономерный этап развития фолликула во взаимосвязи с другими: гранулезные клетки фолликула трансформируются в гранулезно-лютеиновые клетки, тека-клетки фолликула становятся тека-лютеиновыми клетками.

Если беременность не наступила, желтое тело после 21-го дня цикла начинает регрессировать, выработка прогестерона понижается, а на месте лопнувшего фолликула возникает рубец — желтое тело становится белым телом.

Если беременность наступила, с началом имплантации в крови женщины повышается уровень хорионического гонадотропина, стимулирующего активность желтого тела (традиционная теория), которое становится желтым телом беременности. В 7–8 недель беременности желтое тело теряет приоритет в выработке прогестерона, отдавая первенство развивающейся плаценте, и понижение ХГЧ после 8–10 недель отражает этот процесс.

Классическое описание регуляции работы желтого тела гласит, что она происходит на гипоталамо-гипофизарном уровне путем выработки лютеинизирующего гормона (ЛГ). Но это один уровень регуляции, а существует еще и второй — автономный, на уровне самого желтого тела. Этот второй уровень регуляции может поддерживать желтое тело в течение короткого периода в случае нехватки сигналов из гипоталамуса и гипофиза, а также при кратковременном дефиците ЛГ.

Важно понимать, что желтое тело не является каким-то отдельным специфичным образованием, которое кардинально отличается от фолликулов. Наоборот, по своему строению и функции в отношении продукции гормонов желтое тело очень напоминает зрелый фолликул яичника.

Что влияет на менструальный цикл

Регуляция менструального цикла описана во многих учебниках и публикациях, и основная роль обычно отдается гипоталамо-гипофизарно-яичниковой системе. Но когда врачи ставят диагноз «нарушение гормонального фона» или в лучшем случае более принятый, но такой же туманный диагноз, как «яичниковая дисфункция» (нарушение функции яичников), все внимание сосредоточивается только на яичниках.

Что собой представляет гипоталамо-гипофизарно-яичниковая система? Это сложный комплекс эндокринных желез мозга и яичников как эндокринной железы и как репродуктивного органа, во взаимодействие которых вовлечено множество веществ, клеточных и тканевых структур. Эта система позволяет понять, что все в организме взаимосвязано, поэтому нельзя рассматривать функцию яичников как обособленное явление, а сами яичники как отдельные органы.

> **Если обращать внимание только на яичники, то как раз важную и уникальную взаимосвязь этих органов со всеми остальными, с нервной системой, мозгом, эндокринными железами можно не заметить.**

Теория регуляции менструального цикла была сформулирована в 1960-х годах, хотя о двухфазности цикла было известно задолго до этого. Вся теория была описана очень просто (и такое описание существует во многих учебниках по медицине до сих пор): эстрадиол повышается в первую фазу, прогестерон — во вторую, а подъем гонадотропинов происходит в середине цикла. Подъем гонадотропинов (ФСГ и ЛГ) объяснялся падением уровня эстрадиола и его воздействием на гипофиз через отрицательную обратную связь.

Но механизм регуляции отношений в гипоталамо-гипофизарно-яичниковой системе основан не только на отрицательной, но и на положительной обратной связи. Отрицательная и положительная обратные связи существуют в регуляции всех гормонов, которые вырабатываются женским организмом, и между этими двумя видами связи, как и между гормонами, на синтез которых они влияют, существует определенный баланс.

Отрицательная обратная связь характеризуется влиянием гормонов на гипофиз и выработку гонадотропинов через взаимодействие с тканями-мишенями. Например, когда яичник синтезирует эстрадиол, уровень гормона в крови повышается. Одновременно эстроген связывается с рецепторами эндометрия и других органов. Когда связь с рецепторами достигает максимума и возникает насыщение тканей гормоном, эти ткани подают сигналы, чтобы уменьшить количество гормона. Сигналы поступают в мозг, в частности

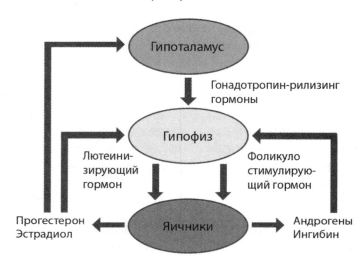

Гипотоламо-гипофизарно-яичниковая система

Гипоталамус

Гонадотропин-рилизинг гормоны

Гипофиз

Лютеини-
зирующий
гормон

Фоликуло
стимулирую-
щий гормон

Прогестерон
Эстрадиол

Яичники

Андрогены
Ингибин

в гипоталамус и гипофиз, и выработка гонадотропина и ФСГ, стимулирующих синтез эстрадиола, понижается.

Одновременно существует **положительная обратная связь**. Высокий уровень эстрогена воздействует на гипофиз непосредственно и стимулирует выработку ЛГ, который в свою очередь активирует производство прогестерона. Таким образом, рост уровня эстрадиола вызывает подавление выработки ФСГ гипофизом (отрицательная обратная связь), но, достигнув определенного уровня, эстрадиол стимулирует синтез ЛГ (положительная обратная связь) и, соответственно, прогестерона.

Гипоталамо-гипофизарная система вырабатывает гонадотропины, которые в свою очередь регулируются веществами, стимулирующими или подавляющими их производство. Факторы, которые контролируют выработку гонадотропинов, следующие:

- возраст женщины и стадия развития, в том числе полового созревания;
- функция яичников и стадия фолликулогенеза;
- энергетический баланс и метаболизм (обмен веществ);

- телосложение (вес и рост, их соотношение);
- суточный и годовой (циркадный и циркануальный) ритмы;
- стресс и эмоциональная активность;
- когнитивная функция (процесс получения, трансформации, анализа и хранения информации из окружения).

Помимо этих факторов, регулирующих работу репродуктивной системы, важно учитывать и то, что все сигналы из гипоталамуса и гипофиза к яичникам и другим репродуктивным органам и обратно передаются через определенные компоненты *нейрогуморальной системы* — нейрососудистые клетки, которые участвуют в передаче электрических сигналов и обмене спинномозговой жидкости. При нарушении целостности и функции этих многочисленных путей передачи сигналов нарушается работа яичников и всей репродуктивной системы женщины.

Нерегулярность менструального цикла — это не диагноз. Это всего лишь симптом, который может наблюдаться как при патологических состояниях и заболеваниях, так и в норме, но при определенных условиях. Более 300 заболеваний и состояний могут сопровождаться нарушениями менстуального цикла. Если в нерегулярные циклы овуляция происходит регулярно, у таких женщин нерегулярность может быть вызвана другими сопутствующими заболеваниями (например, щитовидной железы, желудочно-кишечного тракта). Кроме того, необходим анализ режима питания, работы, отдыха, устранения стрессов. Всегда важно выявить связь между нерегулярностью менструального цикла женщины и нормальным функционированием ее организма, то есть вызывает ли нерегулярность цикла серьезный дискомфорт, планирует ли женщина беременность или, наоборот, заинтересована в предохранении от нее. И уже исходя из этого выбирать тактику ведения такой женщины.

Глава 4

Некоторые
женские заболевания
и гормоны

$П$рактически нет такого заболевания, в которое не втянуты гормоны. Даже банальная простуда является стрессовой реакцией организма, включающей активацию надпочечников и других эндокринных желез для повышения уровня защиты. В предыдущих главах уже были упомянуты многие заболевания, связанные с нарушением функции эндокринных органов. Нередко провести грань между эндокринными и системными заболеваниями невозможно, потому что поломка наблюдается на разных уровнях строения и функций человеческого организма. Например, сахарный диабет, с одной стороны, считается эндокринопатией (эндокринной болезнью), а с другой — поражение многих органов вводит эту болезнь в разряд системных.

Также в характеристике разных гормонов не раз говорилось об их комплексном влиянии на такое большое количество тканей и органов, что это нередко затрудняет постановку правильного диагноза.

Все процессы в женском организме зависят от колебания уровней гормонов, в первую очередь яичников. Существует также целый ряд заболеваний, где прослеживается четкая зависимость развития патологического процесса от гормонального фона женщины. Мы рассмотрим только некоторые из них.

Синдром поликистозных яичников

Синдром поликистозных яичников считается не только эндокринопатией, но также и комплексным генетическим заболеванием. Само название этого заболевания устарело, потому что оно было основано на состоянии яичников, когда на самом деле их размеры и структура играют не самую важную роль в постановке диагноза.

Из-за конфликта между американскими и европейскими врачами критерии постановки СПКЯ отличались длительный период времени. Но постепенно врачи приходят к консенсусу, создавая международные диагностические критерии.

Если европейские врачи ориентировались в большей степени на УЗИ-картину яичников, то американские уделяли внимание лабораторным показателям уровней гормонов и других веществ. Поэтому частота СПКЯ зависит от того, какими критериями пользуются практикующие врачи, и она составляет 4–21%.

Две трети женщин с СПКЯ имеют нарушение обменных процессов (метаболический синдром), также повышается риск развития диабета второго типа, сердечно-сосудистых заболеваний.

Признаки СПКЯ

СПКЯ сопровождается следующими признаками:
На уровне тела:

- нарушение менструального цикла (цикл меньше 21 дня или больше 35 дней, меньше 9 циклов в год), чаще олигоменорея;
- отсутствие созревания яйцеклеток (ановуляция);
- повышенная волосатость (гирсутизм);
- акне;
- ожирение.

На биохимическом уровне:

- повышенное количество мужских половых гормонов (гиперандрогения);

- повышенный уровень лютеинизирующего гормона (ЛГ);
- повышенный уровень жиров (гиперлипидемия);
- повышенный уровень инсулина (гиперинсулинемия).

Из-за разного подхода возникают реальные проблемы в постановке этого диагноза.

- National Institute of Child Health and Human Development Conference of PCOS (1990 г.) обязательными критериями считает гиперандрогению, нарушение менструальных циклов из-за ановуляции;
- Rotterdam consensus (2003 г.) добавил поликистозные яичники по УЗИ;
- Androgen Excess–PCOS Society (2006 г.) акцентирует внимание на гиперандрогенизме;
- The National Institutes of Health (2012 г.) рекомендует указывать фенотип (вид СПКЯ) — существует 9 фенотипов СКПЯ, которые зависят от комбинации симптомов.

Однозначно, повышенные уровни мужских половых гормонов являются самым важным признаком СПКЯ.

В сентябре 2018 года группа врачей предложила упростить диагностику СПКЯ и использовать 4 критерия: олигоменорея, гирсутизм, повышенный уровень андрогенов, повышенный уровень АМГ. УЗИ-признаки могут быть дополнительными, но не основными в постановке СПКЯ.

Врачи также предлагают новые референтные значения для оценки ряда признаков СПКЯ.

1. Уровень свободного тестостерона — ≥1,89 нмоль/л, андростендиона — ≥13,7 нмоль/л, DHEAS — ≥8,3 мкмоль/л.
2. Подсчет антральных фолликулов — ≥21,5 фолликулов в каждом яичнике.
3. Объем правого яичника — ≥8,44 куб. см (правый яичник всегда больше левого).
4. АМГ — ≥37,0 пмоль/л.

Комбинация этих показателей имеет более 80% специфичности, то есть характерна для СПКЯ. АМГ как единичный диагностический показатель для СПКЯ оказался не практичным и не должен использоваться для постановки этого диагноза. Сейчас проходит обсуждение предложенных критериев в медицинских кругах.

УЗИ-картина яичников при СКПЯ

Поликистозные яичники встречаются у 62–84% женщин 18–30 лет и 7% в 40–45 лет. К тому же очень часто врачи, проводящие УЗИ и интерпретирующие результаты, не знают УЗИ-признаков синдрома поликистозных яичников, а ставят диагноз только из-за отсутствия доминантного фолликула.

Действительно, при ановуляторном цикле или когда овуляция запаздывает (цикл больше 28 дней) доминантный фолликул может отсутствовать в первые две недели. Если учесть, что яичники имеют фолликулярное (кистозное) строение, то поликистозные яичники можно обнаружить довольно часто как вариант нормы. Поэтому многие врачи предлагают переименовать синдром поликистозных яичников и назвать его метаболическим расстройством.

УЗИ-критерии (ESHRE/ASRM consensus) включают следующие признаки СПКЯ:

- 12 и больше фолликулов 2–9 мм в каждом яичнике (новые рекомендации — больше 21–25);
- объем яичников больше 10 см^3;
- синдром ожерелья;
- утолщенная капсула.

Еще раз уточню, что УЗИ-картина яичников не является первичной в постановке диагноза СПКЯ.

Особенности гормональных нарушений

Но все ли женщины с гиперандрогенией являются кандидатами на СПКЯ? Ведь гиперандрогения тоже сопровождается нарушением менструального цикла.

Оказывается, 15–20% женщин с повышенным уровнем мужских половых гормонов не имеют СПКЯ. В предыдущих главах упоминалось, что причины высокого уровня тестостерона разные. При СПКЯ этот гормон обычно повышен не больше чем в 3 раза (на 40%), а DHEAS — меньше 8 ммоль/мл. Конечно, у больных СКПЯ может быть акне, гирсутизм и алопеция[1].

Важный признак этого заболевания — инсулиновая резистентность, она встречается у преимущественного большинства пациенток. Инсулин может нарушать овуляцию как прямым воздействием на фолликулы, повышая выработку мужских половых гормонов, так и через подавление синтеза гонадотропин-рилизинг-гормонов в гипоталамусе. Повышенный уровень ЛГ тоже стимулирует выработку андрогенов, а нехватка ФСГ приводит к тому, что нарушается процесс превращения андрогенов в эстрогены. Рост фолликулов при этом тормозится, а овуляция подавляется.

Хотя определение инсулиновой недостаточности имеет определенные сложности, о чем говорилось в главах выше, инсулиновую резистентность можно прогнозировать с помощью индекса массы тела (ИМТ, BMI). У 75% женщин с СПКЯ наблюдается ожирение, а 50% женщин могут иметь генетический дефект инсулиновых рецепторов. Поэтому гиперинсулинемия тоже может встречаться при СПКЯ. В семье женщин с СПКЯ часто наблюдается сахарный диабет второго типа, что подтверждает наличие наследственных факторов, контролирующих обменные процессы.

Наследственный фактор при СКПЯ

СПКЯ — это преимущественно болезнь женщин с лишним весом. Сам по себе лишний вес (как и низкий) может сопровождаться нарушениями менструального цикла. В 50% случаев СПКЯ ожирение

---

[1] Алопеция — патологическое выпадение волос. — *Прим. ред.*

умеренное. Существует около ста факторов, влияющих на обменные процессы, поэтому на каком уровне произошло нарушение в обмене веществ, сказать трудно — в современной медицине рассматривается несколько параллельных механизмов развития этого заболевания. Известно, что 94% отцов и 66% матерей пациенток со СПКЯ страдают ожирением, 79 и 34% соответственно — метаболическим синдромом.

Что мы знаем о наследственном факторе при СПКЯ?

- До 70% случаев СПКЯ имеют наследственную связь.
- До 50% сестер имеют гиперандрогению (из них половина — СПКЯ).
- Братья у женщин с СПКЯ имеют высокий уровень DHEA-S.
- Гены FBN3, HSD17B6 могут быть вовлечены в возникновение СПКЯ.
- PCSK9 и полиморфизмы не ассоциируются с СПКЯ.
- rs505151AA и rs562556GG ассоциируются с высоким уровнем жиров.
- rs562556AA — с высоким уровнем тестостерона.

В целом изучается около ста генов, которые могут быть вовлечены в развитие СПКЯ.

Интересно, что СПКЯ является единственным заболеванием, которое сопровождается аменореей, но при этом потеря костной ткани и возникновение остеопороза не наблюдаются.

Важно запомнить: СПКЯ — это диагноз исключения. Это не диагноз одного дня, одного анализа, одного УЗИ. Это также пожизненный диагноз.

Уровень прогестерона при СПКЯ

Так как при синдроме поликистозных яичников большинство циклов ановуляторные, нехватка прогестерона часто является результатом отсутствия фазности цикла. У женщин, страдающих СПКЯ, наблюдается повышенная выработка прогестерона для подавления ускоренной частоты пульсации выработки ЛГ, поэтому уровень ЛГ при СПКЯ нередко повышен. Из-за того что при синдроме поликистозных яичников наблюдается нарушение синхронизации между гонадотропинами и выработкой половых гормонов, повышенный уровень ЛГ или отклонения в режимах пульсации его выработки приводит и к понижению уровня прогестерона.

Недостаточность прогестероновой фазы при СПКЯ является вторичной, так как всегда страдает первая фаза менструального цикла. Это приводит к тому, что у женщин с СПКЯ уровень спонтанных потерь беременности незначительно выше по сравнению со здоровыми женщинами. Это спорный вопрос, тем не менее после применения репродуктивных технологий для лечения бесплодия при СПКЯ многие врачи назначают прогестерон для поддержки лютеиновой фазы.

Правильная интерпретация результатов обследования

В прошлом женщины часто смотрели на врача как на бога, хотя некоторые так относятся к ним и до сих пор. Но слепое доверие постепенно иссякло, и все чаще пациенты ищут альтернативное мнение. Современная подготовка врачей оставляет желать лучшего. Наличие огромного количества источников знаний, как и развитие науки, с одной стороны, упрощает поиск информации. С другой стороны, отношение многих людей к профессии часто остается таким же, как и многие годы назад. Быть врачом — это престижно и финансово выгодно, а повышение уровня знаний зависит от внутренних потребностей самого человека. Поэтому неудивительно, что во всем мире наблюдается определенная деградация в подготовке будущих врачей.

Именно из-за сомнения в компетентности врачей многие женщины ищут дополнительные сведения в Интернете, который на 90–95% насыщен повторяющейся старой информацией, часто ложной и не достоверной. Ни в школах, ни в вузах не учат оценивать достоверность информации.

Постановка диагноза СПКЯ требует очень глубокого и тонкого понимания гормональных процессов, которые происходят в женском организме в норме и при заболевании. Также этот диагноз требует комплексного обследования, а значит, результаты могут быть противоречивыми. Чтобы не искать необходимую информацию в других источниках, которые могут оказаться сомнительными, предлагаю ознакомиться с особенностями интерпретации результатов обследования на СПКЯ.

- Уровень тестостерона может быть в пределах нормы в ряде случаев СПКЯ.
- Некоторые КОК понижают уровень тестостерона в сыворотке крови, поэтому обследование необходимо проводить минимум через 3 месяца после окончания приема гормональных контрацептивов.
- У женщин с СПКЯ тестостерон повышен незначительно. При высоких показателях (больше 7 нмоль/л) необходимо исключить опухоль яичников или надпочечников.
- Уровень DHEA-S у женщин с СПКЯ обычно в норме или незначительно повышен. При высоких показателях необходимо исключить опухоль надпочечников.
- Уровень суточного свободного кортизола в моче у женщин с СПКЯ обычно в пределах нормы, но в ряде случаев может быть повышен. Если он более чем в 2 раза превышает верхний уровень нормы — исключить синдром Кушинга.
- При незначительном повышении кортизола в моче рекомендуется провести ряд тестов (с дексаметазоном, кортикотропин-рилизинг-гормоном) для исключения других диагнозов.
- Пролактинемия наблюдается у 5–30% женщин с СПКЯ. Обычно уровни пролактина повышены не более чем на 50% от верхней границы нормы (30 нг/мл).
- 17-гидроксипрогестерон (17-ОПГ) необходимо сдавать натощак ранним утром в первую фазу цикла.
- Уровень 17-ОПГ <6 нмоль/л обычно исключает заболевание надпочечников — недостаточность 21-гидроксилазы.
- Если уровень 17-ОПГ повышен, проводится АКТГ-стимулирующий тест.
- Применение гормональных контрацептивов и глюкокортикоидов влияет на уровень 17-ОПГ.

Современный подход в лечении СПКЯ

А теперь поговорим о лечении синдрома поликистозных яичников. Любое лечение начинается с вопроса: планирует женщина беременность или нет? Ведь для планирующих беременность важно получить овуляцию, а для других важно иметь имитацию менструальных циклов.

> *Ни один метод лечения СПКЯ не обладает высокой эффективностью. Никто не знает, как долго лечить и как долго наблюдать женщин с СПКЯ. Эффект лечения всегда временный.*

Первая линия лечения этого синдрома — нормализация веса! Потеря хотя бы 5 кг лишнего веса может кардинально изменить менструальный цикл, сделав его более регулярным. Правильная, не опасная для здоровья нормализация веса подразумевает потерю 10% от общего веса в течение 3 месяцев.

Вторая линия лечения — избавление от жалоб/симптомов. Это может включать понижение гиперандрогении, лечение гирсутизма, использование репродуктивных технологий для зачатия ребенка и т. д. Противодиабетические препараты могут помочь в потере веса, но их применение должно сочетаться с физической активностью.

Если женщина не планирует беременность, она может воспользоваться низкодозированными оральными контрацептивами. Эффективность прогестинов в лечении СПКЯ не доказана.

Лечение гирсутизма может проводиться гормональными и другими препаратами, а также волосы можно удалять механически. Для получения положительного эффекта требуется 6–9 месяцев использования медикаментов.

Если женщина планирует беременность, то применение веществ, подавляющих овуляцию (гормональные контрацептивы, прогестины), будет ошибкой. В таких случаях сразу же приступают к репродуктивным технологиям. Может быть проведена стимуляция/индукция овуляции разными препаратами (кломид, гонадотропины, ингибиторы ароматазы, тиазолиндионы).

Хирургическое лечение (сверление, надрезы капсулы яичников, резекция яичников) проводится в редких случаях. При отсутствии эффекта семейной паре могут предложить проведение ЭКО.

Использование прогестерона при СПКЯ

Врачи часто назначают прогестерон при СПКЯ, однако не все знают, какой форме прогестерона и какому способу введения гормона отдать предпочтение с учетом особенностей его усвоения и воздействия на органы, и не только репродуктивной системы.

Прогестерон у женщин с синдромом поликистозных яичников применяется со следующими целями:

- вызвать кровотечение отмены;
- подавить выработку ЛГ для нормализации менструального цикла;
- при проведении индукции овуляции у женщин, устойчивых к цитрату кломифена;
- для поддержки лютеиновой фазы после АРТ (асисстированных репродуктивных технологий).

У женщин с СПКЯ циклы не только нерегулярные, но и растянутые, могут длиться неделями и месяцами, то есть менструации могут отсутствовать по 2–3 месяца. Когда женщина приходит к врачу с жалобами, она зачастую не знает, когда у нее начнется следующая менструация, чтобы сдать анализы «по правилам». Поэтому врачи назначают препараты прогестерона (обычно не больше 5 дней), чтобы вызвать кровотечение отмены — искусственную менструацию. Такой подход не является лечением — это всего лишь вспомогательный метод диагностики.

Таким образом, прогестерон у женщин с СПКЯ используется для оптимизации менструального цикла, чтобы определить уровни гормонов в начале цикла.

Пищевые добавки и СПКЯ

Так как СПКЯ в некотором роде является мистическим заболеванием (механизмов развития несколько, трудно диагностировать и лечить, трудно контролировать и прогнозировать), вокруг его лечения создано немало мифов, а также это отличная почва для продажи всевозможных добавок, панацей и всего того, чем можно спекулировать. Что говорит доказательная медицина о применении ряда добавок на основе проведенных клинических исследований? Данные могут разочаровать не одну женщину.

- Кальций с витамином Д — не эффективны.
- Витамины группы В — не эффективны.
- Витамин В8 (инозитол) — результаты противоречивые.
- Хром — не эффективный.
- Витамин Д — не эффективный.
- Омега-3 жирные кислоты — не эффективны.
- Зеленый чай (Camelliasinensis) — не эффективен.
- Клопогон (Cimicifugaracemosa) — не эффективен.
- Корица — не эффективна.
- Мята колосистая (Menthaspicata) — не эффективна.

Это далеко не полный перечень всего того, что человечество перепробовало для лечения СКПЯ и продолжает пробовать.

Какой диете отдать предпочтение при СПКЯ

А как насчет диеты? Ведь первоочередной задачей является потеря веса.

Клинические исследования показали, что одной диетой ситуацию не изменишь. Женщины должны комбинировать здоровое питание с минимум тремя часами занятий спортом в неделю. Эффект достигается обычно через 3 месяца и даже позже, поэтому женщинам с СПКЯ важно запастись терпением.

Ученые выяснили, что из всех диет самыми полезными и оказывающими положительный эффект являются низкокалорийные (да, подсчет калорий важен!) и диеты, учитывающие гликемический индекс (ими часто пользуются люди, страдающие диабетом). Совершенно бесполезными оказались диеты с низким уровнем белков, как и с высоким, с полиненасыщенными жирами, низкоуглеводная диета (не путать с диетой на основании гликемического индекса). Высокоуглеводная диета улучшает только проблему с гирсутизмом, но ухудшает обменные процессы. Кетогенные диеты (высокие жиры, высокие белки, низкие углеводы) оказывают больше вреда, чем пользы, поэтому не рекомендуются при лечении СПКЯ.

Тема синдрома поликистозных яичников очень объемная и не может быть полностью раскрытой на страницах этой книги. Тем не менее СПКЯ бояться не следует.

Фибромиома матки

Все опухоли гладкой мускулатуры матки можно разделить на доброкачественные и злокачественные. Доброкачественные опухоли матки — это самые распространенные опухоли репродуктивной системы женщин, к ним относят лейомиомы (фибромиомы), которые находят у 40% женщин старше 35 лет. В 50-летнем возрасте опухоли матки обнаруживают почти у 70% белых женщин.

Лейомиосаркома — это злокачественная опухоль матки, редкое заболевание, которое встречается в 1,3% случаев всех злокачественных новообразований матки.

Существует еще один вид опухолей гладкой мускулатуры матки — опухоль неизвестной злокачественной потенции. Этот вид опухолей опасен тем, что прогнозировать исход заболевания практически невозможно, но и диагностировать этот тип опухоли без хирургического вмешательства не так просто.

Причины возникновения фибромиомы

Причины возникновения опухолей миометрия[1] матки неизвестны, хотя существует множество гипотез и теорий.

Считается, что маточные лейомиомы являются моноклональными опухолями, то есть возникают всего из одной клетки путем многократного деления. Что провоцирует рост и деление этой клетки, неизвестно. Предполагается, что на уровне клетки имеется или происходит изменение (мутация), не позволяющее контролировать влияние местных гормонов роста и стероидных гормонов.

Традиционно в росте фибромиом обвиняли эстроген. Однако многолетние наблюдения применения прогестероновых препаратов показали, что прогестерон и прогестины тоже влияют на деление клеток миом. Наличие прогестероновых рецепторов в опухолях также подтверждает факт усвоения этого гормона тканью миомы.

> **Исследования на животных моделях показали, что прогестерон играет не меньшую роль в росте опухолей матки, чем эстрадиол.**

Ошибочным является разграничение взаимосвязи в воздействии эстрогенов и прогестерона на возникновение фибромиомы матки и ряда других гормонально зависимых опухолей: рака эндометрия, рака молочной железы, а также эндометриоза. Такое разграничение приводит к ложному восприятию эстрогена как «плохого гормона», а прогестерона как «хорошего гормона». Большинство этих заболеваний сопровождается определенной гипоэстрогенией, когда уровни эстрогенов понижены.

Прогестерон контролирует использование эстрогена клетками. Если имеется нехватка прогестерона или же клетки становятся нечувствительными к прогестерону из-за недостаточности прогесте-

---

[1] Миометрий — мышечный слой матки. — *Прим. ред.*

роновых рецепторов или нарушения их функции, эстроген, даже в незначительных количествах, становится триггером роста патологических клеток.

Всех женщин, у которых находят лейомиомы, можно разделить на две возрастные группы. У молодых женщин (20–35 лет) фибромиомы возникают редко, и в их росте обычно задействован генетический (наследственный) фактор. Обнаружены два гена HMGIC и HMGI(Y), причастных к появлению лейомиомы.

Часто у таких женщин наблюдаются множественные фиброматозные узлы, но небольших размеров, которые на репродуктивную функцию обычно не влияют. Заметим, что гормональные уровни у женщин этой возрастной группы в преимущественном большинстве случаев в прекрасной норме, поэтому теория «гиперэстрогении-гипопрогестеронемии» не может объяснить рост узлов.

Интересно, что беременность, когда рост прогестерона увеличивается, нередко вызывает увеличение узлов, которые частично регрессируют после родов.

Использование гормональных препаратов в некоторых случаях может провоцировать рост лейомиом.

Другая возрастная категория — это женщины в предклимактерическом периоде. Особенность этого периода в том, что с одновременным постепенным понижением половых гормонов и прогестерона наблюдаются гормональные всплески — резкие кратковременные повышения уровней гормонов. Именно такие скачки, особенно эстрогенов, нарушают пропорцию гормональных уровней и провоцируют рост лейомиом. Обычно с наступлением менопаузы узлы прекращают рост и постепенно регрессируют.

В увеличении миоматозных узлов также играют роль факторы роста (фактор роста тромбоцитов, гепарин-связывающий эпидермальный фактор роста, гепатом-производный фактор роста, основной фибробластический фактор роста и др.) и трансформирующий ростовой фактор бета.

Виды фибромиом

Миомы могут кардинально отличаться друг от друга по своему микроскопическому строению, наличию некроза (омертвления), атипичных клеток, делящихся (митотических) клеток и по другим признакам. Поэтому они ведут себя по-разному, а значит, могут быть безобидными «находками» или, наоборот, потенциальными «врагами», требующими лечения — от медикаментозного до хирургического.

Но даже среди доброкачественных миом имеются три вида, которые по микроскопическому строению могут напоминать раковый процесс, что затрудняет постановку точного диагноза. К ним относятся *атипичные, митотически активные и клеточные лейомиомы.* Поэтому врачей всегда интересовал и до сих пор интересует вопрос, существуют ли какие-то маркеры опухолей матки, по которым можно было бы определить ее злокачественность или доброкачественность. Точная диагностика важна не только для прогноза заболевания, но и для выбора правильного лечения.

Оказалось, что неплохим прогностическим маркером в определении вида лейомиомы является количество прогестероновых рецепторов и паттерн их распределения. По изучению этого паттерна можно установить видовую принадлежность лейомиом. Также было обнаружено, что большинство злокачественных опухолей гладкой мускулатуры матки не имеет прогестероновых рецепторов.

Определение прогестероновых рецепторов в узлах лейомиом все еще не применяется в медицине широко, а находится в процессе клинического экспериментирования.

Лечение фибромиомы

Лечение лейомиом должно быть индивидуальным и основанным на симптоматике, размерах и скорости роста опухоли, размещении узла (узлов), желании женщины беременеть и ряде других факторов.

> У большинства женщин фибромиома матки не сопровожда-
> ется симптомами и не влияет на функционирование орга-
> низма, поэтому лечения не требуется.

Лечение лейомиом рационально всегда начинать с консерватив-
ных (медикаментозных) методов.

Традиционно для лечения фиброматозных узлов используют гормональные контрацептивы. Современные гормональные контрацептивы, содержащие небольшое количество синтетических эстрогенов и прогестеронов, не оказывают влияния на рост фиброматозных
узлов. Низко дозированные оральные контрацептивы не уменьшают
размеры фиброматозных узлов, но улучшают регулярность менструальных циклов, снижая при этом длительность кровотечений и количество теряемой крови.

Использование прогестерона и прогестинов для лечения фиброматозных узлов спорно. Сторонники прогестинов утверждают, что
эти вещества подавляют рост фибромиом. Противники такого лечения приводят убедительные факты ускорения роста лейомиом
при использовании прогестинов, в том числе популярной «Мирены». Действительно, влияние прогестерона и прогестинов на лейомиомы у каждой женщины индивидуальное и непредсказуемое. Но
прогестины могут уменьшать интенсивность менструаций и потерю крови, поэтому женщинам с фибромиомами они назначаются
с этой целью.

Другие гормональные препараты могут уменьшить размеры фиброматозных узлов, однако они рассчитаны на кратковременный
прием, и после их отмены рост фиброматозных узлов возобновляется. Так, например, агонисты гонадотропин-рилизинг-гормона могут уменьшить размеры фиброматозных узлов наполовину в течение
трехмесячной терапии. Даназол, синтетический андроген, уменьшает размеры фиброматозных узлов до 25%. Эти препараты нельзя использовать женщинам, планирующим беременность, но они
нашли применение в предоперационной подготовке женщин, когда

планируется лапароскопическое или гистероскопическое удаление узлов.

Современные методы лечения также направлены на блокировку действия факторов роста рядом лекарственных веществ: RG13577 (подобное гепарину вещество) и галофугинон могут подавлять синтез ДНК в клетках мышц и лейомиомы без токсического влияния на организм. Пирфенидон, который используется для подавления роста фиброзной ткани, сейчас проходит испытания в лечении фиброматозных узлов. Изучается также α-интерферон, который может подавлять факторы роста. Использование этих и других препаратов может кардинально снизить количество случаев хирургического вмешательства в виде удаления фиброматозных узлов и матки или эмболизации (закупорки) маточных сосудов.

Гиперплазия эндометрия

Ановуляторные (без овуляции) циклы — чрезвычайно частое явление в жизни подростков и молодых женщин. Обычно после 21–22 лет цикл становится более стабильным, хотя ановуляция может наблюдаться 1–2 раза в год, а при наличии факторов, подавляющих созревание половых клеток (стресс), и чаще. Но если у женщины низкий или лишний вес, нерегулярность циклов может продолжаться.

Ановуляторные циклы характеризуются доминированием эстрогенов, так как желтое тело из-за отсутствия овуляции не возникает, а значит, прогестерона действительно не хватает. Однако это относительная прогестероновая недостаточность — всего лишь по сравнению с уровнями эстрогенов, а не по количественным показателям. Как правило, уровень прогестерона у большинства женщин с ановуляторными циклами в норме, хотя пика выработки гормона не наблюдается. Так как влияние эстрогенов не подавляется большей выработкой прогестерона, происходит усиленный рост эндометрия, что часто называют гиперплазией эндометрия.

> *Ошибочно диагноз гиперплазии эндометрия ставится по УЗИ-измерениям толщины эндометрия: измерял врач УЗИ или УЗИ-технолог толщину эндометрия, и она ему не понравилась, потому что не «вписалась» в норму или же вписалась, но все равно врачу не понравилась — у него свои понятия о норме.*

Эхогенность — это термин в УЗИ, характеризующий акустические свойства исследуемых тканей и органов. На экране аппарата УЗИ гиперэхогенные участки (плотные по строению) будут выглядеть светлее. И наоборот, полые или жидкостные образования будут темными, то есть гипоэхогенными. Каждый аппарат УЗИ имеет серую шкалу монитора, по которой врачи и УЗИ-технологи должны сравнивать эхогенность объекта. Но на практике большинство врачей определяют степень эхогенности «на глазок», то есть субъективно. Кроме того, цвет изображения зависит от правильной настройки яркости и контрастности монитора. Поэтому к оценке реального состояния органов и тканей необходимо подходить с учетом субъективности проведенного обследования. Истинную толщину эндометрия определить с помощью УЗИ не просто.

Толщина эндометрия зависит от дня менструального цикла. В период менструации, в первые дни цикла толщина эндометрия составляет 1–4 мм. С 6-го по 14-й день цикла толщина становится 5–7 мм. В предовуляторную фазу можно заметить два слоя эндометрия — эхогенный базальный слой и гипоэхогенный функциональный слой. Толщина эндометрия в этот период 9–11 мм. После овуляции в течение 48 часов «слоистость» эндометрия исчезает, поэтому на УЗИ ее заметить трудно.

В лютеиновую (секреторную фазу) рост эндометрия прекращается, потому что прогестерон подавляет его. Секреторные изменения возникают не только в железах эндометрия, но и в строме. Толщина эндометрия становится чуть больше (7–14 мм) из-за отечности клеток, но измерить ее правильно в этот период с помощью УЗИ трудно, потому что и два слоя эндометрия, и строма становятся гиперэхогенными. Поэтому расширенные железы эндометрия в этот период цикла часто ошибочно принимаются за очаги аденомиоза, о котором будет сказано далее.

У женщин репродуктивного возраста, нормально овулирующих, толщина эндометрия особой роли не играет, так как в норме она может быть от 5 до 15 мм, поэтому ее измерение у здоровых женщин проводят редко. Важно также учитывать то обстоятельство, что правильно измерить толщину эндометрия можно только в предовуляторный период.

У женщин с нарушениями овуляции, сопровождающимися нерегулярностью менструального цикла (но не всегда), эндометрий может быть нормальной толщины, но плохого качества; при этом физиологическая гиперплазия эндометрия бывает следствием его реакции на длительное влияние эстрогенов.

У женщин в постменопаузе измерение толщины эндометрия проводят чаще всего при наличии жалоб на кровянистую мазню или кровотечение. В норме толщина эндометрия у этой категории женщин не должна быть больше 5 мм. Но так ли плохо и так ли необходимо проводить диагностическое выскабливание, если у женщины на УЗИ постоянно обнаруживают толщину эндометрия в 6–7 мм при отсутствии жалоб на состояние репродуктивной системы? Очевидно, всегда необходим индивидуальный подход к оценке ситуации.

> Термин «гиперплазия эндометрия» является лабораторным — он характеризует изменения эндометрия на тканевом и клеточном уровнях, то есть микроскопическое состояние эндометрия, а не его толщину, измеренную на УЗИ (и довольно часто неправильно). Поэтому гиперплазию эндометрия увидеть «на глазок» невозможно (если не рассматривать материал биопсии под микроскопом).

Гиперплазия эндометрия — это не диагноз, не патология, не заболевание, а всего лишь характеристика внутренней выстилки матки, которая отражает гормональное состояние женщины, а также говорит о том, что в гормональном фоне доминируют эстрогены — собственные или введенные извне. Это показатель не нехватки прогестерона, а только того, что механизм переключения доминирования с одних гормонов на другие не работает, потому что нет овуляции или же введены слишком большие дозы эстрогенов. А диагнозов, при которых отсутствует овуляция, как и состояний (те же переутомление, нервный срыв, перенесенный эмоциональный шок и т.д.), приводящих к ановуляции, много.

Для гиперплазии эндометрия характерны прорывные кровотечения, которые принимаются за менструацию. Эти кровотечения могут быть едва выраженными (мазня), длительными или, наоборот, обильными, вызывая сильное беспокойство у женщин. Ановуляторные циклы чаще всего нерегулярные, хотя могут чередоваться с овуляторными.

Классификация гиперплазии эндометрия

Невзирая на то что чаще всего врачи ставят диагноз «гиперплазия» по толщине эндометрия, измеренной с помощью УЗИ, диагностическими критериями постановки этого диагноза (точнее, этого состояния эндометрия, а не заболевания) являются изменения клеток и ткани эндометрия, которые можно определить только с помощью гистологического исследования.

До сих пор нет четкой классификации гиперплазии эндометрия, но часто используют классификацию ВОЗ, согласно которой есть типическая гиперплазия (простая — железистая или сложная — аденоматозная) и атипическая гиперплазия (простая — железистая с атипией и сложная — атипическая аденоматозная). Большинство врачей все же не соглашаются с такой классификацией, потому что простая железистая гиперплазия с атипией по клеточному строению уже является сложной, или комплексной. К тому же такая классификация не учитывает признаки проявления вариантов гиперплазии, а точнее, многочисленные диагнозы, при которых могут наблюдаться разные виды гиперплазии эндометрия.

Все чаще на практике используется новая, терапевтическая, классификация, которая включает три вида гиперплазии эндометрия: простую, комплексную и атипическую. Две последние делят на те, которые возникают в предклимактерическом и климактерическом периодах. Такая классификация более удобна в выборе диагностики и лечения и помогает избежать лишнего вмешательства и ошибок.

Простая железистая гиперплазия, которая часто встречается у женщин репродуктивного возраста и которую многие врачи старой школы «лечат» выскабливанием или гормональными контрацептивами, чаще всего в лечении не нуждается, особенно при отсутствии жалоб. Такой вид гиперплазии не переходит в рак.

Какая гиперплазия переходит в рак?

Слово «атипия» всегда пугает пациентов, потому что атипию клеток часто приравнивают к раковому процессу. **Атипичные клетки встречаются во всех тканях человеческого организма, и это чаще всего не рак, не злокачественное перерождение.** В медицине термин «атипичные клетки» означает: «не соответствуют ни одному диагнозу». Это может быть норма, может быть отклонение от нормы, но не настолько значительное, что нужно срочно бить тревогу. В классификации гистологических и цитологических исследований имеется специальная терминология, применяемая при описании подозрения на рак или раковых изменений.

Внимания заслуживают только те атипические гиперплазии, которые встречаются у женщин в климактерическом периоде. Обычно пациентки жалуются на длительную кровянистую мазню или кровотечение, например, после 1–2 лет отсутствия менструаций.

Обследование таких женщин проводят разными методами, в том числе диагностическим выскабливанием, которое имеет строгие показания для его проведения.

Простая железистая гиперплазия неприятна только тем, что она сопровождается кровомазаньем или кровотечением, которое обычно не опасно для здоровья (не приводит к анемии или другим серьезным осложнениям), хотя может вызвать у женщины немало страха и опасений за собственную жизнь.

Часто нерегулярные обильные менструации бывают у подростков, но матери воспринимают такое явление с настоящей паникой и подвергают своих дочерей необоснованному выскабливанию полости матки и приему контрацептивов. А эти явления — результат гиперплазии эндометрия из-за отсутствия овуляции.

Также необходимо помнить, что очаги атипической гиперплазии эндометрия могут появляться на фоне нормального эндометрия, в том числе нормальной толщины. Не всегда в таких случаях у женщины будут жалобы. Случаи рака эндометрия часто диагностируются только из-за жалоб на появление кровянистых выделений у женщин в климактерическом периоде, хотя на УЗИ толщина эндометрия может быть в норме. Небольшое утолщение патологического участка эндометрия (локальное утолщение) при раке эндометрия на ранних стадиях этого заболевания в большинстве случаев выявить с помощью УЗИ не удается. Семейная история, перенесенные заболевания, количество беременностей и родов — все это учитывается при постановке правильного диагноза.

Лечение гиперплазии эндометрия: необходимо или нет?

В большинстве случаев простой железистой гиперплазии эндометрия женщины в лечении не нуждаются: ни в выскабливании, ни в гормональной контрацепции и прогестероне.

Всегда важно понять причину усиленного роста эндометрия. Если это подростковый возраст, послеродовый лактационный период, задержка менструального цикла из-за резких колебаний веса, следствие перенесенных заболеваний, необходимо понять, что гиперплазия эндометрия является физиологической реакцией и лечения не требует.

Если у женщины постоянные ановуляторные циклы, тогда необходимо найти причину ановуляции, а не «садиться» на контрацептивы, стараясь добиться регулярных искусственных менструаций. Если у женщины имеются заболевания других органов или систем, например нарушение функции щитовидной железы, необходимо провести лечение этого заболевания. И таких состояний и заболеваний, из-за которых в эндометрии может появляться гиперплазия, множество.

Эндометрий матки — всего лишь ткань-мишень, растущая под влиянием эстрогенов, поэтому необходимо не подавлять этот рост искусственно, а выяснить причину такого воздействия, то есть причину истинной или относительной гиперэстрогении.

Если прогестерон подавляет рост эндометрия, то его применение, в том числе в виде прогестинов, может помочь в лечении гиперплазии. Сама по себе железистая гиперплазия неопасна, но она может сопровождаться кровянистыми выделениями и кровотечением, именно эти жалобы вынуждают женщин принимать лечение. Если у женщины нет менструации в течение трех циклов, для предотвращения кровомазанья и внезапного кровотечения используют прогестерон, которым вызывают искусственное кровотечение, но обычно оно меньше по продолжительности и обильности. Если менструация отсутствует меньше 90 дней, вызывать ее искусственно в большинстве случаев не нужно.

> Мне жаль тех женщин, у которых задержка менструации всего 1–2 недели, а врачи назначают им прогестерон с отменой для вызова месячных, потому что якобы сильнейшее кровотечение из-за гиперплазии эндометрия приведет к страшным последствиям. Это неправда.

Механизм возникновения менструального кровотечения обсуждался в других главах. Для искусственного создания кровотечения прогестерон обычно принимают в течение 5 дней, а после его отмены через несколько дней возникает кровотечение отмены.

226

При наличии гиперплазии эндометрия и отсутствии жалоб назначение прогестерона не рекомендуется. Месячные вызывают искусственно только после трех месяцев задержки менструации, если женщина не беременна и не климактерического возраста. Но после этого требуется обследование и поиск правильного диагноза.

Простые атипические гиперплазии тоже чаще всего не требуют лечения, особенно если проведено выскабливание или гистероскопия. Часто женщинам рекомендуют прием гестагенов, в том числе в виде внутриматочной гормональной системы, содержащей прогестин (Мирена). Реже используется влагалищный крем с синтетическим прогестероном. При наличии комплексной атипической гиперплазии часто рекомендуют удаление матки.

 Эндометриоз

Под эндометриозом понимают наличие видимых очагов эндометриоидной ткани (имплантатов) вне матки. Традиционно считается, что это заболевание является эстрогензависимым, потому что рост эндометрия внутри матки или за ее пределами происходит под влиянием эстрогенов. С уменьшением уровня эстрогенов наблюдается регресс роста эндометриоидных очагов, например при менопаузе, искусственной или натуральной. На этом основано существующее медикаментозное лечение эндометриоза, которое не избавляет женщину от болезни, а создает временный эффект уменьшения роста эндометриоидной ткани и эндометрия путем подавления выработки эстрогенов. После прекращения лечения симптомы эндометриоза возвращаются.

> *Хирургическое лечение эндометриоза имеет много ограничений, оказывает временный эффект и сопровождается большим количеством осложнений, поэтому проводится редко.*

Многие современные врачи не соглашаются с приведенным определением эндометриоза, потому что оно слишком «упрощает» понимание этого заболевания. Как показывают исследования, эндометриоидные очаги в разных частях репродуктивной системы и за ее пределами могут иметь разное воздействие на прилегающие ткани, в том числе на их гормональную чувствительность. Кроме того, известно, что реакция эндометрия на прогестерон в середине лютеиновой фазы у женщин, страдающих эндометриозом, и у здоровых женщин разная. У первых отмечается «прогестероновая резистентность», то есть нечувствительность к прогестерону.

Таким образом, эндометриоз — это не только эстрогенчувствительное, но и прогестероннечувствительное состояние, а значит, речь идет о гормональном дисбалансе, который проявляется на генном уровне, то есть нарушается регуляция генов (17β-HSD-2, BCL-2, CALD1, CD14, CHRM3, CYP19, C1R, HOXA10, IL-6, KRAS, MMP3.7, MYH11, NF-KB, PGE2, PMAIP1, PTEN, RARRES1, RNASE1, THBS1, TIMP3, TGF-B, TNF-α), отвечающих за дифференциацию эндометрия.

Результаты клинических исследований говорят о том, что эндометриоз встречается в 3–10 раз чаще среди родственников первой степени по женской линии, однако нередко у таких женщин имеются пороки развития половых органов с нарушением оттока менструальной крови.

Механизм возникновения эндометриоза

Распространенность эндометриоза не изучена полностью. Чаще всего к врачам с жалобами на боли внизу живота, а также бесплодие обращаются женщины репродуктивного возраста. Считается, что от 5 до 10% таких женщин страдают эндометриозом. У женщин, не планирующих беременность, эндометриоз встречается в 1–5% случаев. У 7% женщин с эндометриозом прослеживается наследственная связь. Самые высокие уровни эндометриоза наблюдаются у женщин 35–44 лет.

> *Почему на фоне якобы полнейшего здоровья у одних женщин возникает эндометриоз, а у других, при наличии отклонений в гормональном фоне или органах репродуктивной системы, — никогда? Этот вопрос несет в себе некую тайну возникновения и развития эндометриоза, до сих пор не раскрытую врачами, учеными, исследователями.*

Эндометриоз — довольно загадочное заболевание, несмотря на распространенность и пристальное внимание врачей и ученых. Существует много теорий и гипотез, объясняющих возникновение эндометриоза, но все чаще врачи склоняются к трем ведущим теориям.

Согласно первой теории (*теория ретроградной менструации*), ткань эндометрия с кровью распространяется во время менструации ретроградно в маточные трубы или же через зияющие кровеносные сосуды и лимфатические протоки матки (*теория имплантации*). Во время менструации у 90% женщин находят кровь в брюшной полости (в дугласовом пространстве).

Вторая теория, *теория целомической метаплазии*, объясняет возникновение эндометриоидных очагов изменениями клеток покровных тканей брюшной полости (брюшины) под воздействием неблагоприятных факторов.

Третья распространенная теория объясняет возникновение эндометриоза неспособностью защитных сил организма разрушать эктопические очаги клеток эндометрия и абнормальной дифференциации эндометриоидной ткани. При этом повышается выработка эстрогенов и прогестерона, но наблюдается устойчивость к усвоению прогестерона тканями.

Все теории подтверждены научными фактами, но в полной мере объяснить механизм возникновения заболевания не могут. Помимо этих теорий существует несколько других.

Нарушенная ответная реакция на прогестерон в эндометриоидных очагах была обнаружена и у животных. Логически напрашивался вывод, что нечувствительность к прогестерону возникала на фоне хронического воспалительного процесса в малом тазу, поскольку воспалительная реакция способна подавлять активность рецепторов прогестерона несколькими путями. Также определенные вещества, возникающие при воспалении, могут нарушать активность и других стероидных рецепторов. Некоторые противовоспалительные факторы могут связываться с прогестероновыми рецепторами, блокируя их. Свободные радикалы, которые возникают при окислительном стрессе[1], тоже способны нарушать кодирование в передаче сигналов прогестероновыми рецепторами.

Интересно, что у женщин с хроническими воспалительными заболеваниями кишечника эндометриоз встречается чаще, чем у здоровых женщин. Наличие очагов воспаления в малом тазу может быть триггером для развития эндометриоза, и наоборот, очаги эндометриоза могут провоцировать воспалительные процессы в кишечнике. Точный механизм этой связи неизвестен.

Классификация эндометриоза

Существуют определенные этапы внедрения эндометриоидных клеток:

- прикрепление и инвазия (проникновение);
- образование сосудов и рост эндометриоидных клеток;
- воспаление;
- образование очага (опухоли).

До сих пор нет четкой клинической классификации эндометриоза, хотя нередко врачи говорят о диффузной форме (в виде мелких очагов) и узловатой форме (опухоли). Существует репродуктивный эндометриоз, поражающий репродуктивные органы (яичники, маточные трубы, маточные связки). Эндометриоидные очаги находят и за пределами репродуктивной системы, например в легких.

Также имеют место дискуссии о стадийности эндометриоза из-за высокого уровня субъективности в оценке распространенности оча-

---

[1] Окислительный стресс — процесс повреждения клетки в результате окисления. — *Прим. ред.*

гов эндометриоза. Практического значения, как оказалось, определение стадии заболевания не имеет.

Среди врачей, проводящих лапароскопию (именно этот метод обследования чаще всего используется для постановки диагноза и проведения лечения), существует лапароскопическая классификация эндометриоза, предложенная Американским обществом репродуктивной медицины. Эта классификация учитывает окраску эндометриоидного очага.

Не секрет, что очаги эндометриоза обнаруживаются чаще всего случайно при проведении лапароскопии не по гинекологическим причинам.

> **Современные рекомендации гласят: если у женщины нет жалоб, которые могут иметь связь с эндометриозом, то его очаги удалять не нужно.**

Неопытные хирурги, увидев небольшой очаг фиолетового или черного цвета, например, на брюшине, считают его чем-то плохим и стараются удалить. В поисках причин боли тоже удаляются чаще всего очаги темного цвета.

Оказалось, что эндометриоидные очаги действительно разноцветные — от прозрачных до черных (прозрачные, белые, розовые, розово-красные, красные, синие (фиолетовые), черные, желто-коричневые), а также они могут проявляться в виде повреждения брюшины. И, как показали исследования, наличие болевого синдрома зависит от вида очага. Самыми болезненными являются красные (84%), прозрачные (76%) и белые очаги (44%). Черные очаги сопровождаются болью только в 22% случаев.

Еще одна особенность эндометриоза: боль не зависит от стадии болезни! В реальности боль испытывают:

- на стадии 1 — 40% женщин;
- на стадии 2 — 24% женщин;
- на стадии 3 — 24% женщин;
- на стадии 4 — 12% женщин.

Казалось бы, чем сильнее выражен эндометриоз, тем больше он должен беспокоить женщину. Но парадокс в том, что едва заметный очаг может доставлять больше дискомфорта и страданий, чем крупный эндометриоидный узел в брюшной полости.

Эндометриоз также может проявляться возникновением эндометриом, которые часто называют шоколадными кистами. Они встречаются у 17–44% женщин с эндометриозом, при этом в 28% случаев они имеются с обеих сторон (у обоих яичников).

Для выбора тактики наблюдения или лечения эндометриом учитывают три важных фактора:

- наличие симптомов;
- размеры кисты;
- яичниковый резерв.

Шоколадные кисты не влияют на уровень зачатий и вынашивание беременности. Если их размеры не больше 4–6 см и они не вызывают боли и дискомфорта, за ними наблюдают. При низком АМГ кисты тоже не трогают. Медикаментозное лечение шоколадных кист не проводят.

Говоря об эндометриозе, важно вспомнить такой диагноз, как **аденомиоз**, когда эндометриоидные очаги находят в толщине мышечного слоя матки (миометрия) и покровном слое. Это частое явление у женщин старше 35 лет. Такие очаги раньше обнаруживали в матке после ее удаления по причине болезненных и обильных менструаций. Сейчас этим диагнозом злоупотребляют при проведении УЗИ. Важно знать, что до сих пор не существует:

- классификации аденомиоза;
- строгих диагностических критериев, включая УЗИ-критерии;
- достоверных данных о негативном влиянии аденомиоза на фертильность;
- достоверных данных о негативном влиянии аденомиоза на исход беременности;
- достоверных данных об эффективности лечения.

Два наиболее частых симптома аденомиоза — обильность и болезненность менструации, они возникают обычно после 30 лет, нескольких беременностей и родов и усиливаются по своему проявлению с возрастом.

Таким образом, аденомиоз является вполне безобидным состоянием матки у большинства женщин, хотя может сопровождаться болезненными и обильными менструациями.

Устойчивость к прогестерону

Казалось бы, зависимость от эстрогена и резистентность к прогестерону — одно и то же явление, названное по-разному. Однако речь идет о разных фазах менструального цикла, где доминирует воздействие разных гормонов.

Понятие «прогестероновой резистентности» основано на исследованиях, которые показали, что у женщин, страдающих эндометриозом, наблюдается нарушение регуляции прогестеронзависимых генов (более 200) в эндометриоидных очагах, а также в эндометрии матки. Очевидно, это явление играет роль в возникновении трубной и яичниковой дисфункции у женщин с эндометриозом. Исследования также показали, что нарушение регуляции генов происходит в течение всего цикла, но наибольшие отклонения обнаружены в начале лютеиновой фазы. Это приводит к тому, что пролиферация эндометрия у таких женщин затягивается и не подавляется прогестероном.

Прогестероновой резистентностью, казалось бы, можно объяснить механизм возникновения бесплодия у некоторых женщин, страдающих эндометриозом. А значит, дополнительное введение прогестерона, по идее, должно помочь возникновению беременности. Однако все не так просто. Гены, гормональная регуляция которых нарушена, нечувствительны к экзогенному (лекарственному) прогестерону. Одно из исследований показало, что экспрессия 245 генов эндометриодной ткани у больных эндометриозом отличалась от таковой у здоровых женщин при наличии нормального уровня прогестерона.

В отличие от нормальной эндометриоидная ткань имеет меньшую чувствительность к прогестерону независимо от того, где размещены очаги эндометриоза — вне матки или в матке (эктопически или эутопически). Оказалось, в эндометриоидных очагах прослеживается не только диспропорция эстрогенных и прогестероновых рецепторов, но также уменьшено соотношение двух видов прогестероновых рецепторов — А и В (ПР-В/ПР-А), что может объяснить устойчивость этих тканей к прогестерону. Некоторые врачи считают, что дефицит прогестероновых рецепторов ПР-В — ключ к пониманию развития эндометриоза, поэтому необходим поиск лекарств, которые активировали бы такие рецепторы, что может оказаться наиболее эффективным методом лечения эндометриоза.

Прогестероновая резистентность отмечается и при ряде других заболеваний, в частности при синдроме поликистозных яичников.

Современное медикаментозное лечение

Эндометриоз — это почти пожизненное заболевание (до наступления менопаузы) и практически не излечимое. При эндометриозе помощь врача требуется при наличии болевого синдрома и/или бесплодия.

При болях отдают предпочтение медикаментозному лечению, при этом выбор препарата основан на меньших побочных эффектах.

- Нестероидные противовоспалительные препараты.
- Гормональные контрацептивы.
- Прогестины.
- Агонисты GnRH.
- Даназол.

Совершенно не рационально вызывать искусственную менопаузу, не перепробовав более щадящие методы лечения. Также совершенно нерационально лечить эндометриоз, если он не доставляет никаких жалоб. Это неправда, что если не лечить бессимптомный эндометриоз, то это чревато серьезными последствиями. Почти у 25% женщин это заболевание протекает без всяких признаков и жалоб.

Также чрезвычайно много спекуляций о преимуществах того или иного метода лечения болевого синдрома. Серьезный анализ клинических исследований (2017 год) показал следующее:

- не существует разницы в эффективности хирургического и медикаментозного лечения для устранения боли при всех стадиях эндометриоза;
- уменьшение боли наблюдается через определенный период после начала лечения (12–24 месяца);
- продолжительное улучшение или ухудшение состояния зависит не от вида и продолжительности лечения, а от образа жизни (питание, курение, насилие, аборты, злоупотребление алкоголем, заболевания кишечника и других органов малого таза).

Только небольшое количество исследований по изучению лекарственной терапии эндометриоза сообщает об исходе лечения. Оказалось, многие женщины получили очень ограниченную или промежуточную пользу от лечения:

- 11–19% — боль не уменьшилась;
- 5–59% — боль осталась;
- 17–34% — боль появилась снова;
- 5–16% — побочные эффекты и прекращение лечения.

В лечении или наблюдении эндометриоза ключевым остается индивидуальный подход.

Использование гормональных препаратов для лечения эндометриоза

О способности прогестерона подавлять рост эндометрия знали еще несколько столетий тому назад. Правда, в те далекие времена о самом прогестероне как веществе не имели понятия, но знахари и врачи использовали вытяжку из яичников животных для создания искусственной менопаузы у женщин с сильными болями, особенно во время месячных. Описание таких клинических случаев полностью совпадает с картиной эндометриоза.

Несмотря на то, что имеются объяснения возникновения прогестероновой резистентности, до сих пор не найдено адекватного медикаментозного лечения, которое бы не только подавляло рост эндометрия в эндометриоидных очагах, но и восстанавливало бы нормальную чувствительность тканей к стероидным гормонам. Помимо нарушения экспрессии прогестеронзависимых генов в эндометриоидных очагах, в развитии прогестероновой резистентности играет роль тот факт, что прогестероновые рецепторы при эндометриозе имеют определенный дефект. Поэтому корректировка такого состояния дополнительным приемом прогестерона не оказывает лечебного воздействия.

Основная цель в лечении эндометриоза — это устранение фазности циклов, то есть овуляции. Поэтому применение КОК и прогестинов, которые подавляют овуляцию, может частично улучшить состояние женщины.

Нередко врачи назначают КОК в непрерывном режиме, чтобы избежать возникновения кровотечений отмены при 7-дневном перерыве в приеме гормонов, так как считается, что при менструации (искусственно созданном кровотечении отмены) незначительная порция крови может попадать в брюшную полость и вызывать боль в малом тазу.

> **Прогестины хотя и оказывают лечебное действие, но в отношении боли они проявляют кратковременный эффект.**

Диеногест может использоваться в комбинации с агонистами гонадотропин-рилизинг-гормонов, однако данные последних исследований показали, что этот препарат эффективен и без агонистов GnRH и вызывает меньше побочных эффектов. Так как диеногест обладает противоэстрогенными свойствами, основные жалобы, связанные с приемом препарата, вызваны проявлением гипоэстрогении.

Депо-прогестиновая терапия широко применяется с целью контрацепции. Для лечения эндометриоза используют депо ацетата медроксипрогестерона (DMPA, ДМПА). Этот вид лечения становится популярным среди женщин, так как он не только экономически выгодный (дешевле), но и не требует ежедневного приема препарата, а также предохраняет от беременности.

Самая неприятная побочная сторона лечения депо-прогестинами — это прорывные кровотечения, которые могут быть обильными и длительными. Такой вид лечения не назначается женщинам, планирующим беременность, так как препараты могут заблокировать репродуктивную систему надолго, нарушив созревание яйцеклеток и регулярность менструального цикла.

> *Длительный прием депо-прогестинов требует дополнительного приема препаратов кальция для профилактики остеопороза.*

Внутриматочная система «Мирена», которая содержит левоноргестрел, оказывает противоэстрогенное действие, поэтому подавляет рост эндометрия, нередко вызывает аменорею (отсутствие менструации) и, таким образом, устраняет болевые ощущения у половины женщин, страдающих эндометриозом. Овуляция при использовании «Мирены» подавляется далеко не у всех. Преимущество этого метода лечения состоит в том, что внутриматочная система с левоноргестрелом может находиться в полости матки до 5 лет, оказывая свое лечебное действие. Так как овуляция при этом методе не угнетается полностью, риск возникновения эндометриом (шоколадных кист) повышается. В 5% случаев внутриматочная система самоудаляется.

Даназол является производным мужских половых гормонов и поэтому вызывает искусственную менопаузу. Он широко применялся для лечения эндометриоза около 20 лет назад и до сих пор применяется в ряде стран. Этот препарат имеет побочные эффекты, такие, как появление акне, гирсутизм, увеличение веса, атрофия молочных желез и др. Имеются данные, что длительный прием даназола повышает риск развития рака яичников.

Агонисты гонадотропин-рилизинг-гормона — это новая группа препаратов, которые назначаются при неэффективности других лекарств или, реже, в комбинации с ними. Препараты этой группы не должны применяться без дополнительной фоновой (заместительной) гормональной терапии. На рынке существует несколько агонистов GnRH: бусерелин, гозерелин, лейпрорелин, нафарелин, трипторелин, диеногест и другие.

Так как эта группа препаратов обладает выраженным противоэстрогенным действием, основным серьезным побочным эффектом является состояние эстрогенной недостаточности (гипоэстрогения), которое может сопровождаться горячими приливами, сухостью влагалища, бессонницей, понижением либидо, а также уменьшением плотности костей и потерей кальция организмом (не всегда возвратными). Поэтому часто при лечении этими препаратами назначается заместительная гормональная терапия (комбинация эстрогенов и прогестерона), как это принято для лечения гипоэстрогении у женщин в климактерическом периоде.

Данные препараты вызывают длительную стойкую аменорею, которая редко сопровождается прорывными кровотечениями. Их нельзя принимать женщинам, планирующим беременность.

В ряде стран проходят клиническое испытание ингибиторы ароматаз для лечения эндометриоза. Их действие основано на подавлении фермента — ароматазы, которая используется эндометриоидными очагами для выработки собственного эстрогена.

Эти препараты могут комбинироваться с другими лекарствами не только для лечения болевого синдрома при эндометриозе, но и для предотвращения образования кист после применения или отмены других видов лечения.

Хирургическое лечение эндометриоза

Врачи часто злоупотребляют хирургическим лечением эндометриоза, в частности лапароскопией. Они проводят ее у большинства женщин с хронической болью в малом тазу. Однако лечение хронической боли, особенно случаев дисменореи (болезненные месячные), может быть начато и без хирургического вмешательства — назначением лекарственных препаратов. Если медикаментозное лечение оказывается неэффективным, тогда лапароскопия может быть проведена не только с целью диагностики, но и как хирургический метод лечения.

Современные рекомендации по хирургическому лечению эндометриоза включают только две группы больных:

- больные с болью в малом тазу:

а) медикаментозное лечение которых оказалось неэффективным;
б) имеют противопоказания к медикаментозному лечению;
в) отказались от медикаментозного лечения;
г) оказались в состоянии, когда необходимо оказать экстренную помощь (разрыв кисты яичника, перекрут кисты на ножке и др.);
д) страдающие инвазивной формой эндометриоза с поражением кишечника, мочевого пузыря, мочеточников, нервов малого таза.

- больные, у которых находят или подозревают эндометриому яичника:

а) при наличии опухоли яичника неясной природы;
б) страдающие бесплодием и хронической болью в малом тазу.

Женщины, у которых очаги эндометриоза выявлены во время хирургического вмешательства случайно (например, при аппендэктомии), в лечении эндометриоза не нуждаются. Исследования показывают, что удаление очагов эндометриоза у женщин, страдающих бесплодием, уровень фертильности не повышает, поэтому женщинам, планирующим беременность, лапароскопия в большинстве случаев не рекомендуется.

Эндометриоз и бесплодие

Эндометриоз превратился в коммерческий диагноз в ряде стран, потому что диагностика и лечение этого заболевания могут быть бесконечными на фоне страха женщины остаться бесплодной или же испытывать сильную боль в будущем.

Бесплодие сопровождается выраженным негативным психоэмоциональным фоном. Именно в группе женщин, страдающих проблемами с зачатием ребенка, проводят интенсивное обследование и обнаруживают эндометриоз чаще, чем в группе здоровых репродуктивно женщин.

> **Большинство бесплодных женщин понятия не имеют, что у них есть эндометриоз. И только небольшая группа может реально страдать болевым синдромом, мешающим вести регулярную половую жизнь.**

На тему эндометриоза и фертильности как раз из-за наличия спекуляций проведено очень много серьезных клинических исследований. До сих пор связь между эндометриозом и бесплодием не доказана, хотя первые публикации на эту тему пестрили утверждениями, что эндометриоз вызывает бесплодие. Но чем больше улучшается качество проведения исследований, тем больше мы имеем достоверных данных. Вот что говорит доказательная медицина по поводу распространенных утверждений о влиянии этого заболевания на фертильность.

- Стадия эндометриоза не влияет на протекание и исход беременности.
- Эндометриоз не влияет на качество яйцеклеток.
- Уровень лютеиновой недостаточности не увеличен.
- Синдром лютеинизации фолликула не встречается чаще при эндометриозе.
- Качество эндометрия не страдает.
- Антиэндометриальные антитела могут быть повышены у единичных больных эндометриозом, но они также повышены у женщин, страдающих бесплодием без эндометриоза.
- Продвижение спермы по маточным трубам не нарушается из-за эндометриоза.
- Токсическое влияние эндометриоза на эмбрион не подтверждено.

- Рецепторы эндометрия в матке не повреждены — только в эндометриоидных очагах.
- Эндометриоз не увеличивает уровень биохимических беременностей[1].
- Эндометриоз не увеличивает уровень спонтанных потерь (выкидышей и замерших беременностей).
- Лечение 1–2 стадии эндометриоза не повышает уровень зачатий.
- Прогестины, GnRH-агонисты, даназол не повышают уровень зачатий, а, наоборот, понижают (из-за возникающей ановуляции).
- Хирургическое лечение ранних стадий эндометриоза не повышает уровень зачатий и беременностей.
- Хирургическое лечение при распространенных формах эндометриоза может повысить уровень зачатий путем устранения болевого синдрома и дискомфорта и улучшения качества жизни, в том числе половой.
- ЭКО менее успешно для поздних стадий эндометриоза, но не из-за качества яйцеклеток.

Это далеко не все факты об эндометриозе, разоблачающие многочисленные мифы вокруг данного заболевания.

Эндометриоз не настолько страшен, как о нем говорят. Отсутствие жалоб не требует никакого гормонального и другого лечения этого заболевания. Не существует никаких профилактических курсов лечения эндометриоза после удаления шоколадных кист, лапароскопии, при планировании или после потери беременности.

Проблема некоторых женщин, особенно планирующих беременность, в том, что они чрезмерно «зациклены» на каком-то популярном, модном диагнозе, часто навязанном им малограмотным врачом, что фактически живут годами в собственной маленькой и тесной клетке-тюрьме, тратя время (жизнь!), деньги и здоровье на бесконеч-

---

[1] Согласно «Словарю терминов вспомогательных репродуктивных технологий», составленному ВОЗ, «Биохимическая беременность (преклинический спонтанный аборт/выкидыш) — беременность, подтвержденная только результатами определения ХГЧ в сыворотке крови или моче и не развившаяся в клиническую беременность». — *Прим. ред.*

ные обследования и лечение. Если среди моих читателей есть женщины, которые застряли в такой ситуации: постарайтесь ее оценить по-новому, постарайтесь взглянуть на потраченные средства и время рациональнее. Низкий уровень знаний о собственном организме и процессах в нем — это отличная почва для создания страхов, которые начинают манипулировать жизнью женщины, делая ее хронически несчастной. Если врач в течение года не может облегчить ваши страдания, значит, это не ваш врач. Проблема не в болезни, а в неумении врача поставить правильный диагноз и назначить правильное лечение. И если вы хотите ребенка, а вам подавляют работу яичников, не прислушиваясь к вашему желанию, срочно меняйте врача.

Глава 5

Гормональная контрацепция

Гормональная контрацепция — такая же актуальная тема, как и тема заместительной гормональной терапии, и ее обсуждение в обществе продолжается в течение последних шестидесяти лет. Она заслуживает отдельной книги, поэтому здесь мы затронем только самые важные аспекты.

Около 70% женщин репродуктивного возраста живут половой жизнью, но не планируют беременность. Именно поэтому 80% незапланированных беременностей в недавнем прошлом (около 40–50 лет тому назад) заканчивались абортами. Благодаря появлению большого количества средств предохранения, в том числе гормональных контрацептивов, уровень абортов значительно понизился во всех развитых странах, но все еще высокий (25–50%). Сейчас в мире проводится около 60 миллионов абортов в год, в основном в странах с низким социально-экономическим уровнем, где контрацепция недоступна большинству женщин и мужчин из-за дороговизны.

> *Приблизительно 18% людей, предохраняющихся от беременности, используют гормональную контрацепцию. В странах Европы, США и Канаде ее применяют до 30% женщин.*

243

До сих пор многие врачи и их пациентки в ряде стран смотрят на гормональную контрацепцию как на «исчадие зла», акцентируя внимание на серьезных побочных эффектах применения такого вида контрацепции, возникающих у некоторых женщин. Но история и медицинская практика показывают: в тех странах, где уровень гормональной контрацепции низок, наблюдаются чрезвычайно высокие уровни абортов, в том числе нелегальных. Количество осложнений из-за прерывания беременности значительно превышает количество осложнений из-за применения гормональной контрацепции. Поэтому «из двух зол» необходимо выбирать меньшее — и гормоны в этом отношении наиболее эффективный вариант предохранения от беременности.

Немного истории гормональной контрацепции

Как показывает история, ученых и врачей интересовали стероидные гормоны не столько в лечебных целях, сколько в контрацептивных. Интерес к поиску гормонов был настолько велик, что в начале XX столетия всего в течение двух десятилетий появились сотни статей на тему гормонов яичников, и особенно желтого тела. Не все они были напечатаны в престижных научных и медицинских журналах, поэтому не все доступны для изучения сегодня. Тем не менее колоссальный интерес ученых и врачей к вопросам женской эндокринологии поражает своим размахом. Другими словами, о гормонах яичников знали задолго до выделения прогестерона в чистом виде.

Хотя в 30–40-х годах прошлого столетия не было компьютеров, Интернета и обмен информацией проходил довольно медленно, между учеными существовала определенная связь, так как все они участвовали в серьезном соревновании в поисках чудодейственного контрацептива, которым был и остается прогестерон. Совершенно верно — это не оговорка. Содержимое желтого тела интересовало ученых только с точки зрения предохранения от беременности.

Желтое тело ряда животных было легко доступным и дешевым биоматериалом.

Врачи заметили, что во время беременности женщины (впрочем, как и самки млекопитающих и других представителей животного мира) не могут забеременеть повторно. Кроме того, у беременных женщин прекращались менструации. Точно такой же эффект наблюдался, когда самкам животных и женщинам вводили вытяжку из желтого тела: возникала ложная беременность, прекращались менструации, и такие самки и женщины теряли способность беременеть. Вытяжка желтого тела, которая использовалась для лечения болезненных менструаций, довольно часто приводила к прекращению менструальных циклов, то есть к созданию искусственной менопаузы. Но самое важное открытие: менструальные циклы возвращались после прекращения лечения и женщины могли беременеть, то есть эффект был не постоянным, а временным.

Дальнейший поиск привел к мысли, что при беременности выделяется вещество, которое также имеется в желтом теле и обладает сильным контрацептивным действием. И таким веществом оказался прогестерон. Именно с получения синтетического прогестерона началась и развилась вся гормональная контрацепция, и ее принципы не изменились до сих пор.

> Основным контрацептивным веществом во всех без исключения гормональных контрацептивах является прогестин — синтетическая форма прогестерона.

Потребность в гормональной контрацепции стала расти в 1920–1930-е годы, когда началось интенсивное движение феминисток, поддерживающих эмансипацию женщин, а значит, их право контролировать зачатие и рождение потомства, как, впрочем, и сексуальную раскрепощенность. Количество абортов начало расти драматически, хотя во многих странах они были запрещены (в некоторых запрещены до сих пор), а врачи, выполнявшие прерывание беременности, подвергались гонению и наказанию. Именно такая возросшая потребность в получении вещества, которое бы блокировало репродуктивную систему, ускорила поиск синтетического прогестерона.

Прогестерон уже был известен, но под другими названиями, и о его контрацептивных свойствах тоже знали. Оставалось только получить это вещество в таком виде, чтобы его использование было удобным, а усвоение — максимальным.

> *Когда в 30-х годах прошлого века ученые получили прогестерон, идентичный человеческому гормону, сначала имела место определенная эйфория, но дальше — разочарование врачей и химиков, которые обнаружили, что в таком виде, то есть в виде чистого прогестерона, этот гормон не оказывает необходимого терапевтического действия.*

Еще 80 лет назад стало известно, что прогестерон очень быстро распадается, то есть метаболизируется в организме человека, в считаные минуты. Другими словами, прогестерон очень быстро выводится из организма. Вводить женщинам большие дозы прогестерона в виде инъекций каждый день, а иногда и несколько раз в день, чтобы создать контрацептивный эффект, оказалось настоящим абсурдом. Но если принимать прогестерон внутрь, он совершенно не усваивается.

Таким образом, открытие прогестерона повлекло за собой массу разочарований — практического применения этот препарат не находил долгие годы, в отличие от его синтетических аналогов.

К концу 1938 года немецкими химиками была получена оральная (таблетированная) форма синтетического прогестерона — этистерон, которая положила начало оральным гормональным контрацептивам. Это означало, что такой вид прогестина хорошо усваивался и не терял свой эффект, выполняя контрацептивное действие после введения в желудочно-кишечный тракт в виде таблеток. Этот гестаген все еще используют в ряде стран.

В 1952 году в США появился первый гормональный прогестиновый контрацептив — норэтинодрел, или НЕТ. В 1960–1961 годах в США и Англии был лицензирован первый комбинированный оральный контрацептив — *эновид* (1960 и 1957 года соответственно), который содержал не только синтетический прогестерон, но и синтетический эстроген. Эновид присутствовал на рынке вплоть до 1988 года, пока его производство не прекратили из-за слишком высокой дозы эстрогенного компонента.

В 1940 году Маркер Рассел получил прогестерон, молекулярное строение которого было идентично прогестерону человека, из диосгенина ямса, или сладкого картофеля. Такое получение гормона назвали *полусинтезом*. Благодаря работам Перси Джулиана из растительного сырья начали получать и другие стероидные гормоны.

И только в 1971 году удалось синтезировать прогестерон, то есть получить его в лабораторных условиях без применения растительного или животного сырья. Это стало началом производства относительно дешевых гормональных контрацептивов и толчком для внедрения гормональной контрацепции по всему миру.

> До 1973 года синтез прогестерона в США контролировался правительством и составлял всего лишь чуть более 60 кг в год. Но уже с 1975 года на рынке США появилось 13 видов гормональных препаратов, содержащих эстрогены и прогестины, в том числе прогестерон, производство которого достигло в 1979 году почти 12 тонн в год.

Синтетические заменители прогестерона появились одновременно с открытием натурального прогестерона, и за эти почти сто лет «эры прогестерона» были синтезированы сотни производных прогестерона и других стероидных гормонов. Далеко не все они нашли применение в практической медицине.

Современные прогестины являются производными прогестерона и тестостерона, а также других стероидов. Все синтетические прогестероны по строению относятся к стероидным гормонам с 19 или 21 атомами углерода (C). Отличия в строении определяют разное воздействие синтетических прогестеронов на организм женщины.

Воздействие прогестинов на клетки и ткани человека происходит за счет их связывания с рецепторами прогестерона, но особенность их в том, что они могут связываться с другими стероидными рецепторами быстрее или больше, поэтому активность и воздействие препаратов будут разными.

На современном рынке существует более 500 наименований и форм синтетического прогестерона — прогестинов. Тем не менее прогестерон и прогестины не нашли широкого применения в акушерстве, за исключением тех стран, где все еще доминирует миф о пользе прогестерона для сохранения беременности.

На чем основано действие гормональной контрацепции

О том, что прогестерон и прогестины влияют на эндометрий, а также подавляют созревание яйцеклеток, то есть о **прогестероновом действии**, я уже упоминала на страницах этой книги. Если прогестерон принимать в начале менструального цикла, овуляции действительно не будет.

В публикациях за последнее столетие можно найти несколько разных названий прогестерона и его «заменителей», то есть веществ с прогестероновым и другими свойствами.

В 1930 году немецкий врач-гинеколог Карл Клауберг, профессор университета в Кенигсберге (сейчас Калининград), создал классификацию синтетических заменителей прогестерона, введя понятия «прогестины», «прогестагены», «гестагены» и определенную шкалу их биологической активности на примере эндометрия кроликов.

Группу, которая включает прогестерон и другие гормоны, имеющие схожие свойства, называют **прогестагенами**. Нередко в сокращенном варианте их называют **гестагенами**. Слово «гестаген» означает «прогестационный агент», то есть связанный с беременностью (гестацией). Эта группа включает натуральный прогестерон, биоидентичные и синтетические формы прогестерона, хотя в ряде источников прогестагенами называют только синтетические формы, что неправильно.

Прогестинами называют синтетические формы прогестерона.

Существует четыре механизма воздействия прогестинов в качестве средства контрацепции:

1. Нарушение процесса овуляции через подавление роста ЛГ и ФСГ в середине цикла. Следует знать, что во всех противозачаточных гормональных таблетках и других формах препаратов основной контрацептивный эффект обеспечивается прогестагенным компонентом. Эстрогены добавляют для эффективности регулярного кровотечения отмены (для лучшего роста эндометрия) и предупреждения кровотечения в середине цикла. Они также могут подавлять овуляцию, воздействуя на выработку ЛГ и ФСГ гипофизом, но только в высоких дозах.
2. Выработка густой шеечной пробки, что предотвращает попадание сперматозоидов в полость матки (такой же эффект оказывает прогестерон при беременности, когда формируется шеечная пробка).
3. Нарушение качества эндометрия, который становится непригодным для имплантации. Такой эффект достигается путем подавления возникновения и активации прогестероновых рецепторов, повышения роста стромальных клеток и уменьшения количества секреторных желез эндометрия. Также наблюдается отечность тканей эндометрия.
4. Уменьшение подвижности маточных труб и движений их ресничек. Именно этим объясняется повышение риска возникновения внематочной беременности при применении прогестиновых препаратов с лечебной целью, особенно во второй половине цикла (5–6% риска).

Несмотря на то что существует множество прогестинов, все они без исключения имеют вышеперечисленные механизмы контрацептивного действия, но каждый гестаген может иметь и специфическое действие как следствие определенной пропорции по силе проявления этих механизмов. Другими словами, одни гестагены больше подавляют овуляцию, другие — меньше, одни больше нарушают качество эндометрия, другие — меньше, одни прогестины имеют более выраженный антиандрогенный эффект, другие, наоборот, проявляют андрогенный эффект и т.д.

Разные биологические свойства прогестинов могут быть слабыми, выраженными (положительными) или отсутствовать (отрицательными). Сила воздействия и проявления эффекта зависит от активности прогестинов по отношению к разным рецепторам.

Название прогестина	Прогесте-роновые свойства	Эстро-генные свойства	Противо-эстрогенные свойства	Андро-генные свойства	Противо-андрогенные свойства	Глюко-корти-коидные свойства	Антиминерало-кортикоидные свойства	Антигонадо-тропные свойства	Суточная доза для подавления овуляции (мг)
Прогестерон	+	–	+	–	±	+	+	+	300
Прегнаны									
Дидрогестерон	+	–	+	–	±	–	±	–	30-35
Медрогестерон	+	–	+	–	+	–	–	+	10
Хлормадинона ацетат	+	–	+	–	+	+	–	+	1,5-2
Ципротерона ацетат	+	–	+	–	+	+	–	+	1
Мегестрола ацетат	+	–	+	±	+	+	–	+	10
Медроксипрогесте-рона ацетат	+	–	+	±	–	+	–	+	10
19-Норпрегнаны									
Номегестрола ацетат	+	–	+	–	±	–	–	+	5
Промегестон	+	–	+	–	–	–	–	+	0,5
Тримегестон	+	–	+	–	±	–	±	+	0,5
Эстраны									
Норэтистерон	+	+	+	+	–	–	–	+	0,5
Линестренол	+	+	+	+	–	–	–	+	2
Норэтинодрел	±	+	±	±	–	–	–	+	5
Гонаны									
Левоноргестрел	+	–	+	+	–	–	–	+	0,05
Дезогестрел	+	–	+	+	–	–	–	+	0,06
Норгестимат	+	–	+	+	–	–	–	+	0,2
Гестоден	+	–	+	+	–	+	+	+	0,03
Диеногест	+	±	±	–	+	–	–	+	1
Дроспиренон	+	–	+	–	+	–	+	+	2

«+» — положительный эффект; «–» — отрицательный эффект; «±» — слабый положительный эффект

Воздействие натурального прогестерона на прогестероновые рецепторы принято за 100%, а сравнительный анализ влияния разных прогестинов выражается в цифрах, которые показывают, насколько их действие на эти рецепторы сильнее, чем у прогестерона. Например, левоноргестрел в 150 раз сильнее прогестерона по воздействию на прогестероновые рецепторы, 3-кето-дезогестрел — в 150 раз, номегестрол — в 125 раз, промегестон — в 100 раз, гестоден — в 90 раз и т.д.

> *Важно понимать, что эти показатели сравнительной характеристики биологического воздействия прогестерона на рецепторы относительные, потому что определить в лабораторных условиях или непосредственно в организме животных и человека степень воздействия гормонов чрезвычайно сложно.*

Учитывая эти показатели, можно понять, почему так отличаются дозы гестагенов, используемых с лечебной и контрацептивной целью. Например, если для подавления овуляции суточная доза прогестерона должна быть 300 мг, то суточная доза разных прогестинов будет выражаться в чрезвычайно маленьких количествах — от 0,03 (в 10 000 раз меньше дозы прогестерона!) до 30–35 мг. Поэтому злоупотребление прогестинами (а иногда врачи ошибочно комбинируют разные прогестагены) может привести к серьезным негативным последствиям.

То же самое можно сказать и в отношении воздействия прогестинов на другие стероидные рецепторы. Сила влияния синтетических гормонов на разные рецепторы определена для многих прогестинов теми же методами — сравнением с воздействием ряда стероидных гормонов: тестостерона, эстрадиола, кортизола и др. От этого будут также зависеть побочные эффекты воздействия гормонов на разные органы и системы органов.

Виды гормональной контрацепции

На современном рынке существует большое количество разных форм прогестинов. Часто их классификация представлена в виде поколений. Выделяют четыре поколения прогестинов, но такая классификация не имеет популярности в повседневной практике врачей.

Первое поколение прогестинов включает норэтистерон, второе — норгестрел, левоноргестрел, третье — дезогестрел, гестоден, норгестимат и четвертое — дроспиренон (производные спиронолактона). Каждое поколение обладает определенными свойствами, например, третье слабо влияет на уровень жиров в плазме крови по сравнению с другими, также имеет меньшее андрогенное свойство. Четвертое поколение прогестинов характеризуется минералокортикоидным эффектом, похожим на действие спиронолактона (диуретик и конкурент гормонов надпочечников, влияет на водно-солевой обмен).

> Еще до Второй мировой войны был синтезирован норэтинодрел — производное тестостерона. Благодаря этому первому синтетическому контрацептиву были созданы оральные (таблетированные) контрацептивы в комбинации с синтетическим эстрогеном. Существует два вида синтетических эстрогенов, используемых в комбинированных гормональных контрацептивах, но чаще всего в состав препаратов входит этинилэстрадиол (ЕЕ).

Итак, одни прогестины могут связываться с прогестероновыми рецепторами, другие — с андрогенными, третьи — с эстрогенными. Кроме этого, прогестины могут связываться с минералокортикоидными и глюкокортикоидными рецепторами. И в зависимости от вида связи свойства прогестинов могут быть прогестероновыми, эстрогенными, противоэстрогенными, андрогенными, противоандрогенными, глюкокортикоидными и антиминералокортикоидными. Также прогестины могут влиять на гипофиз и подавлять выработку гонадотропинов — оказывать антигонадотропное действие.

Такие разные свойства гормонов важно учитывать при выборе прогестина для назначения с лечебной или контрацептивной целью, то есть подбор гормональных препаратов, в том числе гормональных контрацептивов, должен быть всегда индивидуальным.

Современным женщинам повезло, потому что выбор гормональной контрацепции расширился. Существуют чистые препараты прогестинов и в комбинации с синтетическим эстрогеном. Форма введения гормонов в организм женщины делит все контрацептивы на следующие группы.

Комбинированные:

- оральные (через рот и желудочно-кишечный тракт) — таблетированные контрацептивы, которые включают комбинированные оральные контрацептивы (КОК) и прогестины (мини-пили). Упаковка гормонов содержит от 21 до 28 таблеток, которые принимаются ежедневно;
- чрескожные — контрацептивный пластырь. Накладывается на кожу раз в неделю в течение 3 недель с перерывом в 1 неделю. Является комбинированным препаратом, содержащим эстрогены и гестагены;
- влагалищные — влагалищное кольцо, комбинированный гормональный контрацептив. Используется три недели с перерывом в одну неделю. На рынке появилось кольцо, которое можно использовать в течение года без перерывов;
- подкожные — импланты.

Чисто прогестиновые:

- внутримышечные — инъекции, обычно требуются каждые 3 месяца;
- внутриматочные — внутриматочная гормональная система (спираль), содержащая прогестин. Используется в течение 5 лет.

Появление на рынке такого разнообразия форм гормональных контрацептивов позволяет лучше учитывать предпочтения женщин. Например, некоторые женщины плохо переносят таблетированные формы или же забывают принимать таблетки вовремя, поэтому они могут воспользоваться влагалищным кольцом или пластырем. Внутриматочная система, содержащая прогестин, успешно применяется не только с целью контрацепции, но и для улучшения качества менструации у женщин, страдающих маточными кровотечниями.

Комбинированные оральные контрацептивы содержат синтетические дозы эстрогена и прогестерона. В зависимости от дозы эстрогена говорят о *микродозированных, низкодозированных, среднедозированных и высокодозированных КОК.*

Микродозированные и низкодозированные ОК обычно используют молодые женщины, подростки, а также женщины предклимактерического возраста. Среднедозированные ОК популярны среди женщин среднего возраста, особенно рожавших. Высокодозированные препараты применяются чаще всего с лечебной целью, реже как контрацепция.

В зависимости от комбинации и дозы гормонов ОК делят на монофазные, двухфазные и трехфазные. Монофазные ОК были одними из первых, они содержали высокую дозу эстрогенов, которая не менялась для всех дней приема препарата. Двухфазные препараты имеют две разные дозы гестагенов. У трехфазных препаратов меняются дозы и эстрогенов, и прогестинов.

Такое разнообразие видов, доз и форм гормональных контрацептивов может показаться слишком сложным для правильного подбора препарата. Но в большинстве стран мира гормональные контрацептивы подбирает врач с учетом многих факторов, и обязательно противопоказаний.

Эффективность гормональных контрацептивов

Гормональные контрацептивы считаются высокоэффективными противозачаточными средствами, поскольку имеют несколько механизмов воздействия. В литературе существуют показатели эффективности, которые не всегда понятны людям без медицинского образования. Большинство людей хотят просто знать, какова у них вероятность случайно забеременеть. Однако расчетов эффективности при приеме гормонов в течение месяца не существует. Эффективность для всех гормональных контрацептивов вычисляется на год их использования.

Например, у женщины молодого репродуктивного возраста (20–30 лет) 15% вероятности забеременеть в течение года. Это значит, что 15 женщин из 100 такого же возраста в течение года регулярной половой жизни забеременеет.

> Эффективность противозачаточных средств определяется количеством женщин, которые забеременели в течение года на фоне правильного использования контрацептива.

Кроме того, существует такое понятие, как **идеальное** и **типичное использование** препаратов. Под идеальным использованием понимают прием контрацептивов, когда созданы все условия для их максимального воздействия. Однако в жизни на усвоение и обмен гормонов, в том числе полученных извне в виде лекарственных препаратов, влияют многочисленные факторы: вес, питание, скорость обменных процессов, наличие разных заболеваний, прием других лекарственных препаратов, переносимость контрацептивов, соблюдение режима их приема и др.

> *В мире не существует ни одного противозачаточного средства с 100%-ной эффективностью, кроме воздержания от секса (абстиненции).*

Для людей, пользующихся контрацепцией (любой), важно знать об эффективности противозачаточного метода именно при типичном его использовании, потому что идеальности достичь крайне трудно, хотя нужно стремиться соблюдать условия, при которых контрацептивный эффект не понижается.

Вид гормонального контрацептива	Эффективность при идеальном использовании	Эффективность при типичном использовании	Женщины, продолжающие принимать гормональный контрацептив в течение года
КОК	98–99%	91–95%	50–85% в течение 6 месяцев 60% в течение года
Мини-пили	99%	91%	60–85%
Пластыри	99%	91%	50–67%
Внутриматочная система	99%	99%	88–93%
Инъекции	99%	94%	56–58%
Влагалищное кольцо	99%	91%	50–67%
Импланты	99%	99%	83–85%

Почему эффективность внутриматочной системы и имплантов сохраняется высокой? Потому что устранен субъективный фактор (человеческий фактор) — гормональный препарат находится внутри тела и его воздействие происходит автоматически. Таким образом, контрацептивы длительного действия являются самыми эффективными.

Важно помнить, что 90% случаев беременности на фоне использования гормональных контрацептивов возникают по причине неправильного или нерегулярного их использования.

Когда и как начинать прием гормональных контрацептивов

Прием любых гормональных контрацептивов можно начинать в любой день менструального цикла при условии, что беременность исключена. Те гормональные контрацептивы, прием которых включает перерыв в 7 дней (или прием таблеток-пустышек), создают собственный искусственный цикл, имитирующий натуральный. Такие циклы практически всегда будут 28-дневными, хотя натуральные (естественные) циклы могут продолжаться от 21 до 35 дней, к тому же с колебаниями в 7 дней в обе стороны. Идеальные 28-дневные циклы встречаются в жизни женщин не часто.

Тем не менее для лучшей эффективности гормонального средства, особенно оральных контрацептивов, желательно начать прием препарата:

- в первый день цикла (1-й день менструации);
- или с 1-го по 6-й день менструального цикла;
- или в первое воскресенье или понедельник менструального цикла.

Такое начало приема не требует никакой дополнительной контрацепции пока гормоны начнут действовать.

Если прием гормонального средства начат с 6-го дня цикла, требуются дополнительные контрацептивные меры в течение 7–10 дней.

Прогестиновые препараты желательно принимать с первого дня менструального цикла и при этом использовать дополнительные меры контрацепции один месяц.

Влагалищное гормональное кольцо вводят с 1-го по 5-й день менструального цикла.

Гормональные инъекции делают в первые пять дней менструального цикла и повторяют их обычно каждые 3 месяца (12 недель). Одна инъекция оказывает контрацептивный эффект до 14 недель.

Импланты вводятся под кожу в течение первых 7 дней менструального цикла и удаляются обычно через 5 лет. Это же касается и внутриматочной гормональной системы.

Важно понимать, что дополнительная контрацепция в начале приема гормональных препаратов может быть разной и зависит от дозы гормонов, формы их введения и с какого дня цикла начат прием.

Гормональную контрацепцию можно использовать сразу же после прерывания беременности (аборта), через 6 недель после родов.

Режим приема контрацептивов

Идея использования прогестинов по 28-дневной схеме принадлежит доктору Грегори Пинкусу, который в 1950-х годах предложил принимать 21 день гормональные таблетки и 7 дней пустышки для возникновения кровотечения отмены, что симулирует натуральный цикл (до 1960 года в качестве контрацептивов использовали только синтетические прогестероны).

Интересно, что этот режим был выбран с целью следования лунному циклу, чтобы контрацептивы были морально приняты не только женщинами и врачами, но и католической церковью, так как многочисленные клинические исследования гормональных контрацептивов проходили в странах, где католицизм исповедует большинство населения. До сих пор 15% католиков считают гормональные контрацептивы неприемлемыми.

Такой режим оказался очень удобным, так как он симулирует натуральный менструальный цикл. Искусственно созданные кровотечения отмены (искусственные месячные) каждые 28 дней принимались за естественные менструации, к тому же были доказательством отсутствия беременности.

До конца 1970-х годов в медицинской литературе не существовало публикаций, которые бы опровергали «классический» режим приема контрацептивов, но в 1977 году появились первые данные о более длительном приеме активных гормональных контрацептивных таблеток без перерыва — в течение 84 дней, чтобы уменьшить количество менструальных кровотечений.

Современные врачи активно спорят о том, нужны ли на самом деле женщине месячные, и если нужны, то как часто. Сторонники «редких менструаций» аргументируют свою точку зрения тем, что до сих пор женщины развивающихся стран (экономически бедных) имеют в целом на 160 менструальных циклов меньше (более 10 лет без менструаций), чем жительницы развитых стран. Это объясняется определенными демографическими факторами: эти женщины начинают менструировать позже, беременеть и рожать раньше и чаще и держат детей на грудном вскармливании дольше. Конечно, средняя продолжительность жизни этих женщин меньше таковой в развитых странах, но они реже страдают от разного рода «женских болезней», имеющих гормональную зависимость, как и от рака молочной железы и эндометрия.

Сторонники «классических менструаций» считают, что регулярные 28-дневные искусственные менструальные циклы более приемлемы, так как не вызывают у женщин страха и переживаний, что они забеременеют, если «таблетки не сработают», а также уменьшают вредное воздействие на организм женщины. Но как раз вреда от приема контрацептивов в беспрерывном режиме в течение трех месяцев не обнаружено. Такой режим не всегда приемлем для здоровых женщин, но существует ряд заболеваний, когда отсутствие менструации может кардинально улучшить состояние женщины.

К расстройствам менструальной функции относят болезненные менструации (альгодисменорея, или дисменорея), чрезвычайно обильные или частые менструации, нерегулярные и обильные маточные кровотечения. Предменструальный синдром хотя и не считается заболеванием, но у ряда женщин он может сопровождаться выраженными симптомами. Эндометриоз тоже полностью зависит от колебания уровней гормонов и наличия менструального цикла. Существует также циклическая мигрень, приступы которой возникают перед месячными. В ряде случаев необходимо «передвинуть» менструальное кровотечение из-за каких-то событий в жизни женщины (свадьба, отпуск, каникулы).

Поэтому применение гормональных контрацептивов в другом режиме позволяет менять продолжительность цикла, что называется **менструальной манипуляцией,** или подавлением менструации.

Ряд современных исследований показали, что до 35% женщин предпочитают иметь ежемесячные кровотечения, около 50% предпочитают отсутствие месячных. Времена меняются, а значит, меняются вкусы и предпочтения.

Современные контрацептивы позволяют создавать искусственную менопаузу или значительно уменьшать количество и частоту кровянистых выделений (имплантаты, внутриматочная система, инъекции), что приемлемо для многих женщин, особенно забывающих принимать таблетированные формы гормональных контрацептивов в постоянном режиме.

Как правильно выбирать вид контрацепции

Один из самых частых вопросов, которые я слышу от женщин: «Как правильно подобрать метод контрацепции?» Если учитывать все существующие противозачаточные средства (негормональные и гормональные), то алгоритм выбора будет зависеть от очень многих факторов. Поэтому чаще всего это прерогатива врача. Рассмотрим, что должен учитывать врач во время визита женщины для выбора контрацепции:

- **возраст женщины** очень важен в понимании уровня возможного зачатия;
- **частота половых актов** (есть ли необходимость длительной контрацепции в таком случае);
- **количество половых партнеров** и необходимость профилактики половых инфекций;
- **предпочтение женщины** с учетом ее понимания, почему тот или иной метод подходит именно ей;
- **желание пользоваться контрацептивами регулярно (ежедневно) или периодически.** Этот фактор очень важен для выбора между ежедневными оральными контрацептивами или контрацептивами длительного действия (инъекции, внутриматочная система, импланты);
- **на какой период времени требуется контрацепция** (несколько дней, месяц, год и т. д.). Гормональные контрацептивы рассчитаны как раз на женщин, которые не планируют беременность в течение хотя бы одного года;
- **наличие системных и других заболеваний;**
- **вес женщины** чрезвычайно важен при назначении гормональной контрацепции;

- **наличие дополнительных показаний** для приема гормональной контрацепции;
- **наличие противопоказаний** для приема гормональной контрацепции.

Все эти данные врач собирает при разговоре с женщиной. Нужно понимать, что назначение контрацептивов, в том числе гормональных, начинается не с осмотра или обследования, а именно с разговора, когда врач выясняет важные вопросы, чтобы решить, какой именно вид контрацепции подойдет конкретной женщине с учетом ее пожеланий. Другими словами, индивидуальный подход всегда является ключевым в выборе противозачаточного метода.

> *Универсального метода контрацепции, который бы подошел всем женщинам, не существует.*

Следующим этапом выбора контрацептива будет оценка физического состояния женщины, ее репродуктивной системы (если это необходимо). Гинекологический осмотр не всегда обязателен, особенно если у женщины нет никаких жалоб и отягощающей истории, которая могла бы препятствовать использованию контрацепции, и если женщина посещала врача в течение последних 6–12 месяцев. Врач может предложить дополнительное обследование (УЗИ, ряд лабораторных тестов), если в этом есть необходимость. Самое важное — не пропустить те состояния и заболевания, которые являются противопоказаниями для конкретного метода контрацепции.

Во многих странах рекомендуется пройти скрининг на ряд опасных состояний, таких, как рак молочной железы, яичников, шейки матки и инфекции, передающиеся половым путем, в том числе ВИЧ. Однако такое тестирование не является обязательным, и женщина может отказаться от него.

Исследования, которые должен провести врач перед назначением контрацептива, следующие:

- гинекологический осмотр (осмотр в зеркалах и ручное исследование) — при назначении внутриматочной спирали (любой, в том числе гормональной), диафрагмы, шеечного колпачка, влагалищного кольца;
- измерение артериального давления — при назначении КОК.

Лабораторные анализы не являются обязательными, хотя могут назначаться при необходимости. Это определение уровня сахара, жиров, печеночных ферментов, гемоглобина, коагулограмма. Также всегда учитывается вес женщины, особенно при наличии ожирения.

Когда контрацептивный метод выбран, задача врача — обсудить его с женщиной, акцентируя внимание не только на положительных сторонах, но и на побочных эффектах. Очень часто врачи не обговаривают осложнения разных видов контрацепции.

> Самые высокие уровни побочных эффектов и осложнений (в том числе серьезных) наблюдаются при приеме гормональной контрацепции, потому что это стероидные гормоны.

Чрезвычайно важно исключить беременность, особенно во второй половине цикла или при задержке менструации. Если нет уверенности в том, что женщина не беременна, проводят тест на беременность или определяют уровень ХГЧ в крови.

Большинство женщин могут начать использование контрацептивов, в том числе гормональных, практически сразу же после визита к врачу. Хотя, как было сказано выше, предпочтение отдается началу менструального цикла, но если женщина требует срочной контрацепции и при этом беременность исключена, то можно применять контрацептив сразу. В таких случаях, возможно, потребуется контрольный тест на беременность через 4 недели.

Выбор контрацептива — это больше чем медицинская наука, в которой должен разбираться врач. Это искусство удовлетворять потребности женщины в отношении предохранения беременности с наименьшим вредом для ее здоровья.

Как долго можно принимать гормональные контрацептивы

Так как репродуктивный период у современных женщин увеличился и менопауза возникает в более старшем возрасте, многих волнует вопрос гормональной контрацепции после 40 лет и как долго можно принимать такой вид контрацепции. Когда необходимо прекратить прием гормонов? Ведь на фоне гормональной контрацепции очень трудно определить, произошло ли угасание функции яичников и наступила ли физиологическая менопауза.

Современные рекомендации гласят, что женщинам после 40 лет чаще всего в качестве гормональной контрацепции подойдут прогестины, то есть контрацептивы без эстрогенного компонента. Предполагается, что принимать такие контрацептивы можно до 55 лет, когда у большинства женщин наступает физиологическая менопауза. Подходят также низкодозированные КОК.

Чтобы вовремя определить приход климактерического периода на фоне приема гормональной контрацепции, рекомендовано после 45 лет периодически (раз в полгода) определять уровень ФСГ. Наследственная история (возраст матери, в котором у нее наступила менопауза) может помочь в прогнозировании возраста менопаузы у женщины, хотя такой прогноз будет неточным.

Ближе к 55 годам уровень ФСГ необходимо определять чаще. Если два показателя уровня ФСГ с разницей не меньше месяца составляют больше 30 МЕ/л, это признак физиологической недостаточности яичников, то есть наступления климакса. В таких случаях женщина может принимать прогестины еще в течение года (или двух лет в возрасте до 50 лет). Нередко прогестиновая контрацепция дополняется заместительной гормональной терапией, или женщина полностью переходит на ЗГТ при необходимости, прекратив прием прогестинов.

«Подводные камни» гормональных контрацептивов

Для чего созданы гормональные контрацептивы? Само название «контрацептивы» говорит о том, что они предназначены для предотвращения беременности. Но как стероидные гормоны (да, это именно гормоны!) они входят в классификацию лекарственных препаратов.

Я упоминала выше о том, что прогестины, входящие в состав гормональных контрацептивов, кроме прогестеронового действия могут оказывать и другое влияние на ткани и весь организм, связываясь с разными рецепторами. Таким образом, они могут давать лечебный эффект при некоторых состояниях.

Многие гормоны (эстрогены, тестостерон, прогестерон) использовались как лекарственные препараты практически с момента их открытия, хотя и ограниченно, так как их роль была не до конца понятной.

> Сейчас многочисленные синтетические аналоги гормонов успешно применяются в лечении очень многих заболеваний, а не только гинекологических и эндокринных.

Гормональные контрацептивы тоже начали использовать с лечебной целью, но обычно у тех женщин, которые нуждались и в контрацепции.

Приносят ли пользу гормональные контрацептивы, кроме противозачаточного действия? Положительными свойствами гормональных контрацептивов являются следующие:

• регуляция менструального цикла (но далеко не во всех случаях);
• уменьшение количества менструальных выделений (до 50%);
• уменьшение болезненности менструаций;

- уменьшение акне;
- уменьшение гирсутизма;
- снижение риска анемии;
- уменьшение предклимактерических симптомов;
- увеличение плотности костной ткани;
- снижение риска рака эндометрия;
- снижение риска рака яичников;
- снижение воспаления репродуктивных органов;
- замедление роста фибромиом;
- снижение боли при эндометриозе;
- устранение овуляторного синдрома;
- снижение развития ревматоидного артрита.

> *Положительное влияние гормональных контрацептивов может сохраняться до 15 лет после завершения их приема, обычно длительного, то есть больше 5 лет.*

Но помимо положительных сторон гормональной контрацепци существуют и отрицательные. Они доминируют по количеству и силе проявления, поэтому довольно часто женщины прекращают прием гормональных контрацептивов из-за побочных эффектов.

Гормональная контрацепция, особенно таблетки, — это один из самых лучших и самый ходовой товар современной фармакологической индустрии. Рост продажи гормонов возник за последние 20–25 лет благодаря перемене отношения врачей к этому виду контрацепции. Если в конце прошлого столетия они относились к КОК как серьезным стероидным препаратам и не рекомендовали их прием, сегодня многие врачи являются представителями фармакокомпаний, производящих гормональные контрацептивы, и получают немалое вознаграждение за рекомендации и назначения такой контрацепции и других гормональных препаратов.

Желание женщин контролировать возможность наступления беременности и денежный фактор для врачей сыграли чрезвычайно важную роль в распространении гормональных контрацептивов.

Когда рекомендуются гормональные контрацептивы, то обычно женщины слышат только хвалебные речи. Большая часть информации искаженная или откровенно ложная. Но подкупают слова об «омоложении яичников», «профилактике морщин», «сохранении яичникового резерва». Гормональные таблетки начали восприниматься как конфеты. Интересно, что сами женщины опасаются есть конфеты каждый день, ибо они сладкие, они «опасны» для здоровья, но стероидные гормональные лекарства принимают ежедневно ради того, чтобы не забеременеть или по другим причинам.

Если вы наберете в поисковых системах «гормональная контрацепция», вы получите тысячи ссылок на хвалебные статьи и видео, текст которых повторяется чуть ли не дословно. Но я начну с простого вопроса: сколько из применяющих гормональную контрацепцию читали инструкцию к таблеткам? Как доходчиво врач объяснил не только положительные стороны гормональной контрацепции, но и побочные эффекты и осложнения? И почему в списке противопоказаний так много заболеваний, которые и так часто встречаются среди общей популяции женщин репродуктивного возраста?

Найти информацию о том, сколько женщин перестают пользоваться гормональной контрацепцией из-за побочных эффектов и никогда больше не возвращаются к ней, практически невозможно даже в профессиональной медицинской литературе.

Чуть выше в описании эффективности гормональных контрацептивов в таблице я привела данные о количестве женщин в процентном содержании, пользующихся гормональной контрацепцией в течение одного года. Оказывается, огромное количество женщин через год перестает принимать гормоны. Почему? Защитники гормональной контрацепции говорят, что причиной прекращения использования такого вида контрацепции является высокая стоимость препаратов. Но статистический анализ в ряде стран, где самые высокие уровни приема гормональной контрацепции, показывает, что финансовый фактор — это не самая главная причина.

О количестве женщин, бросающих прием гормональной контрацепции, данные очень туманные. Клинические исследования, изучающие эффективность контрацептивов, щедро спонсируются их производителями. Но кто будет спонсировать исследования, изучающие уровень осложнений приема гормонов, и почему женщины перестают пользоваться гормональной контрацепцией? Например, по обобщенным данным американских исследований, после шести месяцев приема КОК только 15–85% женщин продолжают принимать гормоны дальше. Довольно большая разница между 15 и 85! По другим данным, в течение года бросает прием около 60% женщин. Повторю еще раз, что сведения слишком противоречивые и неточные. А ведь это чрезвычайно важная информация как для пациенток, так и для врачей!

Очень важный фактор, который обычно не учитывается, — это вес! Практически — доза всех гормональных контрацептивов рассчитана на 70 кг веса. Для ряда препаратов максимальный вес женщины не должен превышать 90 кг, так как эффективность будет низкой. Слишком худые женщины могут испытывать больше побочных эффектов. У женщин с ожирением часто наблюдается развитие метаболического синдрома, который может сопровождаться нарушением обмена жиров и сахара, быстрым набором дополнительного веса.

Итак, «подводные камни» использования гормональной контрацепции кроются в их побочных эффектах и рисках, которые могут перейти в серьезное осложнение, опасное для жизни женщины. Что это за риски?

- Венозный тромбоэмболизм повышается в 34 раза при приеме низкодозированных КОК и в 2 раза при приеме прогестинов.
- Тромбоз артерий, который может привести к инфаркту миокарда и кровоизлиянию в мозг, повышается в 2–3 раза, особенно на фоне приема больших доз эстрогенов, курения, высокого давления и других факторов риска по развитию сердечно-сосудистых заболеваний.

- Рак молочной железы повышается в 1,5 раза у женщин, которые начали принимать гормональные контрацептивы в молодом возрасте. Этот риск сохраняется в течение 10 лет после прекращения приема гормонов.
- Рак шейки матки повышается в 1,5 раза при использовании гормональной контрацепции в течение 5 лет и больше, в комбинации с другими факторами риска негативное влияние увеличивается.
- Желчекаменная болезнь повышается в 1,5 раза в течение первых пяти лет приема оральных контрацептивов.

Прием гормональных контрацептивов ухудшает состояние или же может быть триггером в развитии гипертонической болезни, сахарного диабета, заболеваний печени, мигрени, системной красной волчанки, депрессии, кандидоза.

Самыми распространенными побочными явлениями при использовании гормональной контрацепции являются следующие:

- нерегулярные кровотечения — в 10–30% случаев приема КОК, 35–45% для прогестинов, 7–8% для влагалищного кольца, 18% для пластыря;
- отсутствие менструации (аменорея) — 2–3% для КОК;
- боль и отечность молочных желез — до 30% для ОК, 3% для влагалищного кольца;
- набор веса — 35% для ОК;
- изменение настроения — до 30% для ОК;
- изменения кожи (хлоазма[1]);
- тошнота — 4,5% для влагалищного кольца;
- головная боль — 12% для влагалищного кольца;
- понижение либидо — до 40% для ОК;
- акне;
- местная кожная реакция — 20% для пластырей;
- вагиниты — 13,7% для влагалищного кольца;
- нарушения зрения — 27% для ОК.

[1] Хлоазма (chloasma) — гиперпигментация отдельных участков кожи, возникает из-за повышенной выработки пигмента. – *Прим. ред.*

Данные об отрицательных сторонах приема гормональной контрацепции чрезвычайно пестрые из-за того, что в мире существует очень много разных форм таких препаратов, в большинстве случаев побочные эффекты нигде и никем не регистрируются, как и реальное количество женщин, переставших использовать гормональную контрацепцию.

> **Прием гормональных контрацептивов не влияет на фертильность женщины, однако восстановление овуляторных циклов у трети женщин может занять от 3 до 12 месяцев.**

В последние годы растет количество женщин, особенно молодых, с синдромом гиперподавления гонадотропной функции гипофиза. Это обычно ятрогенный[1] синдром, связанный с приемом высокодозированных КОК и ряда других гормональных контрацептивов или же с длительным приемом гормонов, часто в слишком юном возрасте, когда формируется последнее звено регуляции менструального цикла.

Чаще всего матери подростков приводят своих дочерей к гинекологу из-за нерегулярного менструального цикла, хотя в большинстве случаев это норма для подросткового возраста. Многие врачи назначают КОК якобы для регуляции цикла, что часто подавляет функцию гипофиза и выключает выработку гонадотропинов в режиме, необходимом для естественного цикла. Лечить такой синдром не просто. Молодые женщины с длительным отсутствием менструаций попадают в порочный круг: им снова назначают ОК якобы для регуляции цикла, и продолжается подавление функции гипофиза. Этот же синдром наблюдается и после длительного приема ОК с контрацептивной целью.

Но самый большой «подводный камень» — это противопоказания для использования гормональной контрацепции, которые должны учитываться и врачами, и пациентками. Высокий уровень осложнений

---

[1] Ятрогения — нежелательные или неблагоприятные последствия профилактических, диагностических и лечебных процедур, которые приводят к нарушениям функций организма. — *Прим. ред.*

(в первую очередь тромбозы) и немаленький список противопоказаний привели врачей и юристов к тому, что в ряде стран предлагается ввести в практику врачей получение письменного информационного согласия на использование гормональной контрацепции (любой). Женщины обязаны знать, что они принимают стероидные лекарственные препараты, которые имеют огромный список побочных эффектов и противопоказаний.

Противопоказаниями для приема любого вида гормональной контрацепции являются:

- болезни, сопровождающиеся повышенным уровнем тромбообразования, особенно в активном состоянии;
- влагалищное кровотечение невыясненной причины;
- острая и хроническая печеночная недостаточность;
- острая и хроническая почечная недостаточность;
- имеющийся или подозревающийся рак молочной железы;
- имеющаяся или подозревающаяся беременность.

Гормональная контрацепция противопоказана в большинстве других случаев:

- курение (больше 15 сигарет в день) и возраст больше 35 лет;
- гипертоническая болезнь (можно принимать с гипотензивными средствами);
- сердечно-сосудистые заболевания (болезни сердца, перенесенные инфаркты, инсульты);
- сахарный диабет (низкодозирванные КОК могут использоваться при контроле уровня сахара и жиров);
- дислипидемии и гиперлипидемии (можно использовать гормональные контрацептивы, не оказывающие негативного влияния на обмен жиров);
- эпилепсия — так как антиконвульсанты понижают действие КОК, требуются высокодозированные формы;
- желчекаменная болезнь;
- гепатиты, цирроз — в острой форме являются абсолютным противопоказанием; при нормальных функциональных печеночных пробах прием гормональных контрацептивов возможен;

- воспалительные заболевания кишечника (язвенный колит, болезнь Крона) — эпизоды диареи могут значительно понижать контрацептивный эффект;
- мигрень — очень опасно применение высокодозированных КОК;
- системная красная волчанка — возможно применение только прогестиновых контрацептивов.

Еще не так давно грудное вскармливание до 6 недель было абсолютным противопоказанием для приема КОК, но сейчас благодаря наличию низкодозированных форм гормонов женщина может использовать их и при лактации. Обычно прием гормональных контрацептивов начинают с 6 недель после родов, так как к этому времени может восстановиться овуляция.

В ряде стран растет коммерческое тестирование на разного рода тромбофилии, особенно беременных женщин или планирующих беременность. Во многих случаях таким женщинам назначают терапию гепарином. Контроль тромбообразования в послеродовом периоде часто не проводится. Но парадоксальными являются рекомендации использования гормональной контрацепции до беременности или после родов.

Что еще должны знать женщины о гормональной контрацепции

Так как эта книга посвящена не только вопросам контрацепции, огромное количество информации останется вне ее страниц. Но, завершая тему гормональной контрацепции, необходимо упомянуть о мифах, которые существуют вокруг нее. Мифов и слухов очень много, они будут разоблачены в другой книге. А пока что предлагаю несколько правдивых фактов о гормональной контрацепции:

- женщины, принимающие КОК, могут иметь искусственные месячные, прорывные кровотечения или не иметь менструаций вовсе. Все это считается нормой;

- ни КОК, ни другие гормональные контрацептивы не понижают возможность женщины иметь детей в будущем;
- гормональные контрацептивы не вызывают врожденные дефекты новорожденных, если женщина забеременела на фоне их приема;
- женщины старше 35 лет могут использовать гормональную контрацепцию, если у них нет противопоказаний;
- делать перерывы в приеме гормональных контрацептивов не нужно, если они удовлетворяют потребности женщины;
- схем отмены гормональных контрацептивов, в том числе прогестинов и прогестерона, не существует;
- менять виды гормональных контрацептивов в первые три месяца при возникновении побочных эффектов нельзя. Нужно или продолжать прием препарата, или прекратить вообще — зависит от ситуации;
- менять гормональные контрацептивы, потому что якобы организм привык к приему какого-то препарата, при отсутствии жалоб не нужно;
- женщина может принимать гормональные контрацептивы до менопаузы, если она не курит и у нее нет противопоказаний;
- яичники не «отдыхают» и не «омолаживаются» при приеме ОК;
- ОК не понижают уровень возникновения функциональных кист и не лечат эти кисты;
- влагалищное кольцо, пластыри, инъекции, гормональная ВМС, импланты входят в одну и ту же группу гормональных контрацептивов, что и ОК, поэтому имеют те же побочные эффекты и осложнения при их применении;
- контрацептивный пластырь не отклеится во время физической активности и потения;
- при наличии пластыря можно принимать душ, ванну, сауну, баню, можно плавать в бассейне;
- хотя влагалищное кольцо можно вынимать на 3 часа (например, оно мешает при половом акте), частое вынимание кольца понижает его контрацептивное действие;
- прием гормональных контрацептивов перед планированием беременности не повышает уровень зачатий;

- современные гормональные контрацептивы не повышают уровень многоплодной беременности после их отмены;
- для получения контрацептивного эффекта не нужно комбинировать разные гормональные контрацептивы, как не нужна любая дополнительная контрацепция, если препарат принимается согласно инструкции;
- ни один из гормональных контрацептивов не обладает преимуществом перед другими, они все являются разными формами доставки гормонов в организм женщины, имеют свои недостатки, при идеальном использовании эффективность всех гормональных препаратов — 99%.

На этом мы закроем тему гормональной контрацепции и рассмотрим не менее интересную: роль гормонов при беременности.

Глава 6

Беременность
и гормоны

Представить беременность без гормонов, особенно прогестерона, невозможно. Прогестерон во многих источниках информации называют «прогестационным гормоном», то есть гормоном, предшествующим и способствующим гестации, или беременности.

Несомненно, беременность — это состояние прогестеронизации, если так можно выразиться. Это царство прогестерона. Однако значение прогестерона для процесса зачатия и беременности часто искажено и представлено неправильно, а отсюда вытекает злоупотребление этим гормоном для корректировки разных «погрешностей» беременности.

В предыдущих главах состояние беременности упоминалось уже не раз, в том числе и роль некоторых гормонов для успешного развития беременности. В этой главе мы продолжим раскрывать секреты гормонального фона беременности.

Как гормоны влияют на зачатие

Беременность возникает в результате зачатия, то есть оплодотворения женской половой клетки (яйцеклетки) мужской половой клеткой (сперматозоидом).

Но само по себе зачатие еще не определяет успешное возникновение беременности, которое характеризуется надежным прикреплением и развитием плодного яйца в полости матки и диагностируется клинически рядом методов. Далеко не каждое зачатие завершится беременностью, а если точнее, около 70–80% случаев оплодотворения не будут успешными и не завершатся рождением ребенка.

Процесс зачатия ребенка — это сложный многоступенчатый последовательный процесс, в который вовлечено взаимодействие двух чужеродных организмов — мужского и женского. Даже небольшая поломка незначительного, казалось бы, звена может привести к неудачному дефектному зачатию или бесплодию.

Сперма, попадая во влагалище женщины, должна быть не просто качественной, но и должна пройти через ряд изменений (таким изменениям подвергается также сперма всех млекопитающих при попадании во влагалище самки). Во всем эякуляте здорового мужчины (а значит, здоровой спермы) только 10% сперматозоидов активируются, что позволяет им обрести оплодотворяющие качества, остальные сперматозоиды оплодотворяющей активностью не обладают.

Дальше, в ампулярной части маточной трубы происходит проникновение сперматозоида под оболочки яйцеклетки.

На словах весь этот процесс кажется простым, но в реальности он сопровождается выработкой многих веществ, созданием многочисленных взаимосвязей, образованием большого количества сигналов на разных уровнях взаимоотношения мужского и женского начал.

Но вернемся на минутку в матку. Итак, попав в матку и оказавшись у входа в маточные трубы, сперматозоиды нуждаются в некоем путеводителе по маточным трубам, чтобы найти яйцеклетку, вышедшую из яичника, для осуществления зачатия. Оказалось, что таким маяком служит прогестерон.

Интересно, что фолликулярная жидкость, полученная из фолликулов одних видов животных, может привлечь сперматозоиды других видов животных — такой феномен не зависит от вида животного.

Подчеркнем, что целенаправленное движение сперматозоидов наблюдается только тогда, когда произошла овуляция и в одной из маточных труб имеется живая женская половая клетка — яйцеклетка. Непосредственно перед разрывом в доминантном фолликуле наблюдается высокая концентрация прогестерона — намного выше, чем в крови женщины. Когда фолликул лопается, из него выходит не только зрелая яйцеклетка, но и жидкость, содержащая прогестерон.

Маточные трубы со стороны яичника расширены, напоминают воронку лейки и содержат специальные отростки — фимбрии, или реснички, покрывающие внутреннюю стенку маточной трубы. Так как маточные трубы прилегают к яичникам (почти вплотную), после овуляции яйцеклетка вместе с большей частью содержимого пузырька попадает в воронку маточной трубы. Таким образом, в одной трубе концентрация прогестерона будет намного выше, чем в другой (очень редко овуляция может происходить в двух яичниках одновременно, и чаще всего такой феномен наблюдается после искусственной индукции овуляции). При этом чем ближе к яйцеклетке, тем больше концентрация прогестерона.

Молекулы прогестерона влияют на кальциевые канальцы сперматозоида молниеносно, повышая концентрацию кальция внутри, особенно в его хвостике, от которого зависит подвижность сперматозоида. Причем этот процесс проходит вне всякой генной регуляции, потому что зрелые половые клетки несут половинный набор хромосом, а значит, генов. Хвостики в отличие от головок нечувствительны к эстрогенам (эстрадиолу).

Не все сперматозоиды реагируют на прогестерон одинаково. Реакция половых клеток зависит от количества рецепторов, размещенных на оболочке сперматозоида. Поэтому и на повышение концентрации прогестерона мужские половые клетки будут реагировать по-разному.

Передняя часть головки сперматозоида имеет особое покрытие, состоящее из специальных маленьких структур-органелл, что-то наподобие колпака или шапки, и оно называется акросомой. Акросома содержит большое количество ферментов (энзимов).

Акросома играет очень важную роль в проникновении сперматозоида внутрь женской половой клетки, и этот процесс проникновения называют **акросомной реакцией**. При контакте с яйцеклеткой сперматозоид «приклеивается» к ней благодаря акросоме, которая потом разрушается, выделяя огромное количество ферментов.

Акросомная реакция зависит от наличия прогестерона, эстрадиола и ряда других важных веществ. Акросома содержит прогестероновые рецепторы, но они отличаются от кальциевых каналов-рецепторов, которые имеются в хвостике.

> **В природе зачатия должна быть определенная гармония, синхронизация во всем: и по времени, и по количеству, и по пропорции, в том числе по времени продвижения сперматозоидов, по их количеству и качеству.**

Оплодотворенная яйцеклетка движется по маточной трубе к матке, проходя при этом несколько делений, — так возникает **зародыш**. Процесс этого передвижения занимает от 4 до 6 дней.

Приблизительно через 30 часов после оплодотворения яйцеклетки сперматозоидом происходит ее первое деление, от которого во многом будет зависеть протекание и всей беременности. Когда зародыш достигает 16-клеточного строения, происходит дифференциация его клеток и их увеличение в размерах. На этом этапе деления плодное яйцо называется **морулой**, и в таком состоянии оно входит в полость матки. Деление продолжается, и как только внутри морулы появляется жидкость, эмбрион называется **бластоцистой**. Бластоциста содержит примитивные ворсины — хорион (отсюда и название гормона — «хорионический гонадотропин»), с помощью которых начинается процесс имплантации.

Что нужно для здорового вынашивания беременности

Каждая женщина, планирующая и вынашивающая беременность, хочет получить здорового ребенка. Как я писала раньше, уровни потерь зачатых плодных яиц очень высокие. Основная потеря эмбрионов наблюдается до появления клинической беременности, которую определяют по растущему уровню ХГЧ и УЗИ.

Необходимо понять важный факт: высокие потери эмбрионов на ранних сроках беременности наблюдаются не только у людей, но и в животном мире — это часть жизни, и управлять этим процессом невозможно. Остается только принять этот факт, который многим может показаться печальным.

> *Фертильность животных в сельском хозяйстве изучена намного детальнее, репродуктивные технологии по улучшению их плодовитости начали применяться лет на 30 лет раньше, чем у людей. Известно, например, что более 60% потерь беременностей на ранних сроках происходит у коров, причем до 80% этих потерь выпадают на первые дни развития эмбриона и имплантации (между 8-м и 16-м днями после зачатия). Практически такие же показатели наблюдаются и у людей.*

Что влияет на гибель плода? Это генетические, физиологические, эндогенные факторы и факторы внешней среды (экзогенные), причем генетические играют первостепенную роль — при наличии поломки на генетическом или хромосомном уровне развитие нормального, здорового потомства невозможно. Высокий уровень генетических и хромосомных дефектов наблюдается у всех животных, а также у человека.

Законы природы одинаковы для всех живых существ — отбрасывается то, что непригодно для нормальной жизни. Ошибочно ставить человека на какой-то более высокий уровень развития в отношении продолжения рода. Наоборот, у человека появилось немало ограничений в создании потомства — уровень фертильности по сравнению с животными меньше, многоплодная беременность считается патологией, а не нормой, из-за особенностей протекания беременности у людей. Увеличение размеров мозга, а значит, головы привело к тому, что рождение ребенка проходит с большими трудностями и многочисленными осложнениями.

Возраст — это враг номер один для нормального зачатия. О том, что с годами уровень плодовитости (фертильности) понижается, люди знали всегда, поэтому браки заключались в раннем возрасте, фактически в период полового созревания или сразу же после его завершения. В 1895 году американский врач доктор Дункан опубликовал труд, посвященный вопросам зачатия, бесплодия и их взаимосвязи с возрастом женщин.

За последние пятьдесят лет возраст женщин, когда они начинают планировать беременность, увеличился и достиг 30–37 лет во многих странах. К этому времени у женщин появляются признаки возрастной яичниковой недостаточности, когда функция этих важных органов постепенно угасает и резерв фолликулов значительно уменьшается. Качество половых клеток тоже кардинально ухудшается, что сказывается не только на процессе зачатия, но и на последующих этапах жизни оплодотворенной яйцеклетки — ее делении и способности имплантироваться.

А как на беременность влияют гормоны? О воздействии ряда гормонов я уже упоминала в предыдущих главах, поэтому хочу обратить ваше внимание на половые гормоны и прогестерон. Их влияние зависит от срока беременности, что и определяет ее исход.

Исследования на животных показали, что удаление яичников в первые дни или недели беременности приводит к замедленному продвижению эмбрионов по маточным трубам, их гибели, нарушению имплантации. Однако оказалось, что эстрадиол играет куда большую роль в продвижении плодного яйца, чем прогестерон. Введение эстрадиола у животных после удаления яичников нормализует продвижение эмбрионов по маточным трубам, но не повышает их живучести в полости матки даже при корректировке прогестероном.

Прогестерон тоже принимает участие в продвижении плодного яйца по маточным трубам. При отсутствии эстрогенов после удаления яичников он улучшает продвижение эмбрионов в полость матки, а также дифференциацию бластоциста. Однако ни один из гормонов (ни эстрадиол, ни прогестерон) не имеет преимущества перед другим в отношении возникновения нормальной беременности через нормальную имплантацию плодного яйца. Наоборот, исследования подтвердили факт, что в природе важно взаимодействие этих двух гормонов, иначе беременность не возникнет и не будет развиваться.

Взаимодействие эстрогенов и прогестерона необходимо для прогресса беременности. Это объясняется тем, что они могут влиять непосредственно на эмбрион и на генитальный тракт, и при излишке или нехватке одного из них, когда нарушается здоровая пропорция — баланс гормонов, беременность не возникает или прерывается (из-за гибели эмбриона или неподготовленности репродуктивных органов).

> Никто из врачей, ученых, исследователей до сих пор не знает, какими должны быть «здоровые» пропорции этих двух разных гормонов, то есть как определяется баланс между эстрадиолом и прогестероном.

Уровни этих гормонов в крови женщины абсолютно не отражают такого баланса, так как показывают только количественное содержание гормонов, и к тому же эти уровни могут меняться не только по дням, но и по часам — по законам природы, неизвестным врачам. То, что в природе является «балансом гормонов», может не вписываться в медицинские понятия, и наоборот, то, что врачи называют нормой, может быть отклонением для конкретной женщины, конкретной беременности.

Многочисленные исследования на животных и людях, которые проводятся более 70 лет, опровергли многие теоретические гипотезы в отношении значения половых гормонов и прогестерона, но почему-то врачи ими до сих пор пользуются в своей практической деятельности.

На вынашивание беременности влияют многие факторы, что детально обсуждается в моей книге «9 месяцев счастья. Настольное пособие для беременных женщин». Поэтому, если вас интересует именно эта тема, предлагаю прочесть мою книгу о беременности.

Как меняется гормональный фон при беременности

Изучая гормональные процессы в организме женщины, особенно при планировании беременности и самой беременности, я как-то шутя сказала, что жизнь человека начинается в «гормональном рассоле». Сначала яйцеклетка созревает в фолликуле, наполненном гормонами в высоких концентрациях — прогестероном, тестостероном, эстрогенами. Потом плацента вырабатывает огромное количество гормонов, такую дозу не выдержала бы ни одна женщина, если бы они попали в ее кровяное русло. В крови плода тоже чрезвычайно высокие дозы гормонов, которые он получает из плодного места. Рассмотрим этот «гормональный рассол» детальнее.

Прогестерон

Роль прогестерона в различных функциях женского организма упоминалась в этой книге уже не раз. Я написала немало трудов, посвященных этому уникальному гормону.

Я также упоминала, что у небеременной женщины прогестерон вырабатывается в желтом теле, которое образуется после овуляции из лопнувшего фолликула. Этот вид прогестерона называют лютеиновым, подчеркивая источник его происхождения. В главах выше было сказано, что детское место производит плацентарный прогестерон, который необходим для поддержания беременности и выработки собственных гормоном плодом — плацентарный прогестерон.

Желтое тело беременности

Желтое тело беременности — это не что иное, как желтое тело яичника, возникшее после овуляции. До момента имплантации желтое тело вырабатывает прогестерон независимо от наличия плодного яйца. Но с получением первых сигналов о беременности через несколько возможных механизмов передачи таких сигналов, в том числе в результате выработки определенных веществ, желтое тело продолжает функционировать. Оно функционирует до тех пор, пока не произойдет лютеоплацентарный сдвиг и плацента не начнет вырабатывать собственный прогестерон (о чем упоминалось в главах выше).

То, что прогестерон является основным гормоном, вырабатываемым яичниками, было известно более шестидесяти лет тому назад, когда удалось получить его чистую кристаллическую форму. Однако длительное время правильное понимание роли желтого тела было затруднено.

Вытяжку желтого тела чаще всего получали из яичников животных, начиная от мелких (мыши, крысы) и заканчивая крупным рогатым скотом. У беременных коров желтое тело больших размеров в виде кисты — лютеомы. Именно из яичников коров был получен прогестерон в твердой форме.

Однако в те далекие времена врачи, а тем более ученые-биохимики, не знали, что прогестерон вырабатывается у беременных самок разных животных по-разному, то есть у одних основным источником является желтое тело беременности, а у других — плод и плацента. У коров успешное протекание беременности полностью зависит от прогестерона желтого тела. У свиней беременность зависит от уровня прогестерона, вырабатываемого желтым телом в яичниках и плацентой. У овец первая половина беременности зависит от производства прогестерона желтым телом, но после 122 дней беременности 90% всего прогестерона вырабатывается плодом и плацентой.

> *У каждого вида млекопитающих источники прогестерона во время беременности разные, как и роль этого гормона. Моделирование беременности у человека по типу беременности у коров привело к ложным выводам.*

Ранние эксперименты на разных моделях животных в 20–30-е годы прошлого столетия показали, что удаление яичников на ранних сроках беременности приводит к потере беременности, поэтому ученые-врачи предположили, что именно вещество желтого тела ответственно за возникновение и развитие беременности.

Первые исследования о значении желтого тела проводились на животных более 70 лет тому назад, а с участием женщин — более 50 лет тому назад, на заре возникновения репродуктивной медицины. И результаты этих старых исследований легли в основу сорокалетней практики использования прогестерона после ЭКО и ряда других АРТ. Но вопрос продолжительности приема прогестерона оставался открытым и вызывал немало дискуссий среди врачей.

Исследования 1970–1980-х годов показали, что удаление желтого тела в период до 7 недель беременности приводит к понижению уровня прогестерона и потере беременности. А удаление желтого тела в 8 недель и позже на уровне прогестерона не отражается и к потере беременности не приводит. Уровни лютеинового прогестерона подтверждают активность желтого тела только до 7–8 недель беременности. Назначение прогестерона до 7 недель беременности после лютеоэктомии (удаления желтого тела) позволяет предотвратить потерю беременности при условии, что яйцо — здоровое.

Намного позже, с развитием репродуктивной медицины, выяснилось, что прогестерон желтого тела играет роль в поддержке беременности у женщин только до 4–5-й недели беременности (первые три недели после зачатия), а к 7–8 неделям основным источником прогестерона становится плацента.

Влияние прогестерона на другие гормоны

Так как уровни прогестерона при беременности повышаются, автоматически повышаются уровни его производных — половых гормонов, особенно женских.

Прогестерон стимулирует выработку **гормона роста** в гипофизе матери и плода. Интенсивный рост плода зависит от достаточного уровня этого гормона. Два других важных гормона, которые очень близки по строению к гормону роста, также стимулируют рост тканей: в организме женщин это **пролактин**, в плаценте — **плацентар-**

ный лактоген. При беременности количество этих гормонов значительно повышается.

Молочные железы у беременных женщин начинают расти, увеличиваются в размерах и готовят женщину к функции не только вынашивания потомства, но и обеспечения этого потомства необходимыми питательными веществами в первый год жизни за счет грудного вскармливания. Прогестерон и пролактин, как брат и сестра, стимулируют этот рост.

Повышение уровней прогестерона увеличивает количество многих важных гормонов во время беременности, чем и обусловливается нормальный рост плода. Бояться повышения этих гормонов не следует, а тем более применять какие-то лекарственные препараты с целью их «коррекции». Вмешательство в этот сложный процесс взаимоотношений гормональных веществ в организме матери и плода может закончиться прерыванием беременности.

Прогестерон и прогноз исхода нормальной беременности

Итак, чем пользуются врачи для определения прогноза в отношении развития беременности? Чаще всего такой вопрос актуален в репродуктивной медицине, после ЭКО и других вспомогательных репродуктивных технологий, так как они все очень дорогостоящие, и вопрос успешности врачебной помощи в получении потомства крайне важен. Разработано большое количество протоколов контроля прогресса беременности, но ни один из них не обладает преимуществом, а также не является высокочувствительным методом, который можно повсеместно рекомендовать для применения на практике.

Одним из первых тестов для прогноза исхода беременности было определение уровня прогестерона до беременности во второй фазе цикла и в 4–8 недель беременности. Однако оказалось, что такой тест является недостоверным. Почему?

• Уровни прогестерона колеблются в течение всего менструального цикла.

- Уровень лютеинового прогестерона может быть низким в нормальных менструальных циклах и не влиять на зачатие и имплантацию.
- Менструальные циклы у здоровых женщин могут сопровождаться совершенно разными уровнями лютеинового прогестерона — от низкого до высокого.
- Желтое тело беременности и выработка прогестерона регулируются рядом факторов беременности и сигналами, поступающими из здорового плодного яйца. Это означает, что при патологическом зачатии и нарушении процесса имплантации дополнительное назначение прогестерона ситуацию в лучшую сторону не меняет.
- Полный лютеоплацентарный сдвиг наблюдается в 7–8 недель. Уровень лютеинового прогестерона к этому времени падает, а уровень плацентарного прогестерона растет.
- Регуляция выработки плацентарного прогестерона не зависит от организма женщины, а является прерогативой плаценты. Она также не зависит от плода, потому что это автономный процесс.
- Дополнительное введение экзогенного (лекарственного) прогестерона не влияет на уровень плацентарного прогестерона и не используется плацентой и плодом.

Таким образом, определение уровня прогестерона до возникновения беременности и после имеет очень низкое прогностическое значение и в современном акушерстве не используется. Если имплантация нарушена, естественно, желтое тело и плацента будут вырабатывать меньше прогестерона. Но нарушение имплантации не бывает без причины, и чаще всего эта причина кроется в плохом плодном яйце.

Для многоплодных беременностей определение уровня прогестерона на ранних сроках с целью прогнозирования исхода беременности тоже оказалось неэффективным, так как до 7–8 недель в крови женщины доминирует лютеиновый прогестерон, а количество хорионов и плодов не влияет на синтез прогестерона желтым телом. До 10 недель разницы в выработке лютеинового и плацентарного прогестерона для обычной и многоплодной беременности не наблюдается. После 10 недель уровни прогестерона могут быть разными у разных женщин, поэтому его определение теряет практическую ценность, тем более что большинство спонтанных потерь беременности, в том числе и многоплодной, наблюдается до 8 недель беременности.

Прогестерон и прогноз беременности при наличии кровянистых выделений

Если определение уровня прогестерона не позволяет прогнозировать беременность при отсутствии кровянистых выделений и/или боли, может ли определение его уровня быть практически полезным для женщин, жалующихся на кровотечение, которое часто называют *угрожающим абортом*? Можно ли по уровню прогестерона в таких случаях определить внематочную беременность?

За нормальные показатели прогестерона до 14 недель беременности большинством врачей приняты уровни от 3,2 до 11 нг/мл (10–35 нмоль/л), но часто минимальным нормальным показателем считают уровень 5 нг/мл (16 нмоль/л). Анализ многочисленных клинических исследований выявил, что, если показатели прогестерона у женщин с кровянистыми выделениями, болезненными ощущениями и **неточным УЗИ** (когда локализацию плодного яйца или наличие живого эмбриона определить невозможно) меньше 3,2 нг/мл, вероятность наличия замершей беременности составляет 99%, а больше 6 нг/мл — 44%. В целом при показателях прогестерона меньше 6 нг/м вероятность замершей беременности составляет около 74–75%. Однако в отношении диагностики внематочной беременности определение показателей уровня прогестерона оказалось безуспешным.

У беременных женщин, которые жаловались на кровянистые выделения или на боль, а **УЗИ показало наличие внутриматочной беременности**, за средний минимальный нормальный показатель уровня прогестерона был принят уровень в 10 нг/мл. Почти у 97% женщин с прогестероном ниже 10 нг/мл была обнаружена замершая беременность и у 37% — выше 10 нг/мл.

Чем выше уровень прогестерона, тем труднее предсказать, развивается беременность или замерла. И чем меньше уровень прогестерона, тем труднее его определить точно, но также тем большая вероятность отсутствия беременности, в том числе из-за гибели плодного яйца.

Хотя были построены многочисленные графики, отображающие зависимость развивающейся или замершей беременности от уровня прогестерона, они не нашли практического применения по ряду причин, в том числе из-за погрешностей в измерении уровней прогестерона (общий, свободный, связанный, в плазме, в сыворотке).

Таким образом, одноразовое определение уровня прогестерона может иметь практическое значение только в диагностике замершей беременности при кровянистых выделениях и боли внизу живота и «непонятных» результатах УЗИ. Однако это определение оказалось совершенно неэффективным (недостоверным) в диагнозе внематочной беременности, нормальной беременности и спонтанного выкидыша.

У женщин с жалобами (кровянистые выделения и боль), но без УЗИ, определение уровня прогестерона для подтверждения живой нормальной или замершей беременности не является надежным методом диагностики, поэтому не рекомендуется большинством врачей.

Важные дополнительные данные о прогестероне

О прогестероне можно писать книги, и каждый раз, когда труд готов, появляются новые данные разных исследований, новые рекомендации профессиональных обществ. На страницах моего официального сайта и социальных сетей я стараюсь донести все эти новые данные до как можно большего количества людей. Информации на самом деле очень много, так что я приведу только несколько пунктов, по которым существует больше всего заблуждений.

- Сохраняющей терапии не существует, поэтому прогестерон не назначают в первом триместре беременности при кровотечениях, гематоме, болях внизу живота.
- Прогестерон не назначают при дефектных беременностях — пустом плодном яйце, замершей беременности.
- Препараты прогестерона в современном акушерстве не комбинируют в разных формах.
- Чрезмерно высокая доза вводимого прогестерона может блокировать прогестероновые рецепторы, останавливая тем самым выработку и использование собственного прогестерона, что может привести к нарушению беременности.
- Хотя прогестерон могут назначать при спонтанных привычных выкидышах (три и больше потери беременности на ранних сроках), но его эффективность низкая.
- Прогестерон (влагалищные формы) назначают после ЭКО и иногда при других репродуктивных технологиях как поддерживающую терапию. Срок применения прогестерона — 15 дней, реже — до 6–8-й недели беременности.
- Схем отмены прогестерона не существует. Женщина может прекратить прием гормона сразу. Это не помешает развитию нормальной беременности.
- Прогестерон (влагалищные формы) используют при короткой шейке матки (меньше 2,5 см) после потерь беременности в прошлом, обычно с 1-й до 32–34-й недели. Рекомендованные дозы до сих пор вопрос спорный.
- Прогестерон (влагалищные формы) может использоваться для профилактики преждевременных родов у женщин, у которых были такие роды в прошлом из-за короткой шейки матки.
- Прогестерон не используется после 34-й недели ни в какой форме.
- Таблетированный прогестерон почти не усваивается у беременных женщин, поэтому предпочтение отдают влагалищным формам.
- Прогестерон перестали использовать для купирования преждевременных родов (как токолитик) из-за низкой эффективности.

Мужские половые гормоны
при беременности

Беременность — это совершенно необычное, уникальное состояние женского организма, сопровождающееся колоссальными изменениями тела, в том числе на гормональном уровне. Почему-то в последние десятилетия беременность рассматривается некоторыми врачами как болезнь, требующая многочисленных обследований и «корректировки», так как лабораторные анализы не помещаются ни в какие нормы для небеременной женщины. Проблема в том, что многие лаборатории не имеют референтных значений показателей для разных триместров беременности.

Беременность — не болезнь. Действительно, многие уровни биологических маркеров крови меняются в течение девяти месяцев, включая уровни мужских половых гормонов. Под влиянием роста эстрогенов увеличивается количество белка, связывающего тестостерон — SHBG, поэтому повышение уровня тестостерона при нормальной беременности начинается очень быстро — через две недели после зачатия. Источником повышения тестостерона в этот период являются яичники, в частности желтое тело беременности.

При беременности повышается уровень общего тестостерона благодаря увеличению фракции связанного тестостерона. Однако уровень свободного тестостерона остается без изменений до третьего триместра (28-й недели беременности), а потом повышается в два раза. Источник повышения уровня тестостерона в этот период неизвестен. Очевидно, источников может быть несколько, как со стороны матери, так и со стороны плода. У женщин, беременных мальчиками, концентрация тестостерона незначительно выше, чем у женщин, беременных девочками.

В третьем триместре беременности увеличивается уровень андростендиона. DHEA-S тоже повышается с началом беременности, однако считается, что его источником является плод. Со второй половины беременности уровень этого гормона значительно понижается, здесь большую роль играет плацента. При этом уровень свободного тестостерона остается неизменным до третьего триместра, а дальше его повышение практически не оказывает влияния на ткани-мишени.

> *Концентрация андрогенов в крови беременной женщины в три-четыре раза выше концентрации этих гормонов в пуповине ребенка.*

Несмотря на повышение уровней общего и свободного тестостерона в плазме крови беременной женщины, большинство женщин и плодов защищены от воздействия андрогенов, и признаки гиперандрогении у них не появляются. Существует несколько механизмов такой защиты: концентрация белка SHBG увеличивается, повышающийся уровень прогестерона подавляет чувствительность андрогенных рецепторов и превращение предшественников тестостерона в тестостерон, плацента может превращать тестостерон в эстрогены (эстрон и эстрадиол). Считается, что существует довольно прочный плацентарный барьер, не позволяющий тестостерону матери проникать в кровяное русло плода.

Повышенный уровень андрогенов у матери не влияет на развитие плодов-мальчиков. Гиперандрогения может оказывать влияние только на плодов-девочек. Так как развитие наружных половых органов у девочек происходит на 7–12-й неделе беременности, это самый опасный период негативного воздействия андрогенов. После 12 недель риск возникновения увеличенного клитора (клиторомегалии) значительно понижается, сращение половых губ не наблюдается.

> **Гиперандрогения при беременности не влияет на вынашивание и к прерыванию беременности не приводит.**

Самым распространенным источником повышения андрогенов у беременной женщины являются лютеомы — доброкачественные опухолевидные образования яичников, когда происходит массивный рост лютеиновых клеток. Это ложные опухоли, поскольку они появляются при беременности и самопроизвольно исчезают после родов. Лютеомы могут достигать больших размеров (от 1 до 25 см), но в среднем 6–10 см. В половине случаев лютеомы находят на обоих яичниках. Нередко на УЗИ видны очаги кровоизлияний внутри опухоли. Лечения этого состояния нет — беременную женщину просто наблюдают. В исключительных случаях возможно хирургическое удаление опухоли.

Тека-лютеиновые кисты — второй источник повышения андрогенов у беременных женщин. Они появляются чаще всего при многоплодных беременностях, трофобластической болезни (пузырный занос, хорионэпителиома) и при диабете у матери. У женщин с синдромом поликистозных яичников тоже могут наблюдаться тека-лютеиновые кисты в период беременности. В отличие от лютеом кисты являются не опухолями, а своего рода резервуаром, содержащим жидкость.

Третьим источником повышения уровней андрогенов у беременных женщин является применение синтетических гормонов — прогестинов и андрогенов.

Таким образом, случаи истинной гиперандрогении у беременных женщин — весьма редкое явление.

Женские половые гормоны и беременность

Эстрогены необходимы для развития плода. Они увеличивают кровоток в сосудах, особенно в маточных, что автоматически повышает доставку кислорода и питательных веществ к растущему плоду.

Первые 5–6 недель беременности желтое тело является эксклюзивным производителем эстрогенов для развивающегося эмбриона, в частности 17β-эстрадиола. С конца первого триместра этот гормон вырабатывают плод и плацента, и его уровень в крови матери повышается в 300 раз к окончанию беременности (с 0,1 до 30 нг/мл).

17β-эстрадиол выполняет роль стимулятора кровотока, другие эстрогены менее активны в этом отношении. Эстрогены также регулируют выработку прогестерона плацентой, стимулируют рост молочных желез (вместе с прогестероном), развитие и функцию надпочечников у плода.

Плацентарный эстриол появляется в крови матери обычно в 9 недель беременности. Уровень этого гормона повышается даже больше, чем эстрадиола, — с 0,01 нг/мл у небеременных женщин до 30 нг/мл перед родами (почти в 3000 раз). Между 35-й и 40-й неделями беременности концентрация гормона увеличивается очень быстро (скачкообразно), что свидетельствует об изменении гормонального фона перед родами и подготовке матки к родам.

Эстрон, как и эстрадиол, первые 4–6 недель вырабатывается яичниками, надпочечниками и частично жировой тканью женщины. Позже плацента становится основным источником циркулирующего в крови женщины эстрона. Его уровень повышается в 100 раз к концу беременности (от 0,3 до 30 нг/мл к родам).

Конечно, повышение эстрогенов у беременных женщин тоже индивидуально, уровни могут колебаться в рамках 2–30 нг/мл на протяжении всей беременности со значительным повышением к родам.

Определение уровней эстрогенов у беременных женщин практического применения не нашло. Однако определение одного из видов эстрогенов — неконъюгированного эстриола (uE3) — является частью пренатального генетического скрининга.

Плацентарный лактоген

Плацентарный лактоген еще называют хорионическим соматотропином или хорионическим гормоном роста, подчеркивая его тесную связь с человеческим гормоном роста, хотя по силе воздействия на клетки этот гормон в 100 раз слабее гормона роста.

Нзвание «лактоген» говорит о том, что по действию этот гормон близок к пролактину. Таким образом, плацентарный лактоген является еще одним стимулирующим гормоном для молочных желез женщины.

Плацентарный лактоген, как и прогестерон, влияет на уровень сахара в крови матери — кровь у беременных женщин, особенно в состоянии стресса, становится более «засахаренной», что является важным звеном в обеспечении растущего плода необходимой энергией и питательными веществами.

В прошлом по уровню плацентарного лактогена пытались определить прогноз беременности, особенно при наличии некоторых осложнений. Но такой метод оказался не эффективным, и его перестали применять в практическом акушерстве.

Пролактин и беременность

Между пролактином, эндометрием и возникновением беременности существует тесная взаимосвязь. Активность эндометриального пролактина и пролактиновых рецепторов важна в передаче сигналов в период децидуализации[1] эндометрия и имплантации. Нехватка эндометриального пролактина в период имплантации наблюдается у женщин, страдающих бесплодием и повторными спонтанными выкидышами. Такие же результаты получены при изучении роли пролактина эндометрия на животных моделях.

У женщин, страдающих эндометриозом, тоже наблюдается нарушение усвоения пролактина. Достоверных данных о том, что эндометриоз повышает риск спонтанных абортов, все же не существует.

Повышающийся во время беременности пролактин принимает участие в росте молочных желез и их подготовке к лактации.

Самые высокие уровни пролактина — перед родами, в конце третьего триместра. Предполагается, что пролактин может участвовать в механизме запуска родов.

---

[1] Децидуализация — образование децидуальной (отпадающей при родах) оболочки. — *Прим. ред.*

Хорионический гонадотропин человека

Наличие гормонов беременности, в частности хорионического гонадотропина человека (ХГЧ), является неотъемлемой частью самой беременности. Этот вид гормона доминирует только при беременности. Само название говорит о том, что ХГЧ является производным хориона — той части плодного яйца, из которого потом образуется плацента. Слово «гонадотропин» говорит о его химическом родстве с гонадотропинами гипофиза (ФСГ и ЛГ). Хорионический, или плацентарный, гонадотропин можно обнаружить у некоторых приматов, но он отсутствует у остальных млекопитающих.

> **Определение уровня ХГЧ имеет практическое значение на ранних сроках беременности не только для установления ее наличия, но и для того, чтобы убедиться в ее прогрессе, и в большинстве случаев применяется для диагностики внематочной беременности.**

Хорионический гонадотропин человека (ХГЧ) производится клетками плодного яйца, то есть это не материнский (женский гормон), хотя в очень маленьких количествах его могут находить в крови вне состояния беременности. Даже при отсутствии эмбриона в плодном яйце (пустое плодное яйцо) уровень ХГЧ у женщины может быть повышен. При ряде опухолей яичников и иногда других органов может также вырабатываться ХГЧ.

Особенность ХГЧ в том, что он состоит из двух субъединиц — альфа и бета:

- субъединица α-ХГЧ имеет такое же строение, как и аналогичные субъединицы других гормонов женского организма: лютеинизирующего, фолликулостимулирующего, тиреотропного;
- субъединица β-ХГЧ отличается уникальным строением и характерна для ХГЧ беременности. Поэтому чаще всего в сыворотке крови определяется именно β-ХГЧ.

Этот гормон должен достичь определенной концентрации, чтобы его можно было обнаружить в сыворотке крови, где он появляется на 7–8-й день после зачатия, то есть на 21–23-й день менструального цикла, а в моче — на 8–9-й день после зачатия. Уровень ХГЧ повышается до 10–12-й недели, после чего его рост замедляется, а потом наблюдается новый подъем после 22 недель.

> *Показатели ниже 5 мЕд/мл считаются отрицательными в отношении беременности, а все показатели выше 25 мЕд/мл — положительными.*

Очень многие врачи приняли за стандарт удвоение уровня ХГЧ каждые два дня как индикатор развивающейся беременности. Оказалось, что удвоение может происходить и медленнее, а рост ХГЧ в 1,4 раза каждый второй день тоже является нормальным показателем. К тому же такая прогрессия в росте гормона наблюдается только в первые недели (4–5) беременности.

У 85% беременных женщин удвоение уровня ХГЧ происходит каждые 48–72 часа. Достигнув максимальных уровней в 9–10 недель, выработка ХГЧ снижается и после 16 недель остается на уровне показателей 6–7-й недели беременности. Во второй половине беременности уровень этого гормона составляет всего 10% от максимальных показателей в 10 недель.

> **По уровню ХГЧ срок беременности никогда не определяется!**

Уровни ХГЧ колеблются в таком большом диапазоне, что определить истинный срок беременности по ним невозможно: от 23 до 4653 мМЕ/мл в 4 недели и от 114 до 45800 мМЕ/мл в 5 недель. У одной и той же женщины уровень ХГЧ при каждой новой беременности может быть совершенно разным. К тому же ряд состояний беременности и многоплодная беременность могут сопровождаться повышенными уровнями ХГЧ. С практической точки зрения точный срок беременности должен быть известен до определения уровня ХГЧ.

Какое еще практическое значение имеет определение уровня ХГЧ? Определение уровня β-ХГЧ может быть полезным диагностическим методом в отношении спонтанных выкидышей и внематочной беременности, но недостаточным для прогнозирования исхода беременности при наличии живого плода в полости матки. Хотя уровни ХГЧ и прогестерона взаимосвязаны, их определение для прогноза беременности тоже оказалось малоинформативным.

Несмотря на неточность в прогнозе исхода беременности, определение уровней прогестерона или ХГЧ, или обоих гормонов до сих пор применяется на практике, так как других надежных прогностических методов не существует.

Какую роль играет ХГЧ для беременности? Во всех без исключения публикациях, особенно старых, во всех учебниках и даже в моих старых публикациях говорится, что ХГЧ поддерживает функцию желтого тела беременности. Фактически это догма, в которую верят все врачи и их пациентки, за редким исключением. Это своеобразная врачебная привычка, выработанная в связи с принятием результатов исследований полувековой давности. Но насколько такое утверждение достоверно?

> *До сих пор не найдена, как и не доказана, зависимость выработки ХГЧ от выработки прогестерона и, наоборот, зависимость выработки прогестерона от выработки ХГЧ.*

Раньше я уже упоминала, что пик функции желтого тела отмечается в 4–5 недель, а к 7–8 неделям эта функция прекращается. Плацентарный прогестерон начинает вырабатываться с началом имплантации плодного яйца, как и ХГЧ в целом. Пик ХГЧ наблюдается до 9–10-й недели, а дальше его уровень быстро понижается и, достигнув уровня, как в 6 недель, практически не поднимается, за исключением коротких периодов во второй половине беременности. Одновременно рост плацентарного прогестерона сильно повышается, несмотря на падение уровня ХГЧ.

А не подавляет ли на самом деле растущий уровень ХГЧ выработку прогестерона желтым телом беременности? Если бы он стимулировал выработку лютеинового прогестерона, то дополнительное введение ХГЧ помогало бы сохранять беременности, потому что оно воздействовало бы на имплантацию и стимулировало бы желтое тело. Но, согласно данным многочисленных экспериментов, этого не происходит.

Если внимательно проследить за выработкой прогестерона желтым телом беременности, то пик обнаруживается как раз во время имплантации — 3–5 недель беременности. С 5-й недели беременности лютеиновый прогестерон начинает понижаться, в то время как ХГЧ интенсивно растет, практически удваиваясь с 4–5-й недели.

Значит, в стимуляции желтого тела важную роль играет далеко не ХГЧ. Тогда что же? Очевидно, эмбрион, путешествующий по маточной трубе в полость матки и ожидающий сигнала для имплантации (этот процесс занимает обычно 7 дней), выделяет какие-то особые вещества, которые поддерживают работу желтого тела и производство лютеинового прогестерона. Это может быть тау-интерферон, или шаперонин 10, или специфический белок раннего фактора беременности; это может быть вещество, которое ученые пока что не обнаружили. Но уровень ХГЧ увеличивается только с появлением хориона, и он все еще очень низкий в первую неделю после зачатия, в то время как функция желтого тела не меняется в этот период. И наоборот, как только ХГЧ начинает интенсивно расти, производство лютеинового прогестерона понижается, и к 7 неделям его уровень обычно падает значительно, а уровень плацентарного прогестерона увеличивается.

Несмотря на то что с ростом ХГЧ наблюдается повышение плацентарного прогестерона, это все же два независимых процесса. Связь между уровнями ХГЧ и плацентарного прогестерона не найдена. Ведь после пика выработки ХГЧ понижается до очень низких уровней, в то время как выработка прогестерона плацентой продолжается в определенной прогрессии.

Таким образом, догма о том, что ХГЧ стимулирует функцию желтого тела беременности, вызывает сомнение у все большего количества врачей, в том числе и у меня, и, скорее всего, это утверждение является ошибочным.

В акушерстве изучение влияния ХГЧ на беременность осталось в стороне, поскольку как лекарственный препарат он не нашел применения. В репродуктивной медицине его могут все еще использовать для стимуляции овуляции, хотя чаще назначают другие гонадотропины.

Также хочу упомянуть модную тенденцию искать антитела к ХГЧ у беременных женщин, и особенно у тех, кто потерял беременность. Такой тест не нашел практического применения в акушерстве. Любые попытки определения этих антител, как и «очистку» организма от них, можно рассматривать как проявление врачебного непрофессионализма.

Сахарный диабет беременных

Раз мы заговорили о гормонах беременности, невозможно не вспомнить такой диагноз, весьма новый в классификации болезней, как диабет беременных. О вреде сахарного диабета знают многие. Во всем мире из-за осложнений сахарного диабета ежегодно умирает до 3 миллионов людей. Приблизительно 180 миллионов человек на нашей планете страдают этим заболеванием. Но сахарный диабет беременных как раз не связан со злоупотреблением сладкими и мучными изделиями.

У всех беременных женщин наблюдаются два важных процесса, кардинально влияющих на обмен сахара (глюкозы) в их организме. Первый процесс называется **ускоренным голоданием**, которое тесно связано с ночным понижением уровня сахара в крови. Во время ночного сна женщина не принимает пищу, поэтому закономерно, что уровень сахара в крови значительно понижается.

Определение утренних показателей сахара в крови часто используется для диагностики сахарного диабета и контроля лечения этого заболевания.

Однако реакция беременных женщин на ночное голодание приводит к еще большему падению уровня глюкозы (именно поэтому немало беременных женщин просыпается от чувства голода по ночам и нуждается в еде). Помимо падения уровня сахара, в крови повышается уровень жирных кислот, что ускоряет образование ацетона (кетоновые тельца тоже часто находят в моче беременных женщин, что является нормой).

> Понижение уровня сахара в крови в первом триместре связано также с постепенным увеличением объема плазмы, но с развитием беременности большое количество сахара используется растущим плодом как источник энергии.

Количество глюкозы, вырабатываемой печенью, увеличивается на 30%, что автоматически повышает выработку инсулина поджелудочной железой. Но ряд плацентарных гормонов повышают устойчивость клеток к инсулину. Неправильное питание беременной женщины (отсутствие завтрака) приводит к быстрому нарушению обменных процессов и усиливает состояние ускоренного голодания.

Другой процесс, который выражен у беременных женщин, проявляется **увеличением распада питательных веществ**, в первую очередь для быстрого обеспечения ими плода. Изменение чувствительности к инсулину в тканях матери приводит к тому, что меняется не только обмен углеводов, но и белков и жиров. Кровь женщины становится насыщенной энергетическими веществами — жирными кислотами и триглицеридами, которые также участвуют в выработке гормонов беременности плацентой и плодом.

Несмотря на процессы ускоренного голодания и распада веществ, беременные женщины быстро набирают вес, что нередко наблюдается при сахарном диабете второго типа. Набор веса связан с включением механизма самосохранения и накопления энергетических веществ для успешного вынашивания потомства, так как беременность является серьезной нагрузкой для женского организма. У беременных женщин повышены процессы оксидации[1], и нередко беременность называют состоянием оксидативного стресса, когда может наблюдаться кислородное голодание многих органов.

> *Установлено, что большинство женщин, у которых были признаки диабета во время беременности (и нормальные показатели до и после беременности), являются кандидатами на развитие сахарного диабета в более позднем возрасте.*

Определение уровня сахара (глюкозы) в крови оказалось недостаточным для диагностики сахарного диабета, потому что этот уровень может значительно колебаться в течение дня и зависеть от многих факторов. Важен не сам уровень глюкозы, а то, как этот углевод усваивается организмом, как идет утилизация энергии, которая образуется при расщеплении молекул глюкозы, и как организм реагирует на излишек сахаров и других углеводов при поступлении их с пищей. Поэтому в начале 80-х годов начали использовать глюкозо-толерантный тест (ГТТ), который имеет большее прогностическое значение в отношении развития сахарного диабета и сейчас широко применяется врачами во всем мире.

Беременные женщины — это в основном молодая группа населения, которой до появления сахарного диабета очень далеко. Но проведение ГТТ показало, что у многих беременных результаты теста вне нормы. У 15% из них (зависит от страны, региона) диагностируют сахарный диабет. Оказалось также, что у женщин с ненормальным ГТТ частота осложнений беременности выше (крупный плод,

---

[1] Оксидация — окисление, процесс соединения веществ с кислородом. — *Прим. ред.*

мертворождение, осложнения в родах). Вес новорожденных у 25–30% женщин с диабетом беременных больше 4 кг.

Диагностика сахарного диабета беременных все же имеет определенные трудности и сложности, о чем я рассказываю в своих многочисленных публикациях на тему беременности, включая книгу «9 месяцев счастья». Скрининг на гестационный диабет рекомендуется проводить в 24–28 недель беременности.

Сахарный диабет беременных — эта та область акушерства, где предстоит провести немало исследований, чтобы выработать оптимальные рекомендации для беременных женщин и врачей.

Глава 7

Климакс
и гормоны

*Е*сли вы дочитали до этой страницы, то уже знаете, что говорилось о климаксе и его неприятных симптомах в ряде глав этой книги. Я повторю, что тема менопаузы становится актуальной в развитых странах, потому что значительно выросла пропорция людей, в том числе женщин, пенсионного возраста (30% и больше), а увеличивающаяся продолжительность жизни сопровождается тем, что 1/3 или почти половину жизни женщины находятся в состоянии менопаузы.

Некоторые женщины ошибочно считают, что с прекращением менструаций они теряют женственность. Неприятные симптомы климакса имеют связь не только с изменениями уровней гормонов, но и с психоэмоциональным состоянием. Психосоматическая реакция может доминировать у многих женщин, дополняя другие факторы.

Современных женщин, социальная и профессиональная активность которых намного выше, чем у женщин прошлого, интересует вопрос привлекательного здорового вида, что вынуждает их искать способы замедления процессов старения, и даже методы омоложения. Но, погружаясь в состояние менопаузы, многие также ищут способы устранения эффекта понижения уровней гормонов, поэтому рассматривают менопаузальную гормональную терапию как оптимальное решение своих проблем.

Можно ли замедлить старение

Старение — это нормальный физиологический процесс для любого живого существа. Стареют клетки, ткани, организмы. Иногда я слышу от беременных женщин, что некоторые врачи пугают их «старением» плаценты и требуют срочного стационарного лечения и омоложения плаценты. Я в таких случаях рекомендую напомнить врачу, что за девять месяцев беременности стареет не только плацента, но и плод, беременная женщина и сам врач.

Люди боятся старости из-за страха умереть. Старость сопровождается появлением различных отклонений во всем теле, разных заболеваний, и это далеко не всегда приятное состояние, особенно если человек теряет мобильность, имеет ограничения в передвижении, должен принимать длительные курсы лечения.

Но вокруг темы старения существует также много спекулятивных теорий и утверждений, которые становятся почвой для создания и внедрения различных панацей от старости. «Эликсиры молодости», «эликсиры жизни», «эликсиры красоты» известны с древних времен. Интересно, что ни один из создателей таких «чудодейственных противоядий от старости» не стал моложе и не прожил дольше, чем его ровесники. Сейчас благодаря Интернету реклама и продажа многочисленных средств «от старости» или «для омоложения» зашкаливает! Существует колоссальное психологическое давление со стороны средств массовой информации, диктующих обществу свои эталоны красоты и молодости.

> Многие мужчины тоже «комплексуют», потому что после 40 лет у 60% наблюдаются определенные проблемы с эрекцией. Мужчины стареют, как и женщины, хотя у них нет такого состояния, как менопауза. Они могут вырабатывать сперму до глубокой старости. Качество спермы обычно значительно ухудшается после 55–60 лет.

Мы не будем затрагивать сферу «омоложения» кожи, прием разных препаратов, как добавок, так и гормональных, пластические операции. Мы поговорим о якобы «омоложении» яичников с помощью гормональных контрацептивов.

Так как женщины начали беременеть значительно позже, актуальным стал вопрос сохранения яичникового резерва, то есть тех яйцеклеток, которые они получают еще до своего рождения. Отсутствие знаний о репродуктивной системе и ее функции приводит к тому, что многие женщины сталкиваются с серьезной проблемой в создании потомства в будущем. Это привело к поиску технологий, помогающих сохранить яйцеклетки, как хранят сперму в банках спермы. Замораживание яйцеклеток и яичниковой ткани начало использоваться в медицинской практике, хотя имеет все еще немало ограничений.

Поскольку наступление менопаузы во многом зависит от яичникового резерва, что влияет на его уменьшение? Это генетически обусловленный процесс, который не может регулироваться по желанию или зависеть от ощущений женщины. Однако весьма заметное негативное влияние на него оказывают следующие внешние факторы:

- хирургические вмешательства, которые проводились на яичниках и других органах малого таза, в том числе лапароскопии, приводящие к нарушению кровоснабжения яичников;
- прием и тем более злоупотребление медикаментами, стимулирующими созревание половых клеток или же нарушающими микроциркуляцию крови в органах малого таза;
- облучение и химиотерапия;
- любое нарушение кровоснабжения и иннервации яичников и органов малого таза;
- вредные привычки, в первую очередь курение, которое приводит к нарушению микроциркуляции в тканях яичников.

Также к ускоренной гибели фолликулов приводят изменения (мутации) в ряде генов, например FMR1. Эти мутации могут возникать спонтанно или передаваться по наследству.

Таким образом, если в жизни женщины имеется хотя бы один дополнительный фактор из перечисленных выше, менопауза у нее может наступить значительно раньше.

Вернуть потерянный яичниковый резерв невозможно. В мире не существует ни одного лекарства, ни одного метода, который может затормозить или остановить процесс потери яичникового резерва.

Гормональные контрацептивы не останавливают этот процесс, хотя подавляют овуляцию. Чтобы понять, что утверждения некоторых врачей об «вводящим в отдых» и «омолаживающем» действии гормональных контрацептивов являются ложными (из-за малограмотности или коммерческой заинтересованности), важно честно принять два важных факта.

• Женщины, принимавшие длительный период гормональные контрацептивы (10–15 лет), не стали моложе и не сохранили молодость. Внешние признаки старения у них такие же, как и у тех, кто не принимал контрацептивы. Женщины стареют на гормональных препаратах с такой же скоростью, как и их ровесники, не принимающие гормональные препараты.

• Женщины, которые откладывали детородную функцию и длительный период времени принимали гормональные контрацептивы (10–15 лет), сталкиваются с проблемами репродукции не меньше, чем женщины, которые не принимали гормональные контрацептивы. Наоборот, у этих женщин чаще больше проблем, потому что овуляция может восстанавливаться несколько месяцев.

Гормональные контрацептивы подавляют функцию яичников через подавление гипоталамо-гипофизарной системы. Это на самом деле насильственное вмешательство в гормональные процессы, когда выработка собственных гормонов замещается поступлением извне их синтетических заменителей. Поэтому говорить о каком-то отдыхе яичников — значит манипулировать словами с определенными целями. Фактически манипулировать здоровьем женщины.

Менопаузальная гормональная терапия, или заместительная гормональная терапия, как ее называли раньше, состоит практически из тех же синтетических гормонов, что и гормональная контрацепция, только их доза меньше. Но эта терапия тоже не обладает омолаживающими свойствами. Она только подавляет функцию яичников и «замещает» их гормоны.

Что замедляет старение? Звучит банально просто: здоровый образ жизни! Он подразумевает:

- разнообразное полноценное питание;
- подвижность (физическая активность);
- положительная когниция (умение воспринимать и реагировать на события и людей положительно).

Жизнь — уникальная, очень странная и непростая «штука». В ней есть молодость, зрелость и старость. Каждый период неповторимый. Жизнь всегда идет навстречу Смерти. Большинство людей погрязло в страданиях прошлого и страхах будущего, не живя настоящим, не наслаждаясь тем хорошим, что есть в их жизни. Старость — это не приговор, это норма. Бояться старости — это похоронить себя живьем в прошлом. Еще ни одно «омолаживание» не сделало человека ни моложе, ни счастливее.

Менопаузальная гормональная заместительная терапия

Гормональная терапия (ГТ), которая используется при менопаузе для лечения климактерического синдрома, а также при ряде гинекологических проблем, была гораздо популярнее гормональных контрацептивов в недавнем прошлом. Она также намного старше гормональных контрацептивов!

Рост чрезмерного применения ГТ был вызван тем, что огромное количество женщин из поколения «baby boomers» (родившихся в 1946–1964 гг.) начали выходить на пенсию, стараясь продолжать свою социальную и общественную активность. На фоне увеличивающейся продолжительности жизни возраста менопаузы достигло большинство этих женщин. Но чуть ли не поголовное увлечение ГТ среди женщин развитых стран сменилось на рациональный подход к приему гормонов. Профессиональные общества врачей пересмотрели показания и противопоказания для приема менопаузальной заместительной терапии.

Несколько слов об истории гормональной терапии

После открытия эстрогенов докторами Алленом и Дойзи в 1923 году работа над созданием препаратов, содержащих женские половые гормоны, набрала чрезвычайно быстрые темпы, и уже в 1926 году в продаже появились первые препараты с эстрогенами. Их начали широко применять для лечения климактерического синдрома, разговоры о котором тоже стали очень популярными среди женщин того времени, особенно богатых слоев белого населения США и Европы (витамины и гормоны — это была самая модная тема среди самодостаточных людей 30–40-х годов прошлого века). Для большинства женщин мира такие гормональные препараты были все же недоступны.

До конца 40-х годов назначение эстрогенов для лечения неприятных симптомов менопаузы основывалось скорее на теоретических предположениях, чем на доказанной эффективности такого лечения. Первыми идею о том, что эстрогенная терапия может предотвратить климактерический синдром, высказали доктора Гейст и Шпильман в 1932 году. Чуть позже доктор Рейфенштейн предположил связь между остеопорозом (потерей костной ткани) и менопаузой и предложил использовать гормональную терапию с этой целью.

Однако наиболее глубоко эту тему изучил Роберт Вильсон, который в 50-х годах описал тесную связь между угасанием функции яичников и возникновением не только климактерических симптомов, но и целой серии процессов старения женского организма, и для предотвращения таких изменений предложил использовать эстрогены. В 1966 году в Великобритании он опубликовал книгу «Женственность навсегда» («Feminine forever»), которая стала чрезвычайно популярной не столько среди врачей, сколько среди женщин Европы и США. В книге был сформулирован диагноз «синдром эстрогенной недостаточности», и этот синдром врач предлагал лечить препаратами эстрогенов.

В 1969 году Международный фонд здоровья (International Health Foundation) под натиском общественных споров о применении заместительной гормональной терапии для лечения климактерических симптомов провел опрос женщин в пяти странах Европы (по 400 из каждой страны). Оказалось, что знания женщин о климаксе и лечении его симптомов зависели от количества публикаций в средствах массовой информации. Чем больше эта тема обсуждалась в обществе, тем больше женщин знало о гормональной терапии. Самыми образованными в вопросах эстрогенной терапии оказались жительницы Германии (в Германии же отмечена и самая высокая популярность книги доктора Вильсона).

По результатам опроса долго обсуждалась рациональность назначения гормональной терапии. К тому времени в арсенале медицины было несколько синтетических форм прогестерона, а на рынке появились и начали внедряться в массы первые гормональные контрацептивные препараты. Поэтому в процессе дискуссии по вопросам ЗГТ была высказана идея добавить к эстрогенам прогестерон.

Ошибочно многие женщины, да и врачи тоже рассматривали заместительную гормональную терапию (некоторые рассматривают так до сих пор) как средство омоложения, некую панацею для возврата молодости и превращения менопаузальной женщины в предменопаузальную. Доктор Норман выступал против такого взгляда, акцентируя внимание на том, что основная задача ЗГТ — это помощь женщине в устранении симптомов менопаузы на гормональном (эндокринном) уровне, а не омоложение.

Европейские страны первыми приняли ЗГТ как лечение климактерического синдрома, и вскоре она назначалась большому количеству женщин, в том числе тем, у кого были удалены матка и яичники. Кроме того, что такая терапия применялась по показаниям (для лечения), гормоны могли предлагать любой женщине в предклимактерическом периоде при отсутствии жалоб — только по ее желанию «предотвратить» процесс старения яичников, что, конечно, не имеет смысла — яичники стареют независимо от того, принимает женщина гормоны или нет. Среди врачей были и такие, которые предлагали принимать ЗГТ всем женщинам после 45 лет пожизненно.

Единственной страной среди европейских, где к ЗГТ относились с некой прохладцей и осторожностью, была Великобритания. Гормональную терапию в этой стране начали применять приблизительно на 8 лет позже по сравнению с Германией и рядом других европейских государств. Фактически росту использования ЗГТ англичане обязаны активной пропаганде гормонов Венди Купер, которая в 1975 году опубликовала книгу «Без изменений: биологическая революция для женщин» («No Change: Biological Revolution for Women»).

> Интересно, что чаще всего созданием мифов и активным внедрением многих лекарственных препаратов люди обязаны авторам «сенсационных книг», несмотря на то, что у большинства этих авторов нет медицинского образования, но зато есть связи в средствах массовой информации.

В США, наоборот, к ЗГТ врачи относились агрессивно вплоть до начала 90-х годов. Только единицы из американских врачей назначали гормональную терапию менопаузальным женщинам. После публикаций книг доктора Ли, вышедшего на пенсию семейного врача, массово начали внедряться препараты прогестерона среди женщин климактерического возраста, к тому же по их собственной инициативе.

Чем полезна гормональная терапия

Предклимакс и климакс сопровождаются рядом симптомов, о которых я уже упоминала в главах выше. Для лучшего понимания, когда гормональная терапия эффективна, а когда нет, объединим все самые распространенные симптомы в три группы.

- Вазомоторные симптомы: горячие приливы, потливость, озноб.
- Изменения со стороны урогенитальной системы: сухость влагалища, воспаление влагалища, болезненное мочеиспускание, недержание мочи.
- Психоэмоциональные проблемы: расстройства настроения, тревожность, бессонница, депрессия.

Добавим к этим симптомам невидимые определенный период времени опасности.

- Уменьшение плотности костной ткани (остеопороз).
- Повышение риска сердечно-сосудистых заболеваний.

У каждой женщины есть своя пропорция симптомов и рисков. Задача врача (именно врача) определить, насколько эта пропорция доставляет дискомфорт самой женщине (1), можно ли устранить неприятные симптомы негормональными методами лечения (2), если требуется гормональная терапия, то какому препарату и в какой форме отдать предпочтение (3).

Женщины старшего возраста используют заместительную гормональную терапию для подавления климактерических симптомов, особенно горячих приливов. Для уменьшения побочных эффектов эстрогенов женщины часто комбинируют их прием с приемом прогестерона. Для лечения климактерических симптомов чаще всего применяются эстрогены, прогестероны и реже андрогены.

Гормональная терапия может помочь в профилактике потери костной ткани, в лечении бессонницы, раздражения, головных болей. Однако клинические исследования подтвердили наличие изменений в молочных железах на фоне приема ЗГТ: ткань молочных желез становится плотнее. Комбинация эстроген-прогестероновой ЗГТ вызывает больше изменений, чем применение только эстрогена. Кроме того, при применении «натурального» эстрогена наблюдается больше отклонений, чем при применении синтетического прогестерона (прогестинов). Такие изменения могут маскировать развитие рака молочной железы и усложнять интерпретацию диагностических тестов.

Так как ошибочно эстроген считают «плохим гормоном», а прогестерон «хорошим гормоном», женщины чаще начали использовать разные формы прогестерона. Проведено уже немало клинических исследований по сравнению действия микронизированного прогестерона (МР) и ацетата медроксипрогестерона (МПА), синтетической формы прогестерона, но многие результаты имеют определенные погрешности. Оказалось, что разницы в снижении симптомов или появлении кровянистых выделений при применении разных форм прогестерона не наблюдалось. И МР, и МПА имеют одинаковое влияние на молочные железы, сердечно-сосудистую систему и другие органы.

Эндокринные общества некоторых стран предупреждают, что утверждения о безопасности и преимуществе микронизированного прогестерона являются необоснованными, недоказанными и преждевременными. Большинство обществ акушеров-гинекологов строго не рекомендуют комбинацию разных форм прогестерона, а также переходы с одной на другую. Прогестерон является одним из видов заместительной гормональной терапии независимо от формы, поэтому врачи и пациентки должны понимать простую истину: гормон есть гормон, и неважно, каким путем его ввели.

Тревожные факты о гормональной терапии

В 2002 году были опубликованы результаты американского клинического исследования Women's Health Initiative (WHI) по использованию эстрогенов и прогестина (МПА) в гормональной заместительной терапии у женщин в климактерическом периоде. Они показали увеличение риска развития рака молочной железы (на 26%), сердечно-сосудистых заболеваний, кровоизлияния в мозг, образования тромбов и тромбоэмболии по сравнению с контрольной группой женщин, принимавших плацебо. В этом исследовании участвовали 16 608 женщин в возрасте 50–79 лет, с сохраненной маткой, из 40 американских клинических центров с 1993 по 1998 год.

Результаты этого исследования шокировали не только многих врачей, но и женщин, применявших ЗГТ, а также тех, кто искал безопасные формы ЗГТ и планировал принимать комбинацию эстрогенов и прогестерона. После публикации статьи в течение 3 месяцев количество врачебных назначений комбинации эстрогена с прогестероном понизилось на 63%. Это означало, что миллионы женщин остались без помощи и лечения. Около 70 книг с серьезной критикой гормональной заместительной терапии на английском и не меньше на других языках были опубликованы в короткий период времени.

В другом развернутом исследовании в Великобритании изучалось влияние ЗГТ на развитие рака молочной железы у 1 084 110 (более 1 миллиона) женщин в возрасте 50–64 лет с 1996 по 2001 год. Результаты показали, что такая терапия повышает уровень этого опасного заболевания, особенно если использовалась комбинация эстрогена и прогестерона — намного больше, чем при назначении только эстрогенов.

Как вспоминают некоторые мои канадские коллеги, обучавшиеся в медицинской школе в 1990-х годах, назначение заместительной гормональной терапии всем без исключения женщинам в постменопаузе было не просто рекомендацией, а догмой, и молодые врачи настолько в это верили, что мало у кого возникало сомнение, что данные в поддержку пользы ЗГМ могут оказаться неточными и даже ложными.

В 1999 году более 90 миллионов женщин в мире принимали гормоны в постменопаузе. Данные двух крупных исследований шокировали врачей, особенно гинекологов и семейных врачей, которые чаще, чем другие специалисты, назначали ЗГТ. Многие отказались от такой терапии, потому что эти данные затрагивали не только тему серьезных побочных эффектов лечения, но и этические вопросы: как доверять врачам, если их утверждения, а значит, знания оказываются ложными? И все же американским и европейским врачам необходимо отдать должное: как только они узнали о новых данных, они открыто и смело начали предупреждать женщин о возможном вреде ЗГТ.

К 2005 году, как показали последующие исследования, хотя и немногочисленные по количеству участников, большинство женщин климактерического периода знали о серьезных последствиях гормональной заместительной терапии, и получили они такую информацию в основном от своих врачей.

Но публикации новых данных об опасных последствиях ЗГТ привели к еще одному негативному явлению — поиску альтернативных методов лечения менопаузальных симптомов. И казалось бы, что плохого в альтернативных методах лечения? А то, что очень быстро врачи и пациентки переключились на использование «натурального» прогестерона вместо синтетического, который продавался на рынке вне контроля организаций, проверяющих качество препаратов и лицензирующих такие препараты как лекарства. Проблема была не только в том, что многие препараты «натурального» прогестерона содержали далеко не прогестерон, но и в дозе большинства препаратов, не обоснованной клиническими исследованиями. Фактически ни одна из форм «натурального» прогестерона в то время не прошла серьезных клинических испытаний на безопасность и эффективность.

Часто масла в огонь подливает пресса и другие средства массовой информации: врачи, дескать, такие плохие, потому что применяют только препараты, утвержденные как лекарства, а когда появляются результаты серьезных клинических исследований, врачи все равно отказываются назначать натуральные заменители гормонов, — значит, нужно, чтобы женщины сами ими пользовались. Такие ложные обоснования применения «натуральных» гормонов поддерживаются (и не бесплатно) теми фармакологическими компаниями, которые производят эти «натуральные» гормоны, а поэтому им выгодны большие продажи их продукции.

Анализ 130 исследований по применению альтернативных методов для лечения симптомов менопаузы, в том числе «натурального» прогестеронового крема, показал, что такая терапия действует на уровне плацебо. Это не принижение значения альтернативной медицины, а подтверждение того факта, что от индивидуального восприятия состояния менопаузы зависит наличие симптомов у большинства женщин — корни проблемы погружены в мышление. Поэтому может помочь все, что угодно, если женщина поверит в это. И наоборот, ничего не поможет, если женщина верить не будет.

Современный подход в назначении гормональной терапии

История гормональной терапии, которая была изложена выше, показала, что ЗГТ началась с эстрогена. Сегодня женщины имеют куда больший выбор. Они могут использовать:

- эстрогены;
- комбинированные препараты эстрогенов и прогестинов;
- селективные модуляторы эстрогенных рецепторов (SERM);
- гонадомиметики (содержат эстрогены, прогестерон, андрогены).

Формы введения гормонов такие же, как и для гормональной контрацепции: таблетки, кольца, пластыри, инъекции, импланты. Для местного применения существуют кремы и гели.

Каковы современные показания для назначения гормональной терапии? Я вас удивлю, но показания противоречивые. Если в прошлом гормональной терапией «баловались» очень многие женщины и врачи, сейчас существует некий вакуум между пониманием необходимости и назначением такой терапии. Это правда, что все боятся рака. Все боятся тромбозов. Все боятся нести ответственность за те серьезные осложнения, которые могут возникнуть из-за приема гормональных (стероидных!) препаратов.

Существуют споры и в отношении того, должна ли гормональная терапия применяться как профилактика. Когда она назначается для лечения симптомов, цель понятна:

- уменьшить вазомоторные симптомы (горячие приливы);
- уменьшить урогенитальные симптомы.

Именно эти симптомы считаются сейчас показаниями для назначения гормональной терапии.

Горячие приливы могут появляться до наступления менопаузы, но частота их увеличивается с ее приближением. Обычно они ощутимы только первые 1–3 года менопаузы, а потом прекращаются, хотя у небольшого количества женщин могут наблюдаться более длительный период (до 10 лет). Как раз гормональная терапия в течение 1–3 лет может помочь женщинам с выраженными и частыми горячими приливами.

> **Урогенитальные симптомы ухудшаются с продолжительностью, то есть с возрастом. Поэтому в таких случаях требуется длительная гормональная терапия.**

Заместительная гормональная терапия может назначаться для профилактики остеопороза или уменьшения скорости его развития. Однако это показание не является самостоятельным для приема гормонов. Другими словами, ЗГТ не должна назначаться только для профилактики остеопороза, особенно у женщин с натуральной менопаузой.

В случаях ранней менопаузы назначение гормональной терапии спорное. С одной стороны, такие женщины могут испытывать горячие приливы, что может быть показанием для терапии. С другой стороны, симптомы могут быть не выраженными, но тогда встанет вопрос о профилактике остеопороза. Как раз в отношении профилактики остеопороза с помощью гормональной терапии у женщин с ранней менопаузой четких рекомендаций нет. Если женщина не заинтересована в приеме гормонов, питание, богатое кальцием, и физическая активность оказывают не менее благоприятный эффект, чем гормоны.

Других показаний для приема ЗГТ не существует. Такое утверждение звучит странно на фоне еще недавнего поголовного приема гормонов женщинами большинства стран Европы, США и Канады. А что насчет лечебного применения гормонов у женщин репродуктивного возраста? Здесь тоже наблюдается злоупотребление. Аргументация звучит просто: терапия дополнит гормоны, вырабатываемые яичниками, которых якобы не хватает. Это ложное утверждение. ЗГТ подавляет функцию яичников и в большинстве случаев — овуляцию, оказывая контрацептивный эффект. Поэтому женщины, планирующие беременность, не должны принимать такие препараты.

> *В современной гинекологии нет достоверных данных о пользе заместительной гормональной терапии для лечения заболеваний или для поддержки ряда состояний, кроме тех, которые сопровождаются функциональной недостаточностью яичников (ранняя менопауза, искусственная менопауза, натуральная менопауза).*

Важно понимать, что менопаузальная заместительная гормональная терапия не безопаснее и не лучше гормональных контрацептивов. Это все те же эстрогены и прогестероны — стероидные гормоны. Поэтому противопоказания для ЗГТ практически те же, что и для контрацептивов. Но так как менопаузальная заместительная гормональная терапия значительно старше общей гормональной терапии, и она использовалась в эру отсутствия доказательной медицины, до сих пор инструкции по назначению ЗГТ пестрят противоречивыми показаниями и противопоказаниями. Это та сфера применения гормонов, где существует много неразберихи.

Основными противопоказаниями для применения гормональной терапии являются следующие:

- история рака молочной железы;
- история рака эндометрия;
- острые заболевания печени;
- высокие уровни жирных кислот;
- заболевания с повышенным свертыванием крови и образованием тромбов;
- недиагностированные влагалищные кровотечения.

Это далеко не все противопоказания. Для ряда препаратов противопоказанием является наличие эндометриоза и фибромиомы.

Многие рекомендации прошлого стали догмами, от которых некоторые врачи не избавились до сих пор. Поэтому важно не бояться уточнять у врача, насколько заместительная гормональная терапия нужна в конкретном случае, существуют ли альтернативы (а они есть практически всегда), какие негативные эффекты имеет такая терапия.

Мифы о фитогормонах

Очень часто мне задают вопросы, какие фитоэстрогены и фитопрогестероны можно принимать для лечения всевозможных женских заболеваний. Нередко также мне сообщают о назначении врачами «негормональных гормонов» растительного происхождения. Давайте все же расставим все точки над «i» в теме фитогормонов.

Интерес к биохимическому строению растений возник почти столетие тому назад с развитием органической химии. Но изучение растительных веществ достигло апогея после Второй мировой войны, в 50–60-х годах, когда проводились поиски противораковых препаратов и были изучены как сотни тысяч веществ растительного и животного происхождения, так и синтетические вещества. Иногда эти вещества обозначались номерами, а не названиями, так как открытия делались очень часто, почти каждый день. И только со временем появились наименования многих органических веществ, в основном тех, которые успешно начали применяться в альтернативной и официнальной[1] медицине.

Изучение стероидов растений продолжается и в наше время. Открытие новых стероидных веществ доказывает, что между растительным и животным миром существует более тесная связь, чем предполагалось раньше. Некоторые стероиды можно найти только в растительном мире, но их изучение позволяет ученым создавать новые лекарственные препараты.

Животный мир тоже богат стероидными веществами, в том числе половыми гормонами и их метаболитами. Прогестерон вырабатывается у всех видов млекопитающих. Интересно, что роль прогестерона, как и его использование, у животных, особенно тех, которые выращиваются в сельском хозяйстве для разных целей, изучена намного детальнее, чем у людей.

Фитостеролы

Практически все без исключения растения содержат органические вещества-стеролы, которые часто называют **фитостеролами**. Грибки содержат эргостерол. У животных найден только один вид стерола — зоостерол, или холестерол (холестерин). Все эти стеролы являются неотъемлемой частью жизнедеятельности растений и животных, участвуют во многих химических реакциях, являются фундаментальными структурами для выработки различных веществ, в том числе гормонов, живыми организмами.

Фитостеролы, то есть растительные стеролы, которые используют для синтеза прогестерона, имеют различия в своей структуре по сравнению со структурой молекулы прогестерона, поэтому не могут быть превращены в организме человека ни в прогестерон, ни в эстрогены.

---

[1] Официнальные лекарственные формы — такие, которые предписаны фармакопеей, их готовят фабрично-заводским путем. — *Прим. ред*

Прогестерон из дикого ямса

Процесс превращения фитостеролов в прогестерон или эстрогены всегда является лабораторным и никогда не происходит в живой природе, потому что сама молекула стерола должна быть изменена по паттерну человеческого холестерина. Например, стигмастерол проходит через 11 химических реакций при получении прогестерона.

Конечно, холестерин является предшественником прогестерона и, казалось бы, получение гормона из этого вещества было бы оптимальным вариантом. Однако процесс превращения холестерина в прогестерон в лабораторных условиях является чрезвычайно дорогостоящим, экономически невыгодным. Поэтому во всем мире прогестерон получают из растительного сырья — соевых бобов (Glycine max), некоторых видов ямса (Dioscorea composita, floribunda, mexicana, villosa, deltoidea, nipponica), агавы, пажитника, калабарских бобов (Physostigmavenenosum), некоторых видов лилий, юкки, паслена и его сородичей, кукурузы. Из фитостеролов для получения прогестерона чаще всего используют стигмастерол, диосгенин, бета-ситостерол, кампестерол, гекогенин, сарсасапогенин и соласодин.

В многочисленных источниках, в том числе рекламных аннотациях продаваемых прогестероновых препаратов, часто звучит, что это «натуральный прогестерон, полученный из ямса» или же «натуральный прогестерон, полученный из диосгенина дикого ямса». Но является ли современный «диосгениновый» прогестерон натуральным или синтетическим производным ямса?

Дикий ямс считается лекарственным растением в ряде стран мира. Известно также, что его широко использовали древние жители Южной и Северной Америки, в частности для лечения диабета, желудочно-кишечных расстройств, артритов, опухолей.

То, что мексиканский дикий ямс содержит диосгенин, было известно ученым еще в 30-х годах прошлого столетия. В 1940 году Рассел Маркер, американский химик, запатентовал синтез прогестерона из диосгенина дикого ямса (dioscorea spp), и в честь ученого такой процесс получения прогестерона назвали «деградацией (распадом) Маркера».

Из того же диосгенина изготавливали и другие стероидные гормоны. Прогестерон, полученный из ямса, не является натуральным прогестероном, его считают полусинтетическим продуктом, биоидентичным прогестероном. Почти 40 лет во всем мире использовали именно такой способ получения прогестерона и других стероидов, пока в 1971 году другой американский химик, Уильям Саммер Джонсон, не синтезировал прогестерон из комбинации органических и неорганических веществ, то есть создал гормон искусственно. Открытие Маркера привело к поиску источников сырья, а также изучению разных видов ямса для производства большего количества прогестерона.

Во многих странах ямс выращивают как пищевой продукт. Белый ямс — Dioscorea rotundata — и желтый ямс — Dioscorea cayenensis (более 200 подвидов) — являются самыми распространенными и выращиваются в Африке. Фиолетовый, или водяной, ямс, Dioscorea alata, распространен в Южной Азии и ряде регионов Африки. Японский горный ямс, или китайский ямс, D. opposite, в Европе называют сладким картофелем. Он очень популярен в китайской и японской кухне. Существуют и другие съедобные виды ямса.

> В отличие от дикого съедобный ямс, который культивируется во многих странах Латинской Америки и в других, не содержит диосгенин.

В 1950-х годах с большим трудом собирали около 5500 тонн сухого сырья для получения стероидных гормонов, что не могло удовлетворить рыночную потребность в них. Поэтому стоимость производства прогестерона для его производителей не была низкой — в 1940 году она составила 200 долларов за 1 грамм. Улучшение технологии полусинтеза прогестерона позволило понизить стоимость 1 грамма до 30 центов в 1956 году. Мексика стала мировым лидером-монополистом производства диосгенина и продержалась на этом посту более 20 лет.

Однако после открытия полусинтеза прогестерона добывать дикий ямс с каждым годом становилось все труднее — расстояние между джунглями, где росло растение, и центрами переработки сырья увеличивалось, что значительно повышало стоимость его перевозки в другие страны. Поэтому во всем мире начался поиск поставщиков ямса, идентичного мексиканскому.

На современном этапе основным поставщиком диосгенина является Китай, где это вещество получают из соевых масел. С появлением соевого диосгенина в 1980 году добыча этого вещества из ямса сведена к минимуму. Использование сои позволило значительно снизить цену прогестерона. Большинство фармакологических компаний, производящих прогестерон, перешло на использование соевых бобов в течение последних 10 лет.

> *Диосгенин также находят в семенах пажитника сенного, или пажитника греческого (Trigonella foenum-graecum), который использовали еще во времена Древнего Египта для стимуляции родов. Об этом растении упоминал Гиппократ, а в Европе его часто применяли для лечения гинекологических заболеваний.*

По строению диосгенин имеет сходство с холестерином и другими стероидами, что позволило использовать его для получения ряда стероидных гормонов. К другим популярным сапонинам, используемым в фармацевтической индустрии, относят гекогенин, тигогенин и другие.

Прогестерон, который получают путем полусинтеза из диосгенина и ряда других сапонинов, является идентичным по строению человеческому прогестерону, вырабатываемому яичниками. Поэтому он может быть усвоен клетками и тканями организма с минимальными препятствиями — тело принимает его легче. Также, поступив в организм человека, такой вид прогестерона может участвовать в синтезе других гормонов, то есть не всегда использоваться как прогестерон в чистом виде клетками-мишенями. Этого не наблюдается при приеме синтетических прогестеронов.

Чаще всего на прилавках можно найти препараты «натурального прогестерона», на этикетках которых указано, что он создан из диосгенина или содержит диосгенин. И многие женщины ошибочно считают, что это один и тот же «высококачественный прогестерон». Проблемы усугубляются еще и тем, что немало врачей рекомендуют женщинам препараты экстракта дикого ямса, содержащего диосгенин, как якобы натуральный гомеопатический препарат для альтернативного лечения гинекологических и акушерских проблем.

> *Все же нужно быть честным: никто из пользователей понятия не имеет, что именно входит в состав БАДов, кремов, мазей под видом «натурального прогестерона».*

Диосгенин, наносимый на кожу в виде крема, не всасывается, поэтому не оказывает действия на ткани, чувствительные к эстрогену и прогестерону. Ни одно исследование не подтвердило, что диосгенин может превращаться в прогестерон в организме. Это вещество не является биоидентичным для человека.

Если рассматривать производство лекарственных препаратов, то 75% лекарств для лечения инфекционных процессов и 60% противораковых средств, которые имеются на рынке с 1980-х годов, созданы из природного, натурального сырья. Другие группы лекарственных препаратов тоже имеют большое количество ингредиентов растительного и животного происхождения. Тем не менее никто не называет эти препараты «натуральными».

Если в состав препарата под названием «натуральный прогестерон» входит экстракт соевых бобов или масел ямса, агавы и других растений, такой препарат не содержит прогестерон.

Фитоэстрогены

Как только оказалось, что заместительная гормональная терапия ассоциируется с возникновением рака, а также имеет множество побочных эффектов, начался поиск заменителей эстрогенов и других альтернативных методов лечения климактерических симптомов.

Поскольку неприятные симптомы менопаузы у восточных женщин (китайских, корейских, японских, вьетнамских) встречаются реже, предположили, что употребление большого количества продуктов из сои помогает им переносить менопаузу. В реальности все оказалось по-другому. У восточных народов восприятие менопаузы положительное, потому что старость считается новым этапом жизни, где доминируют мудрость, опыт и мастерство. Другими словами, в большинстве случаев неприятные симптомы, особенно горячие приливы, являются проявлением психосоматики.

> **Восприятие менопаузы как нормального проявления жизненных процессов препятствует возникновению горячих приливов. И это доказано рядом клинических исследований.**

Фитоэстрогены — это вещества растительного происхождения, которые якобы обладают гормональной активностью эстрогенов, но не являются гормонами.

Почему фитоэстрогены популярны? Они входят в группу БАДов, поэтому не требуют контроля со стороны организаций, проверяющих качество, эффективность и безопасность лекарственных препаратов. Они не требуют проведения длительных серьезных клинических исследований до поступления на рынок и применения в практической медицине. Они могут продаваться без всяких рецептов, в отличие от гормонов. Так как их польза все еще не доказана, а вред тоже не изучен, они стали отличным коммерческим товаром, приносящим огромные прибыли производителям.

Тем не менее рассмотрим фитоэстрогены с точки зрения науки и медицины. До 1990 года публикаций на эту тему практически не было. Интерес начал расти после публикаций о взаимосвязи ЗГТ с риском развития рака и тромбозов. Бум таких публикаций наблюдался в 1998–2000 годах.

Эстрогенные ингредиенты (но не эстроген) находят у более чем 300 видов растений, но они практически не усваиваются, за исключением нескольких, в организме человека и животных. Фитостеролы, о которых я упоминала выше, не являются гормонами. Среди фитостеролов, которым часто ошибочно приписывают эстрогенный эффект, β-ситостерол, кампестерол и стигмастерол не соединяются с эстрогеновыми рецепторами животных, в том числе человека, и поэтому не имеют гормональной активности.

Впервые о фитоэстрогенах заговорили, когда в 1980-х годах провели исследования в сельском хозяйстве, заметив, что фертильность коров и овец, питающихся клевером, понижается. Формононетин клевера также влияет на размножение птиц. После этого началось более глубокое изучение растений, содержащих фитостеролы и фитоэстрогены.

Точное количество веществ в природе, которые можно условно назвать фитоэстрогенами, неизвестно. Их может быть несколько сотен. Описано детально чуть больше 100 фитоэстрогенов, действие некоторых изучено на животных моделях (в основном в сельском хозяйстве).

По химическому строению фитоэстрогены делят на следующие классы:

- халконы;
- флавоноиды (флавоны, флавонолы, флаваноны, изофлавоноиды);
- лигнаны;
- стилбеноиды;
- другие классы.

Изофлавоноиды изучены лучше, чем другие классы. Они включают подклассы изофлавонов, изофлаванонов, птерокарпаны, икуместаны. Но в популярной литературе чрезмерно много путаницы и в названиях фитоэстрогенов, и в их классификации.

В отношении воздействия на человека лучше всех изучены фитоэстрогены сои, красного клевера, турецкого гороха, хмеля, ликорина, ревеня (румбарбар), ямса и витекса. Фитоэстрогенные изофлавоноиды также обнаружены в фасоли, горохе, бобах, корне кудзу, кунжутных семенах, семенах подсолнуха, в арахисе, овсе, ржи, клубнике, клюкве, чернике, малине, красной капусте, брокколи, цукини, моркови, свекле, черном и зеленом чае. Список продуктов питания, в которых содержатся фитоэстрогены, можно продолжить. Собственно говоря, обилие растений, в том числе фруктов и овощей, которые имеют полезные «якобы гормоны», приводит к увеличению количества всяческих БАДов на современном рынке, качество и эффективность которых никогда не была доказана. Самое главное — неизвестна дозировка для их применения, поэтому любой производитель может диктовать свои дозы.

> *Иногда возникает вопрос: почему бы не питаться всеми этими овощами и фруктами и восполнять «нехватку гормонов» вместо того, чтобы тратить деньги на сомнительные БАДы? Это вопрос не для эрудитов, а просто для трезво думающих людей.*

Практически все изофлавоны находятся в растениях в особом виде — гликозированном, то есть они связаны с углеводами, и усвояемость таких форм у разных животных может быть разная. Поэтому не существует животных моделей, которые могли бы использоваться в исследованиях по влиянию фитоэстрогенов на человека. Кроме того, данными, полученными при испытании фитоэстрогенов на животных, спекулируют и злоупотребляют, преувеличивая их значимость в жизни людей.

Ряд флавоноидов может превращаться в кишечнике через расщепление бактериями в формы, которые могут усваиваться человеческим организмом. Именно взаимодействие с кишечной флорой играет ключевую роль в усвоении фитоэстрогенов и определяет уровень их биологического влияния на весь организм. Несмотря на то что фитоэстрогенов много, изучены только энтеродиол и энтеролакон, образующиеся из генистейна и дайдзейна сои в кишечнике человека. Оказывается, одна треть людей не способна усваивать эти флавоноиды.

Пройдя изменения в кишечнике, некоторые фитоэстрогены могут связываться с эстрогеновыми рецепторами (бета). Теоретически они могут оказывать тот же эффект, что и эстрогены, тем более что эстрогеновые рецепторы имеются в разных тканях и органах, но на практике не доказано, что это на самом деле происходит в организме человека. Другими словами, до сих пор эстрогенный эффект фитоэстрогенов в человеческом теле имеет только теоретическое обоснование, хотя в лабораторных условиях проводится немало экспериментов.

> В реальности мы не знаем механизма действия фитоэстрогенов (гормональный или не гормональный) из-за дефицита знаний о самих фитоэстрогенах.

Огромное множество публикаций о пользе фитоэстрогенов и их влиянии на репродуктивную, костную, иммунную, нервную системы, кожу и другие органы хотя и говорит о популярности этой темы, однако эти публикации имеют чрезвычайно слабую доказательную базу. Количество достоверных данных, определяющее уровень современных знаний об этих растительных веществах, позволяет говорить только о потенциальных возможностях использования фитоэстрогенов, о теоретической пользе, но не позволяет понять уровень воздействия и вычислить эффективную дозу конкретных фитоэстрогенов. Эта тема требует проведения большего количества исследований.

Многие ученые и врачи смотрят на фитоэстрогены с надеждой, что они могут оказаться новым направлением в создании качественных лекарств для лечения различных заболеваний, в том числе рака. Но всегда необходимо помнить, что помимо пользы точно так же, как и истинные эстрогены, фитоэстрогены могут повышать риск возникновения рака молочной железы и некоторых других заболеваний репродуктивной системы.

Серьезный конфликт, который возник сейчас между наукой и коммерческим шарлатанством, состоит в том, что для проведения клинических исследований по изучению воздействия фитоэстрогенов, в соответствии с требованиями доказательной медицины, необходимо очень хорошее финансирование, в то время как БАДы с фитоэстрогенами стали выгодным коммерческим товаром, и его продажа не нуждается в доказательствах — достаточно громкой рекламы с многообещающими фразами о всемогуществе фитоэстрогенов при всяких женских проблемах. Производители таких БАДов (как и вообще любых БАДов) не заинтересованы в проведении крупных клинических исследований, потому что их результаты могут оказаться далекими от ожидаемых (что, например, произошло в отношении витаминов и минералов). В современном мире доминирует принцип: пока есть спрос — есть и товар. Если спрос искусственно «подогревать» псевдотеориями, ложными публикациями, вовлечением продажных врачей, профессоров и академиков, то количество товара будет расти еще больше.

Таким образом, прием биодобавок из сои и клевера (чаще всего именно эти препараты предлагаются) — это прерогатива самих женщин, верящих в действие фитоэстрогенов.

Мифы о биоидентичности гормональной терапии

После падения интереса к заместительной гормональной терапии (ЗГТ) в результате публикации в начале 2000-х годов данных о ее серьезных побочных эффектах в сфере медицинского обслуживания климактерических заболеваний возник вакуум из-за отсутствия эффективной и одновременно безопасной альтернативы в лечении. Этот вакуум начал заполняться всевозможными слухами и мифами, а также ложной информацией, которая приносила не меньше вреда, чем сама гормональная терапия. Так возник миф о безопасности и пользе биоидентичной гормональной терапии, то есть слово «заместительная» было заменено словом «биоидентичная», что многие люди воспринимали как «натуральная». В результате такой словесной игры появилась **биоидентичная гормональная терапия** (БГТ).

Рекламу и поддержку такой терапии начали осуществлять многие люди, в том числе врачи, а также популярные «элитные звезды». Сьюзан Сомерс, американская актриса, певица, очень деловая женщина, стала активным пропагандистом все той же заместительной гормональной терапии, но уже под названием БГТ. В 2006 году она опубликовала книгу «Без возраста: чистая правда о биоидентичных гормонах» («Ageless: The Naked Truth About Bioidentical Hormones»), в которой с уверенностью утверждала, что применение биоидентичных гормонов позволит сохранить изящную фигуру, блестящие волосы, здоровую кожу без морщин, хорошую работу мозга, что оно дает сильную защиту от рака, сердечных приступов и других заболеваний. Автор, не имея медицинского образования, перепутала многие важные аспекты в классификации гормонов, не привела данных ни одного клинического исследования, которые могли бы подтвердить ее высказывания.

Книга Сомерс, благодаря связям автора со средствами массовой информации, в том числе с телевидением, была искусственно поднята на уровень сенсации, и миллионы американских женщин приобрели ее в надежде получить достоверную информацию о гормональной терапии, тем более что сама Сомерс использовала гормоны годами.

В 2009 году Опра Уинфри, известная телеведущая, пригласила Сомерс на шоу, где актриса рекомендовала применение такой терапии, игнорируя предупреждения врачей о том, что биоидентичные гормоны небезопасны и не являются альтернативой заместительной гормональной терапии. Интересно, что у Сомерс был обнаружен рак молочной железы в 2001 году, а в 2008 году ей удалили матку из-за предраковых изменений эндометрия, а возможно, и рака.

Врачи предупреждали Сьюзан, что ее проблемы могут быть связаны с многолетним использованием гормональной терапии. Согласно одному интервью, Сомерс каждый день в течение нескольких лет получала инъекции гормонов роста, витамина B, суппозитории эстрогенов, аппликации эстрогенов, 60 таблеток различных БАДов — все это она считала основой молодости и профилактикой старения.

Сьюзан Сомерс — это лишь один пример влияния знаменитости, представителя средств массовой информации на общественность. В мире имеется немало звезд эстрады, кино, спорта, которые пользуются своим положением и начинают давать советы на тему здоровья и медицины. Многих из них финансово поддерживают компании, которые заинтересованы в больших продажах своей продукции, в том числе лекарственных препаратов и разного рода БАДов, хотя как раз информация о финансировании знаменитостей чаще всего скрывается.

Что собой представляет «биоидентичный гормон»? К сожалению, стандартного определения этого понятия не существует, что порождает много путаницы среди врачей и тех, кто принимает такие гормоны.

Понятие «биоидентичный» может быть приемлемо для характеристики как натуральных (не созданных искусственно, даже путем полусинтеза) веществ, так и искусственных, если их строение и действие совпадают с веществами, вырабатываемыми организмом. Поэтому большинство профессиональных медицинских обществ считают, что **биоидентичным гормоном можно назвать гормон, который по молекулярному строению и химическому воздействию идентичен гормону, вырабатываемому человеческим телом.**

Важно понимать, что такое определение не указывает на источник и механизм получения вещества, и в современной медицине имеется много лекарственных препаратов, которые являются биоидентичными, хотя созданы искусственно. Независимо от того, утверждено или лицензировано такое вещество определенными инстанциями (например, FDA в США), если оно идентично по строению и действию натуральному веществу, его называют биоидентичным, а не натуральным.

> **Современная медицина до сих пор не имеет в своем арсенале натурального прогестерона.**

Все гормоны, которые применяются в современной гинекологии, могут быть как биоидентичными, так и не биоидентичными, то есть такими веществами, которые в природе (в организме человека) не встречаются. К ним относятся следующие:

- **Эстрогены**: синтетические конъюгированные эстрогены, натуральные животные (не человеческие) конъюгированные эстрогены, биоидентичные эстрогены растительного происхождения.
- **Прогестероны**: синтетические прогестины, биоидентичный прогестерон.
- **Комбинированные препараты эстрогенов и прогестеронов**: комбинация синтетических конъюгированных эстрогенов, животных конъюгированных эстрогенов и прогестинов.

Все без исключения комбинированные формы эстрогенов и прогестеронов не являются биоидентичными гормонами, хотя некоторые виды эстрогенов получают из мочи беременных животных, чаще всего лошадей.

Все биоидентичные препараты эстрогенов по химической структуре являются 17-β-эстрадиолами, полученными из растительного сырья, и продаются в разных формах (таблетки, капсулы, кремы, гели, пластыри, спреи, влагалищные таблетки). Выработка этих препаратов строго контролируется и соответствует принятым стандартам производства в большинстве развитых стран. Исследования, которые бы сравнили эффективность и безопасность биоидентичных и синтетических эстрогенов, с вовлечением больших групп женщин-участниц не проводились, потому что количество препаратов эстрогенов велико (несколько десятков) и сравнить между собой все невозможно, а тем более если их применяют в разных формах.

На современном рынке существует только один вид биоидентичного прогестерона (микронизированный прогестерон), хотя он может продаваться под разными названиями и в разных формах (таблетки, влагалищные таблетки, гермы, гели). В отличие от препаратов эстрогенов, в том числе биоидентичных, и синтетических форм прогестерона, производство биоидентичного прогестерона не контролируется и не проходит стандартизацию в большинстве стран мира.

Тема менопаузы и гормональной терапии очень объемная. Поэтому даже при всем желании рассказать как можно больше приходит момент, когда нужно остановиться, так как есть еще несколько интересных и важных тем, касающихся гормонов и их воздействия на человека. О менопаузе я напишу другую книгу, а теперь окунемся в эмоции и чувства и их зависимость от гормонов.

Глава 8

Гормоны и эмоции, настроение и чувства

Известно, что в последние годы выросло количество случаев психосоматических реакций, особенно у женщин. Психосоматика — это влияние психоэмоционального фона на появление симптомов, характерных для каких-то заболеваний. У женщин самой частой психосоматической реакцией являются боли внизу живота, что ошибочно принимается за воспалительный процесс, зуд наружных половых органов и нарушение менструального цикла. Вовлечены ли в психосоматику гормоны? Об этом мы поговорим дальше.

Вплоть до конца XVIII столетия яичники считались частью нервной системы. Венский гинеколог Чобрак начал удалять яичники у женщин для лечения истерии, анорексии и даже нимфомании. Другой венский врач, Джозеф Ховден, пересаживал яичники женщин в тело морских свинок, чтобы доказать связь между яичниками и поведением женщин. Эти эксперименты имели колоссальное влияние на изучение роли гормонов и их использование для лечения разных заболеваний.

Гормоны и когниция

Очень часто, оценивая реакцию людей на события в их жизни, на изменения в организме, то есть на внешние и внутренние факторы, мы говорим о когниции.

Слово «когниция» (cognition) редко встречается в популярной литературе, но им часто пользуются психологи и психиатры для характеристики познавательного процесса у людей. Это название происходит от двух слов: латинского cognition — «познание, познавание» и греческого *gnósis* — «знание, мышление, размышление». В медицине и психологии под когницией понимают познавательный процесс, или совокупность психических (ментальных, мыслительных) процессов получения, переработки и усвоения информации — это восприятие, категоризация, мышление, речь, поведение. Когниция также включает осознание и оценку самого себя в окружающем мире и оценку самого мира, что определяет поведение человека (поступки, отношение к людям и внешнему миру, а также к своему телу).

На когницию человека могут влиять многие гормоны. Например, при повышенном уровне гормонов щитовидной железы может проявляться раздражительность, негативное восприятие событий и людей. При низких уровнях этих гормонов часто возникает плаксивость, безразличие, тоска.

То, что стероидные гормоны могут влиять на когницию и поведение человека, известно уже несколько десятков лет и изучено в ряде клинических исследований и экспериментов. Наблюдение колебаний настроения, эмоционального фона женщин в течение менструального цикла показывает связь между изменениями уровней гормонов и когнитивной функцией женщин.

Изменения уровней эстрогена, тестостерона и прогестерона влияют на память, как длительную, так и кратковременную. В первой половине фолликулярной фазы на фоне низких уровней гормонов улучшается память по восприятию информации из окружающей среды и ориентации в ней человека. На фоне повышенного уровня гормонов в первой половине лютеиновой фазы улучшается словесная (вербальная) и визуальная память, а также память по выполнению рутинных, привычных действий.

Эмоциональная память связана с влиянием стероидных гормонов на мозг, особенно на лимбическую систему. С функцией этой части мозга соотносится формирование эмоций и чувств, связанных с программами размножения, поиска пищи и выживания, реакциями на окружающую среду и другие живые существа. Это эмоции, связанные со страхом, агрессивностью, раздражительностью, злостью, а также те, которые определяют сексуальное поведение — поиск сексуального партнера и получение сексуального удовлетворения.

Миндальное тело лимбической системы является складом памяти — здесь сохраняются и «проходят чистку» все события, и обычно в памяти остаются только те, на которые у человека был определенный эмоциональный ответ: сильный испуг, чрезмерное переживание, большое удовольствие.

О взаимосвязи гормонов стресса с эмоциями и эмоциональной памятью тоже давно известно. Ведь при испуге и переживаниях повышаются уровни кортизола, адреналина и норадреналина. Но небольшое повышение уровня, например, кортизола память улучшает, а выраженное и длительное, наоборот, ухудшает. Норадреналин, который повышен во вторую фазу менструального цикла, тоже влияет на эмоциональную память женщины. Однако связь этих гормонов с когницией у женщин все же не настолько выражена, как у мужчин.

Считается, что половые гормоны и прогестерон, особенно их колебания и пропорция, являются ключевым звеном в воздействии на поведение женщины, ее когницию, память, эмоции и чувства. В частности, расстройствами настроения, депрессией, стрессовым расстройством страдают чаще женщины, а не мужчины.

Влияние менструального цикла на поведение женщины

В медицинской литературе существует очень мало данных о том, как женщина реагирует на внешние и внутренние раздражители в зависимости от менструального цикла. В то время как сам процесс менструального цикла изучен и описан досконально, вплоть до молекулярного уровня, в том числе какие изменения происходят в яичниках и матке, поведение и реакция женщины на колебания гормональных уровней, овуляцию и менструацию практически не изучены.

В ветеринарии и зоологии, наоборот, существует много данных о поведении животных как ответной реакции на изменения в их репродуктивной системе.

Хотя в народе тысячелетиями копились наблюдения за состоянием и поведением женщин в зависимости от менструального цикла (нередко в виде шуток, песен, веселых историй), в медицине эта тема практически упущена, и только сейчас ей начали уделять больше внимания. Основная причина таких упущений связана с тем, что большинство специалистов рассматривают женщину и ее проблемы без учета особенностей пола. Даже если и имеются данные, что частота определенных заболеваний у женщин выше или ниже по сравнению с мужчинами, такая информация воспринимается как эпидемиологический факт, и лишь единицы пытаются связать такие отличия с особенностями функционирования женского тела и наличием определенных периодов, которых никогда не бывает у мужчин (менструации, беременность, послеродовый период, климакс).

Состояние тревоги всегда основано на страхе, на боязни женщины чего-то или кого-то и подпитывается за счет негативного мышления и негативных эмоций. Другими словами, это проекция внутреннего содержимого сознания на физическое тело и часто всего лишь самовнушение. В некоторой степени процесс аналитического мышления может контролировать доминирование тревоги и подавлять страх. Но у большинства людей такой вид мышления не развит до того уровня, когда человек не слепо верит информации, а рационально анализирует услышанное, увиденное, прочитанное, в том числе и свое поведение как результат реакции на информацию. Женщины не исключение, и у многих лимбическая система мозга доминирует в своем влиянии на поведение — женщина многого боится, у нее «хроническое» состояние тревоги, она раздражительна, она слепо доверяет толпе и часто закрыта для альтернативного взгляда на событие, явление и т.д.

В медицине существуют понятия патофизиологического и психобиологического процессов. Первое отражает процесс развития патологической реакции организма на что-то (на причину заболевания под влиянием факторов риска), процесс возникновения заболевания. Второе описывает реакцию и поведение индивидуума на психоэмоциональном уровне, что может усугублять или устранять патофизиологический процесс. У женщин реакция на предстоящую менструацию может вызвать паническое, тревожное состояние, что приведет к возникновению нарушений на уровне физического тела. И наоборот, появление определенных физических признаков перед менструацией может повлечь неадекватную психоэмоциональную реакцию. Таким образом, возникает порочный круг, в который попадает женщина часто из-за непонимания своей женской физиологии.

Примеров, когда возникает дисбаланс психического и физического состояний у женщин, множество, особенно среди тех, кто хочет беременности, и тех, кто ее панически боится, а также среди тех, кто не думает о нормальной беременности, но живет в постоянных страхах перед внематочной беременностью и самопроизвольным абортом (и фактически провоцирует такое состояние). Поведение некоторых женщин доходит до абсурда: за несколько дней до очередных месячных они начинают придираться к любому ощущению в их теле и реагировать на такие ощущения еще большим нагнетанием ситуации. Многие делают тесты на беременность по несколько раз в день, бегают на УЗИ, не выходят из кабинетов врачей.

Влияние менструального цикла на когницию, память, поведение женщины репродуктивного возраста изучалось поверхностно, и во всем мире проведено всего несколько исследований на эту тему. Большое внимание уделялось воздействию заместительной гормональной терапии на когницию и память женщин в постменопаузе.

В одном из исследований использовался тест Bem Sex Roles Inventory (BSRI), который состоит из 60 характеристик (черт, качеств): 20 качеств, доминирующих у мужчин (амбициозность, независимость, агрессивность и др.), 20 качеств женственности (эмоциональность, чувствительность, аффективность и др.) и 20 нейтральных качеств и чувств (счастье, удовлетворение, уверенность и т. д.).

Оказалось, что состояние «женственности» меняется с менструальным циклом незначительно — женщины остаются женщинами постоянно. Однако проявление «мужского» у женщин зависит от фазы менструального цикла — в предовуляторную фазу мужские качества понижаются, в период менструации, на фоне низких уровней гормонов, — повышаются.

Менструация характеризуется острыми переживаниями, раздражительностью, агрессивностью. Женщины более разговорчивы во второй половине цикла, а во время менструации «болтливость» достигает максимума. Кроме того, женщины обычно пользуются словесно-аналитической стратегией для решения проблем, в отличие от мужчин, которые предпочитают холистический путь решения. Словесно-аналитический, или вербально-аналитический, подход подразумевает детализацию, заострение внимания на мелочах, в то время как холистический подход акцентирует внимание на целостности проблемы в первую очередь, а не на ее составных частях.

Исследования также показали, что ближе к овуляции женщины становятся привлекательнее, вызывают больше внимания у мужчин, их тело выделяет специфические запахи, привлекающие мужчин. В период овуляции женщины одеваются ярче и красивее, чаще пользуются макияжем, носят одежду, которая меньше покрывает тело (больше открытых участков). Такое поведение определяется не только колебаниями гормонов в течение менструального цикла, а все еще сохранившимися инстинктами размножения, которые включают и инстинкты привлечения противоположного пола.

Вопросы влияния менструального цикла и колебаний гормонов на когнитивное состояние женщин и их поведение все еще требуют дополнительных исследований, но уже имеющиеся результаты показывают, что такое влияние существует и не опровергает ряд характеристик женского поведения и качеств женщин, подмеченных народом.

Гормоны и эмоции

Я уже упоминала об эмоциональной памяти, а также о возникновении негативных эмоций, страха, тревоги у женщин в некоторых ситуациях, в том числе в зависимости от менструального цикла. Ряд исследований показал, что прогестерон и его метаболиты имеют суммирующее влияние на гормоны мозгового вещества (нейротрансмиттеры) — серотонин и норадреналин, вовлеченные в регуляцию эмоций. Интересно, что, согласно результатам одного из исследований, прогестерон оказался важнее для эмоционального фона мужчин, чем женщин. Если при исследовании женщин основное внимание концентрируется на влиянии прогестерона на репродуктивную функцию, то у мужчин изучается воздействие гормона на функцию мозга (с целью улучшения этой функции).

В лимбической системе мозга имеются особые виды рецепторов, которые реагируют на ряд веществ, образующихся из стероидных гормонов, в частности из прогестерона. Нехватка этих веществ приводит к возникновению тревожного поведения. К концу второй фазы менструального цикла значительно понижается количество прогестерона, что провоцирует негативные эмоции как реакцию на стрессовую ситуацию, если таковая возникает в этот период.

Испытания на животных моделях подтвердили взаимосвязь низкого уровня продуктов обмена прогестерона и поведения с доминированием страха и агрессии. Если вводить прогестерон в миндальное тело лимбической системы крысам, у которых удалены яичники (а поэтому низкий уровень прогестерона), в поведении животных наблюдается значительное понижение тревоги, страха и агрессии. И наоборот, введение веществ, которые уменьшают выработку прогестерона, повышает уровень тревоги и беспокойства, и такие животные стараются спрятаться от других, проводят меньше времени на открытой местности. Реакция у таких животных на стресс или шок затяжная, часто с отсутствием движений (застыли в страхе).

Гормоны и депрессия

О том, что у женщин часто бывают периоды плохого настроения, плаксивости, бессонницы, упадка сил, знали задолго до появления термина «депрессия». На тему депрессии существует немало анекдотов, она описана во многих литературных произведениях.

С развитием науки и техники жизнь людей стала намного комфортнее, чем у их прародителей, но постепенно исчезли навыки выжива-

338

ния в условиях дикой природы, и появилось время для самокопания, что повлекло за собой «моду» на многие расстройства психики. Выражение «Ах, у меня такая депрессия!» стало популярным у многих женщин и мужчин. Даже маленькие дети знают, что у их мам есть периоды «депрессии», когда к маме лучше не подходить и лишних вопросов не задавать.

Применение антидепрессантов стало очередной модой, активно поддерживающейся фармацевтическими компаниями. Страдать от депрессии — неотъемлемый атрибут жизни современных людей. Правда, если сказать человеку, что он страдает психическим заболеванием, каковым является депрессия, то можно натолкнуться на чрезвычайно негативную реакцию и страшную обиду. «Я страдаю психическим заболеванием воспринимается как черное пятно сумасшествия, «ненормальности», но «я страдаю от депрессии» (у меня депрессия) — это модное и популярное выражение, которым пользуются даже подростки.

Тем не менее диагноз «депрессия» существует, и он действительно относится к расстройствам психики, или психическим заболеваниям. Первым, кто описал разницу между частотой случаев депрессии у женщин и мужчин, был английский писатель Чарльз Диккенс, который тоже страдал депрессией. Он изучил демографию больных, поступающих на лечение в известную психиатрическую больницу в Лондоне, и заметил, что чаще всего депрессией страдали женщины, о чем и упомянул в одной из своих публикаций. Он также заметил, что депрессия возникает чаще у представительниц определенных социальных слоев. Наблюдения Диккенса полностью совпадают с наблюдениями современных врачей.

Такая частота случаев депрессии у женщин привела к появлению понятия «репродуктивная депрессия», возникновение которой связано с менструальными циклами, послеродовым и предклимактерическим периодами. Фактически эпизоды депрессии встречаются у женщин чаще всего в периоды гормональных перестроек, что наблюдается после родов и перед вхождением в климакс. Известно, что самая высокая частота депрессии у женщин в предменопаузе — за 2–3 года до прекращения менструаций.

Триада — предменструальная депрессия, послеродовая депрессия и климактерическая депрессия — в 2009 году была названа репродуктивной депрессией, и ее появление связывают с колебаниями гормонов, вырабатываемых яичниками. Выделение репродуктивной депрессии в отдельный диагноз позволяет увидеть это состояние не только как психиатрический диагноз, а во взаимосвязи функционирования женского организма в разные периоды жизни женщины, а также понять влияние половых и других стероидных гормонов на состояние женской психики. Так как эстрогенные и прогестероновые рецепторы имеются в тканях мозга, воздействие половых гормонов и прогестерона на функцию мозга очевидно.

Предменструальная депрессия

Выше упоминалось, что приблизительно у 10% женщин предменструальное состояние может протекать по типу предменструального дисфорического[1] расстройства (ПМДР), которое не только создает выраженный дискомфорт, но и приводит к нарушению работоспособности и жизнедеятельности женщин. Такое состояние требует своевременной диагностики и лечения. Депрессия, колебания настроения, эмоциональные нарушения являются частью ПМДР.

Многие гинекологи и психиатры не соглашаются с термином «дисфорический», который приравнивает предменструальный синдром в выраженной форме к психическому заболеванию. Некоторые врачи предлагают заменить это название на «овариальный циклический синдром», акцентируя внимание на зависимости симптомов от функции яичников, а также цикличности появления симптомов.

Механизм возникновения предменструальной депрессии неизвестен, хотя он такой же, как и у предменструального синдрома. Понижение уровня прогестерона во второй половине менструального цикла может быть триггером в появлении симптомов депрессии.

Для предменструальной депрессии характерно:

- симптомы появляются с каждым менструальным циклом;
- депрессия исчезает с наступлением беременности;

---

[1] Дисфори́я – форма болезненно-пониженного настроения, характеризующаяся мрачной раздражительностью, чувством неприязни к окружающим. — *Прим. ред.*

- симптомы появляются в послеродовом периоде в виде послеродовой депрессии;
- с восстановлением менструального цикла после родов симптомы депрессии появляются перед каждой менструацией;
- протекание депрессии ухудшается с возрастом, особенно в предклимактерическом периоде;
- часто сопровождается другими жалобами, имеющими связь с менструальным циклом (менструальная мигрень, боль в молочных железах, вздутие живота);
- период без симптомов составляет 7–10 дней в месяц, в основном в первой половине цикла.

Облегчение симптомов предменструальной депрессии при подавлении овуляции с помощью комбинации эстрогенов и прогестерона (или прогестинов) или применении гормональных контрацептивов подтверждает связь этого вида депрессии с функцией яичников. Многие врачи считают, что назначение антидепрессантов для лечения предменструальной депрессии неуместно. Прогестерон практически не используется для лечения этого состояния, хотя были попытки его применения.

Послеродовая депрессия

Этот вид депрессии часто остается недиагностированным, потому что после родов многие женщины находятся фактически в изолированном состоянии, погруженные в новые заботы о новорожденном. Первые месяцы грудного вскармливания, привыкания и адаптации к появлению нового члена семьи требуют от женщин не только времени, но и дополнительных сил и энергии.

Многие симптомы депрессии могут маскироваться под усталость после родов, недосыпания, переживания за процесс лактации и состояние ребенка, нарушения функции щитовидной железы.

Послеродовые блюзы[1], в отличие от депрессии, возникают у многих женщин в первую неделю после родов, что связано с резкой гормональной перестройкой, и не всегда такое состояние требует применения антидепрессантов или другого лечения. Послеродовая депрессия появляется позже и может длиться весь послеродовый период, переходя в предменструальную депрессию.

Внимание акушеров-гинекологов обычно обращено на состояние репродуктивных органов, и первый визит женщины к врачу чаще всего бывает не раньше 8–10 недель после родов. Но даже на приеме у врача женщины редко рассказывают о своих жалобах со стороны психики, не описывают симптомы депрессии, а врачи чаще всего об этом и не спрашивают. Таким образом, послеродовая депрессия может остаться недиагностированной длительный период времени.

Если женщина в послеродовом периоде обратится за помощью к психиатру или семейному врачу с жалобами со стороны психики, связь между возникновением послеродовой депрессии и наличием в прошлом предменструальной депрессии может быть упущена. Поэтому в таких случаях самым частым видом лечения будут все те же антидепрессанты.

В современных публикациях некоторые врачи рекомендуют использование прогестерона и прогестинов для лечения послеродовой депрессии. Однако большинство психиатров не признают таких методов, предлагая применять только антидепрессанты. Акушеры-гинекологи не имеют соответствующей подготовки в диагностике послеродовой депрессии, а тем более ее лечении. Заметим, что в ряде исследований показано, что применение эстрогенов может улучшить настроение и помочь в лечении послеродовой депрессии, в то время как некоторые виды прогестинов, наоборот, ухудшают протекание депрессии.

Послеродовая депрессия однозначно требует пристального внимания ученых и врачей, потому что многие вопросы в отношении ее возникновения, диагностики и лечения до сих пор остаются без четких ответов.

---

[1] Послеродовой блюз — изменение психического состояния роженицы, которое в большинстве случаев проходит без лечения. — *Прим. ред.*

Климактерическая депрессия

Предклимактерический и климактерический периоды сопровождаются многочисленными симптомами, которые сами по себе могут вызывать немало негативных эмоций и чувств у женщин.

Особенность климактерической депрессии в том, что она появляется на фоне предменструальной депрессии, симптомы усиливаются за 2–3 года перед менопаузой, особенно если в истории женщин есть эпизод(ы) послеродовой депрессии. Заместительная гормональная терапия может помочь в устранении многих симптомом такой депрессии. Но чаще всего эта категория женщин попадает в группу больных другими расстройствами психики, и основное лечение в виде антидепрессантов назначается психиатром. Гинекологи иногда лечат этот вид депрессии препаратами эстрогенов, однако большинство психиатров такой вид лечения не признают. Прогестины обычно назначаются в комбинации с эстрогенами, но их влияние на климактерическую депрессию не изучено.

Репродуктивная депрессия — это новый диагноз, но такая формулировка, скорее всего, будет принята в штыки большинством психиатров, потому что доминирующее значение в возникновении такого состояния отдается функции яичников, о которой у психиатров поверхностное представление. Гинекологи этот диагноз тоже будут ставить редко, так как слово «депрессия» вызывает у большинства из них ассоциацию с психическими болезнями. Сколько потребуется лет, чтобы на женский организм начали смотреть через призму функции его репродуктивных органов, неизвестно. Очевидно, еще долго женщинам придется «сидеть» на антидепрессантах.

Глава 9

Гормоны и рак

Bсе без исключения гормоны, вырабатываемые в человеческом организме, играют важную положительную роль, выполняя определенную функцию. Однако многие гормоны могут вызывать раковый (злокачественный) процесс как самостоятельные канцерогены или в комбинации с другими веществами. Самый негативный эффект оказывают стероидные гормоны, в частности половые и прогестерон.

В группе гормонозависимых опухолей яичников, яичек, эндометрия, простаты, молочной железы, щитовидной железы и остеосаркомы влияние как эндогенных, так и экзогенных (принятых в виде лекарств) половых гормонов и прогестерона играет важную роль из-за стимуляции роста раковых клеток.

Что такое канцерогены

Многие знают, что канцерогены — это вещества, которые причастны к развитию злокачественных процессов, что доказано серьезными исследованиями.

В книге доктора Сидхарта Макхердже «Император всех болезней: биография рака» («*The Emperor of All Maladies: A Biography of Cancer by Siddhartha Mukherjee*») предоставлена уникальная информация о том, как развивались взгляды на злокачественные заболевания еще с древних времен, как искали причины рака, как менялось отношение общества к раку и зарабатывались деньги на горе людей, как улучшались диагностика и лечение многих видов злокачественных заболеваний. В этом титаническом труде содержится также немало информации о раковых опухолях, рост которых зависит от гормонов.

Тем, что табак (точнее, ряд веществ, содержащихся в дыме) и алкоголь относят к канцерогенам, уже никого не удивишь — об этом пишут и говорят. Однако многие не знают, что первые публикации о связи курения и рака легких появились еще в 1930-х, и табачные компании тщательно проверили эти данные, проведя собственные исследования. Данные подтвердились, но вместо предоставления результатов на рассмотрение общественности было приложено максимум усилий по их сокрытию и фальсификации.

Сегодня к предупреждениям на упаковках сигарет, что курение повышает риск развития рака легких, все привыкли. Но появлению этого предупреждения предшествовало более 50 лет борьбы отважных ученых, врачей, общественных деятелей, многие из которых потеряли работу, должность, положение, репутацию, семьи и даже жизни. Около 30 лет ушло на принятие закона о запрете курения в общественных местах.

Конечно, врачи часто предупреждают, что курение при приеме ОК нежелательно (жестко говоря, несовместимо с ОК). Но многие женщины «шалят» периодически, покуривая и игнорируя объяснения врачей. Помимо курения, употребление алкоголя и наркотиков на фоне ОК тоже повышает риск развития серьезных заболеваний.

Интересный факт: то, что алкоголь — тератоген, то есть причастен к появлению пороков развития плода, известно очень многим женщинам, особенно планирующим беременность. Но далеко не все знают, что доказана связь между употреблением алкоголя и риском развития рака шеи и головы (горла, гортани, ротовой полости, губ), пищевода, печени, молочных желез, толстого кишечника. Например, ежедневный прием 2 бутылок пива (по 350 мл), или 2 бокалов вина (300 мл), или около 100 мл крепкого алкоголя повышает риск развития рака молочных желез в два раза по сравнению с теми, кто не принимает алкоголь (данные Национального института рака, США). Однако таких предупреждений на этикетках алкогольных напитков вы не найдете.

Натуральные эстрогены и прогестерон тоже могут вызвать рост некоторых злокачественных опухолей в организме женщины (впрочем, у мужчин тоже) — их нередко называют гормонозависимыми опухолями.

ВОЗ в монографии «Программы по изучению канцерогенного риска» вместе с Международным агентством исследования рака (IARC) еще в 1999 году утверждала, что оба гормона — эстроген и прогестерон — не без основания считаются канцерогенами для людей. Это утверждение поддерживается Национальной токсикологической программой США (Department of Health and Human Services) в отчетах по канцерогенам в течение почти 15 лет.

Несколько слов о злокачественных заболеваниях

У многих людей поверхностное представление об опухолях. Слово «рак» относится только к особому виду заболеваний — злокачественному росту эпителиальных клеток, которые формируют кожу, слизистые, железы.

Когда клетка начинает делиться в прогрессии, превышающей нормальную скорость деления клеток, появляется лишняя ткань, которую мы называем в медицине «плюс ткань». Мы также называем такое образование опухолью. На латыни все опухоли (не кисты!) имеют окончание «ома»: эндометриома, лютеома, карцинома, саркома, хорионэпителиома и т. д. Поэтому, если в диагнозе звучит термин с окончанием «ома», это означает, что имеется опухолевидный процесс. Некоторые процессы могут называться общими словами, характеризующими заболевание, как, например, лейкоз.

Далеко не все опухоли являются злокачественными, поэтому мы всегда говорим о доброкачественном и злокачественном процессе. Другими словами, не всегда «плюс ткань» является раком. Часто также используется термин «новообразование».

Доброкачественные опухоли не распространяются по всему организму (не метастазируют), хотя их негативное влияние может быть значительным. Некоторые заболевания не являются злокачественными, но могут поражать весь организм и разрушать клетки, ткани, органы, поэтому требуют длительного лечения.

Если имеется доброкачественный процесс, это не означает, что он обязательно станет злокачественным. Термин «предраковое состояние» не означает, что у человека есть доброкачественная опухоль. Одновременно любое заболевание, которое не заканчивается смертью человека, является доброкачественным процессом. Но если говорить о доброкачественных опухолях, большинство из них в рак не переходит.

> Среди доброкачественных опухолей чаще всего встречаются аденомы, липомы, фибромиомы, гемангиомы и т.п.

В медицине есть такое понятие, как пограничные состояния (пограничные опухоли). Они могут переходить в злокачественный процесс, но степень риска малигнизации (превращения в рак) для многих пограничных состояний неизвестен. Также до сих пор нет четких рекомендаций по их наблюдению и лечению.

Предраковое состояние — это лабораторный диагноз, характеризующий состояние клеток, которое может переходить в злокачественный процесс. Ни при каких обстоятельствах оно не переходит в рак в 100% случаев. К таким состояниям относят *гиперплазию, атипию, метаплазию, дисплазию, cancer in situ (рак на месте)*. Но важно понимать, что все эти клеточные изменения характерны и для нормальных процессов. Например, при воспалении, заживлении и восстановлении тканей часто встречаются метаплазия, атипия, пролиферация клеток. Дисплазия тоже может быть временным переходным состоянием. В большинстве случаев такие состояния не требуют лечения, за исключением cancer in situ.

Существует несколько классификаций злокачественных образований, в том числе по виду ткани, из которых они образованы: *карциномы (раки), саркомы, бластомы, герминогенные опухоли (из зародышевых клеток)*. В клинической медицине важно учитывать уровень распространенности злокачественного процесса и степень поражения органов, поэтому используют классификацию по стадиям с учетом вовлечения лимфатических узлов и наличия метастазов (TNM классификация).

Существует несколько сот диагнозов, характеризующих доброкачественные и злокачественные процессы (опухоли). Например, известно более 30 видов рака яичников. Однако чаще всего (в 98–99% случаев) встречаются доброкачественные опухоли.

Причины возникновения многих злокачественных состояний не известны, что затрудняет диагностику и лечение. Но есть также немало раков, которые успешно лечатся в наше время, особенно если обнаружены на ранних стадиях.

Рак — это не приговор. Пока человек жив, у него всегда есть шанс избавиться от своего недуга. Среди моих знакомых и родственников многие сталкивались со злокачественными заболеваниями. Некоторые умерли, потому что начали лечение слишком поздно или отказались от лечения совсем. Другие выжили и живут полноценной жизнью 10–30 лет. Хотя этот диагноз вызывает огромный страх, достижения современной медицины предлагают большой выбор качественного и эффективного лечения.

Какие гормоны ассоциируются со злокачественными заболеваниями

О том, что стероидные гормоны причастны к развитию рака разных органов, известно давно, и с каждым годом появляется все больше публикаций на эту тему. Особое внимание уделяется эстрогенам, так как они значительно повышают риск рака молочной железы и эндометрия. Они также имеют отношение к возникновению рака яичников. Тестостерон повышает риск образования рака простаты. Кортизол, гормон стресса, является фактором риска развития ряда злокачественных образований. Анаболики могут провоцировать рак почек, легких и яичек.

Другие гормоны, которые не относятся к классу стероидных, тоже вовлечены в процессы, причастные к возникновению рака. Так, например, высокие уровни инсулина имеют связь с раковым процессом в кишечнике, поджелудочной железе, почках и матке. Инсулиноподобные факторы роста (или гормоны роста) вовлечены в процесс образования рака простаты, груди и кишечника.

> *Хотя связь между пролактином и возникновением рака молочной железы оспаривается и многие ученые ее отрицают, однако рак легких, почек, прямой кишки, яичников часто сопровождается повышенным уровнем пролактина, и влияние этого гормона на возникновение рака в других органах предстоит еще изучить.*

В недалеком прошлом считалось, что эстроген способствует росту предраковых клеток молочной железы. Однако рак молочной железы, имеющий связь с беременностями, часто эстрогеннечувствительный, или негативный. Некоторые ученые считают, что триггером возникновения рака молочной железы может быть повышенный уровень пролактина. Как известно, уровень пролактина также повышается с возрастом женщины.

Но если рассматривать уровни пролактина, то самые высокие из них наблюдаются не после родов в период лактации, а в третьем триместре беременности, ближе к родам — до 200 нг/мл. После родов, если женщина не кормит грудью, уровень пролактина быстро понижается и в течение 8–10 недель может достичь уровня гормона до беременности.

У кормящих грудью матерей выработка пролактина зависит от количества и продолжительности кормлений. Буквально через 45 минут после кормления уровень пролактина удваивается и начинается выработка молока для следующего кормления. Но, несмотря на такие повышения и понижения пролактина в крови женщины, его уровни не достигают уровней при беременности. Даже у кормящих матерей уровень гормона постепенно понижается. В первые 3–6 месяцев он не превышает 100–110 нг/мл (у небеременных женщин уровни пролактина не выше 25–30 нг/мл), но как только появляются менструальные циклы, уровень гормона падает до 50–70 нг/мл и последующие месяцы кормления обычно не превышает 50 нг/мл.

Таким образом, скорее всего, комбинация высокого уровня прогестерона и пролактина во время беременности может быть триггером развития рака молочной железы.

В понимании негативного воздействия разных гормонов на клетки, приводящего к развитию злокачественных процессов, все еще существуют огромные пробелы. Требуется более комплексный подход в изучении этого влияния, с учетом изменений, которые происходят на генетическом уровне. Наука не стоит на месте, поэтому не будем терять веры, что в этой отрасли медицины случится прорыв и появятся новые методы эффективного лечения злокачественных новообразований.

Глава 10

Гормоны и секс

3наете ли вы, что слово «секс» является лидером в известных поисковых системах практически с момента появления Интернета и персональных компьютеров? Как бы мы ни прикрывались моральными и религиозными принципами (ширмами), половая жизнь является неотъемлемой частью человеческой жизни.

Все без исключения процессы в организме человека направлены на реализацию программы воспроизведения потомства, то есть размножения. Если люди не будут размножаться, если все живое не будет воспроизводить себе подобных, жизнь закончится. Неважно, какие планы у людей, хотят они детей или нет, все равно все жизненные процессы внутри них проходят через призму репродукции, а значит, полового созревания. Так как люди размножаются только половым путем, секс играет чрезвычайно важную роль.

Какова роль гормонов в половой жизни людей? Такая же, как и в половом созревании, в работе органов репродуктивной системы, в первую очередь яичников и яичек. Выработка гормонов и колебания их уровней взаимосвязаны с поведением человека и его сексуальной активностью.

Поскольку тема секса чрезвычайно объемная, мы рассмотрим только некоторые моменты воздействия гормонов на половые отношения.

Влияние гормонов на влечение

От чего зависит сексуальное влечение? Перед тем как ответить на этот вопрос, давайте определим, что такое сексуальное влечение, сексуальное желание и либидо. Практически разницы между этими понятиями нет, хотя со мной могут поспорить некоторые врачи-сексологи. Сексуальное желание есть не что иное, как либидо, и оно присутствует как у женщин, так и у мужчин. Некоторые люди ошибочно думают, что либидо относится только к женскому сексуальному желанию.

Интересно, что значение слова «либидо» изменилось за последние 70–80 лет. Впервые слово «либидо» прозвучало у Цицерона (106–46 гг. до н. э.), с латыни оно переводится как желание, влечение, в том числе запрещенное сексуальное желание. Святой Августин (354–430 гг. до н. э.) охарактеризовал либидо как желание в его разных формах. Позже это слово в значении сексуального влечения и желания заменялось «животным духом», «анимой» и другими выражениями.

Альберт Молл (1862–1839), немецкий психиатр, использовал элементы гипноза в своей практике, в том числе для лечения сексуальных расстройств. Его по праву считают основателем современной европейской сексологии. В работе «Исследования сексуального либидо» он описал либидо как биологическую силу, управляющую отношениями, в том числе сексуальными.

Известный швейцарский психиатр и основатель аналитической психологии Карл Юнг охарактеризовал либидо как творческую (психическую) силу или энергию, которую человек тратит на личное развитие и индивидуализацию. Таким образом, у него речь не шла о сексуальном влечении или желании. Однако Сигизмунд Фрейд, австрийский врач, с которым Юнг дружил длительный период времени, начал популяризовать свое определение либидо как инстинктивную, подсознательную энергию или силу. В книге «Три очерка о теории сексуальности» Фрейд назвал либидо сексуальным инстинктом.

Постепенно понятие «инстинктивная энергия» сузили до сексуального влечения.

> *Если либидо несет в себе энергию создания, согласно Фрейду, то противоположностью либидо является дестрадо, которое часто сопровождается агрессией, в том числе к противоположному полу.*

Не следует путать сексуальное влечение/желание с сексуальным возбуждением. Это два разных понятия. Если первое относится к проявлению интереса к половой жизни (сексу), то второе подразумевает физический ответ тела на сексуальное желание в виде определенных изменений половых органов. Между двумя понятиями существует определенная связь: если нет желания, то нет и возбуждения, хотя не всегда есть возбуждение даже при наличии желания.

Сексуальное либидо может понижаться или отсутствовать по ряду причин. Важную роль в этом играют психические и физические факторы, условия среды, стиль жизни, вредные привычки, прием медикаментов — можно составить длинный список факторов, которые влияют на либидо.

> **Понижение сексуального влечения может наблюдаться как у женщин, так и у мужчин, но именно женщин чаще всего обвиняют в «холодности».**

Половое влечение и возбуждение уменьшаются при наличии хронических заболеваний любой локализации, депрессии, беременности, хронического стресса. Социально-экономические факторы тоже могут угнетать сексуальное влечение: смена или потеря работы, финансовые проблемы, наличие маленьких детей в семье, жизнь с родителями или другими родственниками в одной квартире или доме. Строгое воспитание, детские психологические травмы, жесткий контроль со стороны родителей могут наложить негативный отпечаток на жизнь женщины и стать причиной ее сексуальных расстройств.

Неприятная ситуация и кризис в интимной жизни пробуждают старые неосознанные страхи и запреты, которые являются причиной сексуальных проблем.

Я не буду переписывать учебники по сексологии, оставив ознакомление с ними для желающих и любопытных, а только упомяну весьма известный факт, о котором многие мужчины не знают: **женское либидо зависит от менструального цикла**. Речь идет о женщинах, которые не принимают гормональные противозачаточные таблетки.

В первой фазе менструального цикла с ростом уровня эстрогенов и тестостерона наблюдается рост влечения, который достигает апогея в период овуляции. Это сопровождается изменениями со стороны влагалища (меняется количество и качество влагалищных выделений), наружные половые органы и соски становятся более чувствительными, тело выделяет вещества, которые имеют специфический запах, привлекающий противоположный пол. Женщина может не чувствовать этого запаха, но он все равно есть и воздействует на обоняние мужчины.

Перед овуляцией выделяется больше окситоцина, поэтому многие женщины могут испытывать сокращения матки и даже оргазм, особенно во сне. Меняется и поведение женщин. Они становятся более раскованными, используют больше косметики, более яркую одежду.

Перед месячными, наоборот, уровни половых гормонов и эстрогенов падают, что уменьшает половое влечение. Дискомфорт из-за воздействия прогестерона (отечность тканей, вздутие живота, болезненность груди) тоже понижает либидо.

Интересно, что во время менструации сексуальное влечение может увеличиваться, в основном из-за повышенной чувствительности матки и ее сокращений под влиянием окситоцина. Многим женщинам во время месячных снятся эротические сны, сопровождающиеся оргазмом, им хочется иметь половую связь, но стыд за выделения подавляет это желание.

В период менопаузы у многих женщин отмечается снижение либидо из-за понижения уровня гормонов и возникновения неприятных симптомов, особенно сухости влагалища и некоторых изменений кожи наружных половых органов. Но часто добавляется и психологический фактор: страх старости и потери женственности после прекращения менструальных циклов.

Многие эндокринные заболевания могут сопровождаться понижением сексуального влечения. Чаще всего негативный эффект оказывают заболевания гипофиза, щитовидной железы, надпочечников. Механизм воздействия комплексный: от непосредственного влияния дисбаланса гормонального фона на мозг до специфической реакции со стороны репродуктивных органов, как и ряда других. Даже осознание самой болезни может подавлять желание секса.

Если понижение либидо связано с низким уровнем гормонов, то в ряде случаев могут быть назначены невысокие дозы тестостерона или эстрогена. Диагноз андрогенного дефицита, или недостаточности мужских половых гормонов, особенно у женщин в постменопаузе, оспаривается многими врачами, так как четких критериев для постановки этого диагноза не существует.

> До сих пор мы не знаем, каким же должен быть минимальный уровень тестостерона в организме женщины, хотя в каждой лаборатории имеются свои референтные значения таких показателей.

Однако исследования показали, что у женщин с низким уровнем тестостерона сексуальная активность может быть в полной норме. Как я упоминала в главе, посвященной половым гормонам, мужские половые гормоны являются предшественниками женских, поэтому их уровень может колебаться и меняться быстро, особенно с возрастом женщины. Многие клетки человеческого тела могут вырабатывать собственный тестостерон, используя его предшественник — прогестерон. Этот тестостерон может действовать на местном уровне, не попадая в общее кровяное русло женщины. Другими словами, действие тестостерона на сексуальное поведение женщины до сих пор является загадкой.

Чаще всего тестостерон применяют женщины в климактерическом периоде. Но проблема такого лечения состоит в том, что для женщины, в том числе и в постменопаузе, не так важны уровни мужских и женских половых гормонов, как их нормальная физиологическая пропорция. У женщин с климаксом нормальная пропорция между тестостероном и эстрогенами довольно высокая, и назначение тестостерона дополнительно часто приводит к нарушению этой пропорции и появлению серьезных побочных эффектов. Назначение эстрогенов, наоборот, приводит к выраженному понижению пропорции уровней половых гормонов, так как эстрогены понижают уровень свободного тестостерона. Комбинация обоих гормонов улучшает либидо и сексуальное влечение у постменопаузальных женщин, однако пока что такой вид лечения применяется редко, особенно у молодых женщин.

Синтетические эстрогены для повышения либидо тоже назначают женщинам в климактерическом периоде, нередко как часть заместительной гормональной терапии. Иногда рекомендуют гормональные кремы, особенно при наличии сухости слизистой влагалища и кожи вульвы. Данных о пользе таких видов лечения сексуальных расстройств не существует.

> **Для лечения сексуальной дисфункции у женщин детородного возраста препараты эстрогена не применяются.**

Помимо гормональных препаратов сексологи начали использовать ряд других лекарственных средств. Среди них — тиболон, который является стероидным препаратом (анаболиком) и назначается чаще всего женщинам в предклимаксе или климаксе с целью предотвращения потери костной ткани (профилактика остеопороза). Оказалось, что прием тиболона повышает сексуальное возбуждение, хотя исследования проводились на здоровых женщинах, то есть на тех, которые не жаловались на сексуальную дисфункцию.

356

Существуют и другие лекарственные препараты для повышения сексуального влечения, но они имеют очень много побочных эффектов. Женской «Виагры» до сих пор нет, хотя на рынке периодически появляются препараты, которые преподносятся как очередная панацея в лечении женских сексуальных расстройств.

Оргазм и всплеск гормонов

Вокруг оргазма существует немало мифов и слухов, особенно о видах женского оргазма, который на самом деле всегда один — просто оргазм. Но некоторые женщины настолько концентрируют внимание на поисках влагалищного оргазма, что перестают наслаждаться половой жизнью вообще.

Также оргазму приписывают нередко чрезмерно много положительных факторов воздействия на человеческий организм, объясняя это и всплеском гормонов, и энергетическим всплеском, и выделением различных веществ.

Любой половой акт имеет стадийность (фазность), хотя не все стадии могут присутствовать у конкретной пары по разным причинам. Первая фаза, возбуждение, начинается до введения полового члена во влагалище. Фактически для стадийности сексуальной реакции не имеет значения, вводится ли пенис или другие предметы. При мастурбации человек проходит все те же 4 стадии, как и при половом акте. Ощущения при каждой стадии-фазе могут быть разными в зависимости от вида и техники секса, и не всегда достигается оргазм, хотя сексуальное удовольствие может быть и не меньше.

Вторая фаза — это фаза плато, или, другими словами, фаза кратковременного «затишья перед бурей» — перед оргазмом. По длине эта фаза может быть разной у каждого человека, она или переходит в третью фазу, или на этом сексуальная реакция утихает. Многие женщины настолько концентрируются на страхе не получить оргазм, что застревают на конце первой фазы, не дойдя даже до второй. Стадия плато чаще возникает автоматически перед оргазмом, поэтому ее труднее контролировать. Хотя некоторые техники секса позволяют задержать появление оргазма. Тантрический секс обучает приемам задержки наступления оргазма на фоне длительного возбуждения — «растягивание удовольствия», но это нравится далеко не всем.

Третья фаза — это сам оргазм, и считается, что это «высочайшая точка» в ощущениях. Описать состояние оргазма непросто — сколько людей, столько ощущений. В литературе, как научной, так и популярной, слово оргазм часто называют «О-слово».

И последняя, четвертая фаза — фаза резолюции (разрешения, удовлетворения), или посторгазмическая.

Без первых двух фаз третьей не бывает, то есть без соответствующего возбуждения и подготовки половых органов к оргазму он не наступит.

Женщины обычно проходят сексуальные фазы медленнее, чем мужчины. Мужчины могут испытать все четыре фазы в течение 4–5 минут. У женщины от 10 до 20 минут уходит только на первые две фазы, чтобы получить оргазм. Половина женщин достигает оргазма в течение 10–12 минут, остальным необходимо больше времени для подготовки. В начале половой жизни, когда присутствует половое влечение, чувство любви между партнерами, у 25% женщин оргазм наступает в течение 1 минуты после введения полового члена во влагалище.

Оргазмируют не только женщины, но и мужчины. Фактически эякуляция (семяизвержение) и есть оргазм, при котором мужчина испытывает огромное удовольствие. С возрастом мужчины испытывают оргазм реже, увеличиваются трудности в его получении (проблемы с эрекцией и эякуляцией), и, наоборот, больше женщин с возрастом испытывают оргазм — сказывается опыт сексуальных отношений, лучшее понимание собственного тела, лучший контроль предупреждения беременности. Но так как с возрастом у женщин уменьшается частота половых контактов, частота возникновения оргазма тоже уменьшается.

А почему людям так нравится говорить только о женском оргазме? Потому что у женщин можно изобрести и влагалищный, и клиторный, и анальный оргазмы. Также придумали для разнообразия сосочковый и грудной оргазмы. Мало того, некоторые люди проповедуют «мысленный» оргазм, который можно достичь сознанием и некоторыми приемами, позаимствованными из йоги. Немало также споров на тему женской эякуляции.

Данные о том, сколько пар получают оргазм одновременно, противоречивые, так как обычно опрос женщин и мужчин проводится отдельно: 25% мужчин и 14% женщин утверждают, что в их отношениях одновременное получение оргазма является обязательным. Оральный секс тоже приносит немало удовольствия, особенно женщинам: 10% мужчин и 18% женщин достигают оргазма при таком виде сексуальной активности.

Интересно, что представление об оргазме в прошлом было не просто странным, но и весьма анекдотичным, особенно если вопрос касался женщин. Так как оргазм чаще наблюдался в период овуляции, то ошибочно считалось, что он является показателем овуляции, а значит, обязательно произойдет зачатие, или, как называли в те далекие времена, инсеминация. В Лондоне в 1660-х годах мужчины боялись женщин, испытывающих оргазм, так как думали, что из-за оргазма они забеременеют. Такое понимание оргазма у женщин критиковалось многими врачами и учеными, однако некоторые считали, что благодаря оргазму женщина может контролировать количество спермы, которое попадет в матку для оплодотворения яйцеклетки, и выбирать партнеров с качествами, желательными для будущего ребенка. Другими словами, ошибочно считали, что женщина может иметь несколько партнеров, но забеременеет она от того, с которым получит оргазм.

Сексуальное возбуждение активирует определенные зоны коры головного мозга и через импульсы по волокнам спинного мозга приводит к кровенаполнению мышц влагалища за счет расширения просвета артериальных сосудов. Такой процесс возможен благодаря выработке особых веществ — вазоактивного интестинального пептида (особый вид белка) и окиси азота. Также во время оргазма выделяется окситоцин и DHEA, ряд других гормонов. Как раз роль гормонов в возникновении оргазма не изучена.

Пробелы в понимании самого механизма оргазма и роли гормонов в нем привели к появлению большого количества мифов о пользе секса. Например, один из них: секс уменьшает боль. Это относится чаще всего к женщинам. Откуда-то взялось утверждение, что уровень окситоцина (гормон, вырабатываемый гипофизом) в сыворотке крови женщин повышается в пять раз непосредственно перед оргазмом. Раз уровень окситоцина повышается, значит, уменьшается любая боль, начиная с головной и заканчивая артритной, и, естественно, боль перед менструацией.

Оказывается, в 1987 году Кармичел с коллегами опубликовали статью, в которой говорится, что у мужчин и женщин уровень окситоцина повышается перед оргазмом и держится высоким приблизительно в течение 5 минут, а потом приходит в норму. Публикаций других ученых на эту тему было несколько, и они подтвердили, наоборот, незначительное и непродолжительное (не больше 1 минуты) повышение уровня окситоцина при оргазме.

Таким образом, даже если окситоцин повышается незначительно (не в пять раз!) у некоторых мужчин и женщин перед или во время оргазма, это повышение настолько кратковременное, что вряд ли может положительно влиять на хроническую боль в разных частях тела. Кроме того, окситоцин у женщин вырабатывается и выделяется импульсно, и этот процесс зависит от многих факторов, в том числе дня менструального цикла, наличия и периода беременности, о чем уже упоминалось в других главах этой книги. Ученые не знают, насколько повышение окситоцина может влиять не только на уменьшение боли, но и вообще на сексуальную функцию человека, так как роль окситоцина в этом отношении изучена не до конца, а поэтому вызывает немало спекуляций среди некоторых «защитников» секса.

«Гормональному всплеску» во время оргазма приписывался лечебный эффект и для остеопороза. Остеопороз — это чаще всего возрастные изменения костно-суставной системы, сопровождающиеся потерей кальция костной тканью и, как следствие, увеличением числа переломов костей и другими признаками. Хотя остеопорозом могут болеть мужчины (20%) и женщины (80%) любого возраста, однако чаще всего это болезнь женщин в климактерическом периоде.

Исследования влияния тестостерона на организм женщин, особенно старшего возраста, показали, что искусственное повышение его уровня может улучшить либидо и качество полового акта, а так как тестостерон положительно воздействует на мышечную и костную ткань, а именно на обмен веществ в этих тканях, то логически вытекает вывод, что он будет полезен для женщин, страдающих остеопорозом, или сможет предотвратить развитие заболевания.

Хотя уровень тестостерона может незначительно повышаться перед половым актом и во время его, однако это повышение кратковременное. Канадский психолог Сари ван Андерс, изучавший уровень тестостерона у женщин и мужчин до и после полового акта (этот ученый посвятил очень много времени вопросам уровня тестостерона у людей), в многочисленных выступлениях и публикациях утверждает, что даже если уровень тестостерона повышается после секса и интимных отношений, насколько это повышение полезно для женского организма, ученые не знают. Поэтому утверждение о пользе секса и оргазма для профилактики и лечения остеопороза являются спекулятивными.

Частота половых актов и гормональный фон

Сторонники (любители) секса оправдывают частоту половых актов их пользой для здоровья человека. Противники (ненавистники) секса, наоборот, приводят примеры негативных последствий половых актов.

Во всей этой «битве» на тему секса важно увидеть и понять одну истину: **если половые акты осуществляются принудительно без согласия одного из партнеров, они никогда не будут приносить пользы. Здесь не важны ни частота половых актов, ни вид секса, ни позы.**

Секс у животных — это неотъемлемая часть реализации программы размножения, поэтому он происходит в брачные периоды, часто зависящие от сезонов года. Секс у людей превратился в инструмент получения удовольствия, поэтому приемлем в любое время года, дня, с любой частотой.

Нет такого понятия, как «много секса», если сам секс не вызывает дискомфорта у тех, кто им занимается. Одни пары предпочитают ежедневный секс, и даже несколько раз в день, другие — раз в неделю, месяц, год. Любая частота половых актов считается нормой, если не приводит к негативным последствиям и воспринимается сексуальными партнерами положительно. Поэтому «мало секса» тоже не бывает. Другое дело, что у партнеров могут быть совершенно разные потребности в количестве половых актов.

Для мужчин регулярная половая жизнь с точки зрения физиологии важнее, чем для женщин (здоровье женщины не зависит от частоты половых актов, если это не вызывает психологический дискомфорт и неудовлетворенность из-за отсутствия секса), но не из-за гормонального фона, а из-за простаты. Простата — это железа, которая вырабатывает жидкость (сок простаты), важный для формировании спермы. Застой этой жидкости может привести к нарушению функции простаты и другим негативным последствиям. Поэтому регулярное опорожнение простаты путем эякуляции через половой акт или мастурбацию необходимо для здоровья мужчин.

Как меняется гормональный фон, в том числе уровни половых гормонов, у мужчин и женщин в зависимости от частоты половых актов, никто не знает, так как эта тема не изучалась. Но в медицинской литературе было несколько публикаций о влиянии половых актов на овуляцию.

Изучение животных моделей привело к интересным результатам. Крысы часто используются в исследованиях, так как между многими процессами в их организме и у человека, как и в поведении, существует немало сходства. Но также имеется и немало различий. Например, овуляция у крыс происходит не спонтанно, как у женщин, а при коитусе. У самок крыс нет функционального желтого тела, и для его развития сигналы должны поступать из вульвы, влагалища и от шейки матки, что возможно при совокуплении в брачный период. Именно половая жизнь активирует функцию желтого тела и выработку прогестерона у крыс. Овуляция, вызванная коитусом, наблюдается также у мышей, кошек, верблюдов и лам.

У женщин основным триггером овуляции оказался не сам половой акт, а острый стресс, который может возникнуть из-за незапланированного полового акта или изнасилования.

> В 2001 году в медицинских кругах появилась статья, в которой авторы, американские ученые, утверждали, что уровень спонтанных зачатий после изнасилования выше, чем после обычного коитуса (8% по сравнению с 3,1%).

Если хронический стресс подавляет овуляцию, острый стресс приводит к всплеску уровня ЛГ, вызванному взаимодействием надпочечников и прогестерона. При этом уровень прогестерона, основным источником которого становятся надпочечники (при остром стрессе), повышается раньше, чем уровень ЛГ. Такое повышение наблюдается на фоне высокого уровня эстрогенов.

Многочисленные эксперименты на животных и клинические исследования на женщинах также показали, что острый стресс, в том числе вызванный введением веществ, вырабатывающихся при стрессе (гормонов стресса), по-разному влияет на овуляцию и яичники в зависимости от дня цикла. В середине фолликулярной фазы, в середине и в конце лютеиновой фазы наблюдается положительное, стимулирующее влияние, что не исключает возможности еще одной овуляции.

Величина доминантного фолликула, в отличие от тех, которые пройдут через фазу атрезии (постепенного уменьшения и рассасывания), составляет 10–17 мм (в предовуляционный период его диаметр увеличивается). Но во вторую фазу цикла в яичниках все еще могут находиться фолликулы размерами 15 мм и больше, которые начали рост вместе с доминантным фолликулом, но остановились. Все эти фолликулы, несмотря на прекращение роста, являются потенциальными пузырьками, способными к овуляции. У 10% здоровых женщин обнаружена вторая волна роста уровней ФСГ и ЛГ. Три волны роста уровней гонадотропинов в течение цикла, начиная с середины фолликулярной фазы, наблюдаются у 6% женщин. Повторная овуляция у таких женщин является крайне редким событием, но все же возможна.

Таким образом, незапланированный половой акт или изнасилование действительно может иметь связь со стимуляцией овуляции, особенно если случается в середине первой или второй фазы. Стимулируют ли регулярные половые отношения овуляцию, не сопровождающуюся стрессом? Скорее всего, у людей такого не происходит, в отличие от ряда представителей животного мира. Но все же более полный и точный ответ требует проведения дополнительных исследований.

Глава 11

Гормоны и кожные покровы

На страницах этой книги не раз говорилось о влиянии некоторых гормонов на состояние кожи. Отличным примером такого влияния являются менструирующие женщины, не пользующиеся гормональными контрацептивами. Многие из них могут отметить, что перед менструацией кожа становится жирной, появляются угри и прыщи, кожа более чувствительна к разным раздражителям. Но с окончанием менструации все происходит с точностью наоборот за счет повышения эстрогенов.

Кожа беременных женщин тоже претерпевает изменения под влиянием повышающихся уровней гормонов. Появляются пигментные пятна, особенно на лице (Chloasma), которые исчезают самостоятельно после родов. Темнеет кожа сосков и ареол, средней линии живота (Linea Nigra), вокруг глаз, что является нормой. Возникают растяжки кожи (Striae Gravidarum) в области живота, молочных желез, бедер, лечения от которых практически не существует. Повышается активность потовых желез, поэтому беременные женщины чаще потеют. В крови увеличивается особый вид белка — релаксин, который делает связки мягче и растяжимее, готовя женщину к родам.

Выпадение волос после прекращения приема КОК или после родов, сухость влагалища в менопаузе, пигментные пятна и другие изменения кожи во время беременности — все эти состояния и многие другие являются примером непосредственного влияния гормонов на кожные покровы.

В 2011 году немецкий дерматолог доктор Йорг Рейхрат опубликовал статью в одном из профессиональных журналов под названием «Гормоны и кожа: бесконечная история любви!». Этим названием сказано практически всё самое важное о взаимосвязи гормонов и кожи. Это как отношения между любящими мужем и женой: могут быть не только периоды взаимопонимания, но и недоразумений. Это также бесконечная любимая тема для исследователей и врачей всего мира.

Я часто называю кожу зеркалом внутреннего состояния человека в прямом и переносном смысле. Любое заболевание, а тем более сопровождающееся нарушением уровней гормонов, отразится на состоянии кожных покровов. Стресс, переживания, недосыпания, эмоциональные всплески тоже всегда сопровождаются изменениями кожи.

Старая медицинская школа уделяла очень много внимания изучению внешнего вида человека — его кожным покровам, которые являются реальными проекциями внутренних поломок, как своеобразный экран. Жаль, что современные врачи не умеют смотреть «документальный фильм» о человеке именно в таком исполнении.

Состояние кожи и гормоны

Кожа имеет уникальное строение и выполняет несколько важных функций. Это не только защитный покров для «костей да мышц». Она — терморегулятор человеческого тела. Выделение пота является охлаждающим «маневром» организма.

Кожа также выполняет очень важную функцию в усвоении щитовидных, паращитовидных, половых и ряда стероидных гормонов. В ней вырабатываются многие вещества, в том числе витамин Д.

Так как кожные покровы обширны по площади, то кожу можно смело назвать самым большим органом-мишенью для воздействия гормонов.

Важно напомнить, что кожа состоит из нескольких структурных единиц, основной тканью кожи является ороговевающий многослойный плоский эпителий. Имеются три слоя кожи: эпидермис, дерма и подкожно-жировая клетчатка (гиподерма). Я не буду вдаваться в подробности строения кожи, но уточню, что здоровье кожи зависит не от внешних источников жиров, витаминов, минералов и прочих веществ, а от состояния мелких сосудов (капилляров) и поступления через них всех необходимых питательных веществ. Без здорового питания не будет здоровой кожи!

> *Многочисленные внешние вмешательства (кремы, гели, маски и т.д.) не предотвращают старение кожи и практически не всасываются из-за того, что несколько слоев мертвых клеток плоского эпителия создают эффект панциря, не пропускающего почти ничего внутрь организма.*

Состояние кожи также контролируется генами, то есть существует наследственный фактор, определяющий окраску (количество меланоцитов), пропорцию жировой ткани, количество коллагена, процессы старения. Есть люди, которые без всяких вспомогательных процедур и технологий выглядят моложе своего биологического возраста. И наоборот, есть люди, внешний вид которых не соответствует возрасту: они выглядят старше. Масла в огонь добавляют вредные привычки — курение, алкоголь, наркотики и, конечно же, стресс.

Окраска кожи также может быть реакцией на изменение гормонального фона. Известен факт, что у некоторых женщин на фоне приема гормональных контрацептивов появляются пигментные пятна. Синдром поликистозных яичников и синдром Кушинга — это два самых частых эндокринных заболевания, проявляющихся видимыми изменениями кожи. А беременность — это королева многочисленных кожных проявлений: от пигментации и растяжек до дерматозов беременных (зуд, высыпания).

Кожа и возраст

Многие внешние факторы могут оказывать негативное влияние на состояние кожи: солнечные лучи, высокие и низкие температуры, сухость, химические вещества и другое. Но внутренние факторы играют не меньшую роль. Номер один среди них — старение. С возрастом уменьшается количество коллагена, эластина и гиалуроновой кислоты, которые являются тремя основными компонентами тканей кожи, и поэтому вокруг них тоже имеется немало спекуляций. С наступлением менопаузы потеря этих веществ ускоряется с каждым годом отсутствия менструации. Например, в среднем кожа теряет на 2,1% коллагена больше с каждым годом менопаузы.

Эластичность кожи полностью контролируется генами, поэтому количество коллагена и эластина в тканях невозможно изменить никакими вспомогательными методами. Однако частично на уровень этих веществ влияют половые гормоны.

Как показывают одни исследования, гормональная терапия повышает уровень коллагена у женщин в менопаузе (а не омолаживает яичники!). Но! Повышение не настолько сильное, чтобы оправдать ГТ как омолаживающее средство. К сожалению, этим злоупотребляют многие врачи, предлагая гормоны без реальных показаний, только на основании ложных убеждений, что их прием замедлит процессы старения. Данные о том, что эстрогены играют определенную роль в синтезе коллагена и контроле уровня гиалуроновой кислоты, не подтвердились другими исследованиями.

Существует также популярное мнение, что у женщин, длительно принимавших гормональные контрацептивы или заместительную гормональную терапию, количество и глубина морщин меньше по сравнению с теми, кто их не принимал. Но ряд серьезных исследований опровергли эти утверждения: гормональные препараты не понижают уровень морщин ни у женщин репродуктивного возраста, ни в постменопаузе.

В процессе старения кожи задействованы расовый и этнический факторы (что тоже связано с генами). Хотя темный цвет защищает кожу от ультрафиолетовых лучей, но скорость старения от этого не зависит. У людей, которые находятся под прямым воздействием солнечных лучей, кожа стареет одинаково. Чернокожие женщины могут иметь меньше морщин не из-за количества пигмента, а из-за особенностей строения кожи в целом.

Процесс старения кожи сопровождается также повышением ее сухости. И здесь важно заметить, что наложение толстых слоев крема сухость кожи не уменьшает. Существуют две группы кремов: на водной и на жировой основе. Кремы на водной основе увлажняют, а на жировой — делают кожу мягче. В уходе за кожей требуется использование двух видов кремов, которые должны наноситься с учетом времени суток, температуры внешней среды, состояния кожи. Кремы на жировой основе могут «забивать» поры кожи и ухудшать ее состояние.

Для профилактики сухости кожи женщина должна принимать достаточное количество жидкости, а также заниматься физкультурой, что повышает циркуляцию крови в коже, доставку к ней питательных веществ и выведение продуктов обмена, которые не выделились из организма с потом.

Эффективность приема коллагена, гиалуроновой кислоты и других добавок, в том числе в виде подкожных инъекций, для улучшения состояния кожи и ее омоложения не подтверждена ни одним серьезным клиническим исследованием, хотя это отрасль косметологии, а не дерматологии, поэтому процесс «омоложения» кожи не представляет интереса для практической медицины. Минус в том, что отсутствие достоверных научных данных об эффективности каких-то добавок создает пространство для ложных рекламных утверждений.

Акне

В мире практически нет такой девочки или женщины, которая не сталкивалась бы с прыщами на коже лица, а нередко и на других частях тела (спина, плечи, грудь). И хотя мы не используем такой медицинский терми, как акне, во всех случаях появления прыщей, но фактически акне — это воспалительный процесс волосяных мешочков (фолликулов) с вовлечением жировых желез. При этом наблюдается усиленный рост особых клеток — кератиноцитов, что также сопровождается повышенной выработкой жира.

До 85% всех подростков сталкивается с акне, и около 20% обращается к врачам за помощью из-за выраженного морального и физического дискомфорта. Поскольку на коже обитает большое количество бактерий, вовлечение микроорганизмов в воспалительный процесс может привести к ухудшению состояния кожи. Обычно воспаления кожи провоцирует особый вид бактерий — Propionibacterium acnes. Черные точечки, которые называют угрями, тоже являются видом акне.

Чаще всего акне встречается в возрасте 15–19 лет, и хотя истинной причины этого заболевания врачи не знают, повышение уровня мужских половых гормонов может быть определенным триггером в возникновении акне. Но появление прыщей на коже наблюдается и у взрослых женщин и часто связано с реакцией на перенесенный стресс, переутомление, голодание, недосыпание, ношение синтетической одежды.

Если раньше появление акне рассматривали как результат повышения мужских половых гормонов (гиперандрогения), сегодня основным ключевым моментом в развитии этого состояния считают генетический фактор, то есть существует наследственная зависимость.

Выделяют несколько видов акне, которые могут возникать не только в подростковом возрасте. Акне может проявляться как реакция на лекарственные препараты, на резкое изменение гормонального фона (гормональное акне, акне беременных) и по другим причинам.

Развитие акне имеет определенные этапы, но обычно все они протекают одновременно, и трудно определить, что запускает процесс и что играет большую роль: воспаление кожи, закупорка волосяного фолликула, размножение бактерий, выработка большого количества кожного жира.

Кожа играет важную роль в обмене половых гормонов, прогестерона и гормонов щитовидной железы. Дегидроэпиандростерон, (DHEA), DHEA-сульфат (DHEA-S) и андростендион превращаются в коже в тестостерон с участием сальных желез. Волосяные фолликулы, потовые железы, эпидермис и дерма тоже вовлечены в расщепление предшественников андрогенов в дигидротестостеон (DHT) и тестостерон, которые могут реагировать с подкожными железами. DHT является в 5–10 раз активнее тестостерона. В процессе обмена мужских половых гормонов задействованы многочисленные ферменты. Наследственный фактор играет роль как раз в случаях нарушения выработки некоторых ферментов (энзимов) и нейтрализации излишков гормонов кожей.

> *Аутоиммунные тиреоидиты сопровождаются выработкой антител, которые могут влиять на функцию сальных желез, вызывая чрезмерную продукцию кожного жира. Вопрос взаимосвязи щитовидной железы с возникновением акне сейчас интенсивно изучается рядом исследователей.*

В главах, посвященных гормонам надпочечников и реакции на стресс, я упоминала о кортикотропин-рилизинг-гормоне, кортикотропине и кортизоле, уровни которых меняются при стрессе. Эти гормоны также воздействуют на кожу, в частности на функцию сальных желез, поэтому неудивительно, что стрессовая реакция часто сопровождается кожными высыпаниями.

Несмотря на то, что акне чрезвычайно распространено среди подростков, как девочек, так и мальчиков, и у людей старше 20 лет, клинических исследований на тему акне очень мало. Это связано с тем, что в большинстве случаев акне проходит с возрастом само по себе без всякого лечения. У девушек с появлением регулярного менструального цикла, а также опыта по уходу за кожей лица акне постепенно исчезает и появляется чаще в зависимости от перенесенного стресса, в том числе эмоционального. Поэтому если девушке объяснить, что акне проходит со временем при здоровом образе жизни и правильном уходе за кожей, то это поможет и в улучшении состояния кожи.

Диагноз акне не требует обследования, тем более объемного, так как клиническая картина говорит сама за себя. Обследование может быть обосновано при тяжелом протекании заболевания и неэффективности разных методов лечения.

Самый первый шаг в устранении акне — это правильный уход за кожей. Многие женщины ошибочно считают, что чем агрессивнее «бороться» с прыщами, используя многочисленные средства по уходу за кожей, тем быстрее они избавятся от прыщей. Но поскольку это хроническая болезнь, связанная с колебаниями гормонов с каждым менструальным циклом, а также с образом жизни женщины и ее реакцией на стресс, то различные косметические средства не только не эффективны, но могут ухудшить состояние кожи еще сильнее.

Обычно у девушек и женщин ложное убеждение, что очистка кожи от жира, причем интенсивная, частое применение скрабов и пилингов поможет в обновлении кожи и избавлении от акне. Но чем больше кожу высушивать разными методами, тем больше жира будет вырабатываться, что ухудшит ситуацию. Иногда достаточно слегка теплой воды с периодическим использованием нейтрального мыла (через день) для успешной гигиены кожи. Частое мытье волос с попаданием шампуня и смягчителей на кожу лица может провоцировать возникновение акне, поэтому важно после принятия душа и мытья волос ополаскивать лицо чистой водой.

Женщины редко обращают внимание на реакцию кожи на колебания температуры окружающей среды. Холод и жара, а также резкая смена температуры (помещение — внешняя среда) значительно влияют на выработку кожного жира. Это своеобразная защитная реакция, и, если злоупотреблять чисткой кожи от жира, это приведет к повышению ее чувствительности и учащению воспалительной реакции.

Психологическая поддержка — это второй важный компонент в лечении акне. Эмоциональная реакция на состояние кожи сопровождается возникновением порочного круга, который не позволяет всем другим мероприятиям оказать положительный эффект. Консультация психотерапевта или психолога зачастую не назначается, хотя она может помочь даже больше, чем медикаментозное лечение.

На современном рынке имеется огромное количество медикаментов и альтернативных средств для лечения акне, и большинство из них можно приобрести без рецепта не только в аптеках, но и в салонах красоты, супермаркетах и магазинах, в том числе онлайн. Продажа разных средств по уходу за кожей стала коммерчески выгодным направлением, приносящим огромные доходы производителям и продавцам.

Медикаментозные средства включают разные группы препаратов: витамины (в частности, синтетические заменители витамина А), антибиотики, стероидные и гормональные препараты, антиандрогены и др. Предпочтение отдают местному лечению, так как оно эффективнее и с меньшим количеством побочных эффектов. Нередко используют комбинацию препаратов.

Гормональные контрацептивы, и особенно синтетические прогестины нового поколения, положительно влияют на состояние кожи и могут помочь в избавлении от акне. Но современные рекомендации рассматривают такое лечение как не самое оптимальное, особенно для подростков. Гормоны могут быть назначены в тех случаях, когда имеются гормональные нарушения, а также когда требуется надежная контрацепция. Использование гормональных контрацептивов не обладает преимуществом в эффективности лечения акне по сравнению с другими методами, поэтому не должно применяться без строгих показаний.

Существует также большое количество альтернативных методов лечения (лазер, терапия светом, фотодинамическая терапия и др.), сведения об эффективности которых противоречивые. Также много споров о продолжительности лечения, устойчивости бактерий к антибиотикам и рациональности применения антибиотиков для лечения акне. Так как в процессе лечения акне могут участвовать не только врачи, но и косметологи, и другие специалисты, то нередко суммарный эффект может оказаться негативным.

Таким образом, чрезвычайно важно при наличии акне не перегибать палку в обследовании и лечении, особенно самостоятельном, а обратиться к врачу, специализирующемуся на этих вопросах.

Волосы и гормоны

От уровня гормонов зависит и состояние волос. Хотя их количество, натуральная окраска и структура полностью контролируются генами (наследственным фактором), тем не менее многие люди могут отметить изменение качества волос на фоне разных гормональных нарушений.

Щитовидная и паращитовидная железы, надпочечники, поджелудочная железа (инсулин) и гонады сильнее всего воздействуют на здоровье волос.

Самыми распространенными состояниями волосяного покрова, зависящими от гормонального фона, являются потеря волос (алопеция) и гирсутизм.

Причины алопеции у мужчин и женщин разные. Если у мужчин важную роль играют мужские половые гормоны, у женщин основными причинами являются резкие смены уровней половых гормонов и стресс. Именно поэтому потеря волос наблюдается в подростковом периоде, после приема гормональных контрацептивов и в послеродовом периоде. Стрессовая алопеция — это самый частый вид облысения среди женщин репродуктивного возраста. К счастью, такой вид алопеции чаще всего обратимый, то есть волосы возвращаются в норму.

Мало волос — плохо, но, оказывается, для многих женщин проблема, когда волос много.

Гирсутизм

Рост волос у подростков и молодых женщин, которые следуют современной моде «чистой кожи», всегда вызывает немало слез, разочарования, поиска возможных причин такой «волосистости». Восприятие в обществе «волосистости» женщин (да и мужчин) кардинально поменялось за последние 50 лет. Интересно, что на старых фотографиях все еще популярных звезд кино и эстрады (фотографии их молодости) и в фильмах, снятых вплоть до конца 70-х годов прошлого столетия, можно увидеть волосатые ноги, волосы в подмышечной области и на лобке (в нудистских сценах). До сих пор во многих регионах мира волосатость считается нормой человеческой жизни, за исключением редких случаев. Мода на «отсутствие волос» практически везде (плюс искусственно созданные брови и ресницы) доминирует среди современных женщин репродуктивного возраста во многих странах мира, чаще всего у жительниц городов.

Количество волос на коже человека в первую очередь зависит от наследственного фактора, так как фолликулярный аппарат волос закладывается и развивается еще в эмбриональный период. Другие факторы, которые влияют на рост волос, — это уровень и процесс обмена мужских половых гормонов, концентрация в крови белка, связывающего половые гормоны, чувствительность волосяной луковицы к андрогенам. При наличии инфекции кожи (акне) чувствительность волос к андрогенам повышается.

> Андрогены не воздействуют на рост пушковых волос, то есть они андрогенонезависимые. Длинные волосы растут под влиянием ряда гормонов. Поэтому, когда женщина жалуется, что на подбородке и щеках у нее появился пушок, это не проявление болезни.

Гирсутизм — это усиленный рост волос по мужскому типу оволосения, возникающий под воздействием повышенного уровня мужских половых гормонов: на кончике носа (в ноздрях), над верхней губой, на подбородке, щеках (бакенбарды), ушных раковинах, спине, груди, вокруг сосков, в подмышечных впадинах, внизу живота, на лобке, на передней поверхности бедер. Повторю еще раз, что оволосение в этих частях тела наблюдается и в норме, поэтому оценка состояния должна быть трезвой.

Намного хуже, когда возникает такое явление, как вирилизация, требующее неотложной диагностики. Вирилизация включает в себя гирсутизм, а также другие признаки омужествления: снижение тембра голоса, развитие мышц по мужскому типу, увеличение клитора, рост и распределение волос по мужскому типу, залысины на висках, акне. Вирилизация происходит чаще всего при высоких уровнях андрогенов в крови, которые вырабатываются опухолями яичников или надпочечников. У таких женщин часто прекращаются менструации.

Еще одно состояние, которое связано с повышенным ростом волос, — гипертрихоз, то есть, количественное увеличение волос на теле. При этом уровень мужских половых гормонов в норме. Гипертрихоз часто бывает проявлением конституции, может наблюдаться в роду (наследственное состояние), может быть проявлением как нормы, так и заболевания.

Внезапно возникший или прогрессирующий гирсутизм является признаком нарушения гормональных процессов в женском организме, в первую очередь сигналом о повышенном уровне андрогенов, что часто наблюдается при ряде эндокринно-метаболических заболеваний, таких, как синдром поликистозных яичников, синдром Кушинга, врожденная гиперплазия надпочечников, гормонально активная опухоль яичников. Иногда гирсутизм может появляться в результате нарушения выработки и обмена мужских половых гормонов без наличия заболевания или опухоли. Но чаще всего гирсутизм является конституциональным (семейным), то есть имеет наследственный характер. Он также может возникать при приеме ряда медицинских препаратов, повышающих уровень мужских половых гормонов.

Очень важным ключом к выяснению причины гирсутизма является опрос и осмотр женщины. Многие врачи рекомендуют фотографировать участки наибольшего оволосения для определения эффективности лечения или наблюдения. Существуют специальные шкалы и системы баллов, по которым определяется степень развития гирсутизма. Лабораторными анализами следует исключить опухоли яичников, вырабатывающие андрогены.

Выбор лечения зависит от степени проявления гирсутизма. Всегда нужно помнить, что гирсутизм — это не заболевание, а признак возможных гормональных нарушений. Лечение гирсутизма может быть медикаментозным и/или косметическим. При семейном гирсутизме часто пользуются методами временного или постоянного удаления волос. Выбор метода лечения — прерогатива врача.

Косметика с гормонами

Практически все гормональные препараты (а их несколько сот наименований, если не больше) не продаются без назначения врача (без рецепта) во многих странах мира. Они также запрещены в косметических товарах и средствах по уходу за кожей в развитых странах. Поэтому если используются какие-то гормональные вещества, то это могут быть предшественники гормонов растительного происхождения (фитостеролы), о которых я уже упоминала, или продукты обмена (метаболиты) гормонов без гормональной активности.

> В странах, где нет четкого контроля состава косметических продуктов, ингредиентами могут оказаться и гормоны, чаще всего стероиды, анаболики, гормон роста.

Некоторые производители косметики и средств по уходу за кожей, чтобы обойти контроль состава продукции, используют растительное и животное сырье в виде экстрактов, вытяжек, отваров (например, вытяжка плаценты), парабены и их производные.

Из всех гормонов прогестерон чаще всего применяют вне медицины без всякого контроля. В наше время через Интернет и в ряде «магазинов здоровья» продается большое количество косметических, гигиенических продуктов, товаров по «омоложению» или «предотвращению старения», всевозможных БАДов и пищевых добавок, которые содержат микронизированный прогестерон.

Обычно в рекламе таких товаров убедительно звучат фразы о повышении сексуального влечения и потенции, подавлении «эстрогенного доминирования», о поддержке простаты, улучшении и омоложении кожи. В этих товарах не указывается процентное содержание прогестерона, а нередко и количественное, поскольку контроля их производства нет в большинстве стран мира. И даже если в одной стране продажа таких товаров запрещена, покупка через Интернет «для личного пользования» позволяет их пересылать в любую точку мира.

Парабены не являются гормональными веществами, хотя выдаются за таковые в рекламе и ряде публикаций. Их непосредственное воздействие на организм до сих пор не изучено (читайте о фитоэстрогенах выше), как и не доказаны их эффективность и безопасность.

В реальности мы не знаем, насколько такая косметика и другие средства по уходу за кожей и волосами полезны, насколько они вредны, если быть честными и не поддаваться влиянию рекламы и предостережениям некоторых врачей. Но так как это чисто коммерческие товары, популярность которых растет с каждым годом все больше, то право выбора и пользования остается все же за клиентом.

Заключение

Благодарю всех, кто дочитал книгу до этих строк. Да, пришла пора поставить точку, хотя вопрос роли гормонов в жизни человека остается открытым.

Для меня создание книг — это всегда удовольствие. Я работаю над ними в состоянии вдохновения, с улыбкой на лице и умиротворением от осознания того, что я могу делиться интересной и важной информацией с другими людьми. Но чем больше знаешь, тем труднее выбрать самое необходимое, а главное — вовремя поставить точку.

С одной стороны, я оставляю многое недосказанным для новых книг. С другой стороны, надеюсь, что даже такой объем книги внес в вашу жизнь много новых, интересных и полезных знаний, которые пригодятся вам в понимании своего собственного тела, как и своих гормонов.

Много дополнительной информации на тему здоровья, особенно женского, есть на моем официальном сайте, а также на моих страницах в популярных социальных сетях. Я всегда стараюсь делиться самыми новыми и самыми достоверными данными науки и медицины и рассказывать о них самым доступным языком.

Хочу выразить огромную благодарность моей команде, а также сотрудникам издательства «Эксмо», которые заинтриговали меня темой гормонов и вдохновили на создание этой книги. Спасибо всем читателям за то, что в опроснике на моих страницах о том, какую книгу они хотели бы получить от меня в первую очередь, почти единогласно выбрали книгу о гормонах. Ваши мечты сбылись, как и мои тоже!

Спасибо моей любимой семье и друзьям, которые поддерживали меня в процессе создания этого колоссального и уникального труда.

Я не прощаюсь с вами, потому что впереди много публикаций, в том числе книг, лекций, семинаров, видео. Если среди моих читателей появились новые благодаря этому труду, я рада и надеюсь, что это не последняя моя книга, которая вас заинтересует.

Будьте здоровы!

Ваша Елена Березовская.

Предметный указатель

Научно-популярное издание

Березовская Елена Петровна

ЭТО ВСЕ ГОРМОНЫ!
Зачем нашему телу скрытые механизмы
и как с ними поладить

Главный редактор *Р. Фасхутдинов*
Руководитель отдела *Т. Решетник*
Руководитель направления *Н. Румянцева*
Ответственный редактор *Н. Андреева*
Младший редактор *К. Борисова*
Художественный редактор *А. Корнейчук*
Технический редактор *О. Куликова*
Компьютерная верстка *В. Никитина*

ООО «Издательство «Эксмо»
123308, Москва, ул. Зорге, д. 1. Тел.: 8 (495) 411-68-86.
Home page: www.eksmo.ru   E-mail: info@eksmo.ru
Өндіруші: «ЭКСМО» АҚБ Баспасы, 123308, Мәскеу, Ресей, Зорге көшесі, 1 үй.
Тел.: 8 (495) 411-68-86.
Home page: www.eksmo.ru   E-mail: info@eksmo.ru.
Тауар белгісі: «Эксмо»
Интернет-магазин : www.book24.ru

Интернет-магазин : www.book24.kz
Интернет-дүкен : www.book24.kz
Импортёр в Республику Казахстан ТОО «РДЦ-Алматы».
Қазақстан Республикасындағы импорттаушы «РДЦ-Алматы» ЖШС.
Дистрибьютор и представитель по приему претензий на продукцию,
в Республике Казахстан: ТОО «РДЦ-Алматы»
Қазақстан Республикасында дистрибьютор және өнім бойынша арыз-талаптарды
қабылдаушының өкілі «РДЦ-Алматы» ЖШС,
Алматы қ., Домбровский көш., 3«а», литер Б, офис 1.
Тел.: 8 (727) 251-59-90/91/92; E-mail: RDC-Almaty@eksmo.kz
Өнімнің жарамдылық мерзімі шектелмеген.
Сертификация туралы ақпарат сайтта: www.eksmo.ru/certification
Сведения о подтверждении соответствия издания согласно законодательству РФ
о техническом регулировании можно получить на сайте Издательства «Эксмо»
www.eksmo.ru/certification
Өндірген мемлекет: Ресей. Сертификация қарастырылмаған

Подписано в печать 19.03.2019. Формат 70x90^1/$_{16}$.
Гарнитура «CharterITC». Печать офсетная. Усл. печ. л. 28,0.
Тираж 4 000 экз. Заказ № 6356.

Отпечатано в ООО «Тульская типография».
300026, г. Тула, пр. Ленина, 109.

16+

Оптовая торговля книгами «Эксмо»:
ООО «ТД «Эксмо». 123308, г. Москва, ул.Зорге, д.1, многоканальный тел.: 411-50-74.
E-mail: reception@eksmo-sale.ru

По вопросам приобретения книг «Эксмо» зарубежными оптовыми
покупателями обращаться в отдел зарубежных продаж ТД «Эксмо»
E-mail: international@eksmo-sale.ru

International Sales: International wholesale customers should contact
Foreign Sales Department of Trading House «Eksmo» for their orders.
international@eksmo-sale.ru

По вопросам заказа книг корпоративным клиентам, в том числе в специальном
оформлении, обращаться по тел.: +7 (495) 411-68-59, доб. 2261.
E-mail: ivanova.ey@eksmo.ru

Оптовая торговля бумажно-беловыми
и канцелярскими товарами для школы и офиса «Канц-Эксмо»:
Компания «Канц-Эксмо»: 142702, Московская обл., Ленинский р-н, г. Видное-2,
Белокаменное ш., д. 1, а/я 5. Тел./факс +7 (495) 745-28-87 (многоканальный).
e-mail: kanc@eksmo-sale.ru, сайт: www.kanc-eksmo.ru

В Санкт-Петербурге: в магазине «Парк Культуры и Чтения БУКВОЕД», Невский пр-т, д. 46.
Тел.: +7(812)601-0-601, www.bookvoed.ru

Полный ассортимент книг издательства «Эксмо» для оптовых покупателей:
Москва. ООО «Торговый Дом «Эксмо». Адрес: 123308, г. Москва, ул.Зорге, д. 1.
Телефон: +7 (495) 411-50-74. E-mail: reception@eksmo-sale.ru
Нижний Новгород. Филиал «Торгового Дома «Эксмо» в Нижнем Новгороде. Адрес: 603094,
г. Нижний Новгород, ул. Карпинского, д. 29, бизнес-парк «Грин Плаза».
Телефон: +7 (831) 216-15-91 (92, 93, 94). E-mail: reception@eksmonn.ru
Санкт-Петербург. ООО «СЗКО». Адрес: 192029, г. Санкт-Петербург, пр. Обуховской Обороны,
д. 84, лит. «Е». Телефон: +7 (812) 365-46-03 / 04. E-mail: server@szko.ru
Екатеринбург. Филиал ООО «Издательство Эксмо» в г. Екатеринбурге. Адрес: 620024,
г. Екатеринбург, ул. Новинская, д. 2щ. Телефон: +7 (343) 272-72-01 (02/03/04/05/06/08).
E-mail: petrova.ea@ekat.eksmo.ru
Самара. Филиал ООО «Издательство «Эксмо» в г. Самаре.
Адрес: 443052, г. Самара, пр-т Кирова, д. 75/1, лит. «Е».
Телефон: +7(846)207-55-50. E-mail: RDC-samara@mail.ru
Ростов-на-Дону. Филиал ООО «Издательство «Эксмо» в г. Ростове-на-Дону. Адрес: 344023,
г. Ростов-на-Дону, ул. Страны Советов, д. 44 А. Телефон: +7(863) 303-62-10. E-mail: info@rnd.eksmo.ru
Центр оптово-розничных продаж Cash&Carry в г. Ростове-на-Дону. Адрес: 344023,
г. Ростов-на-Дону, ул. Страны Советов, д. 44 В. Телефон: (863) 303-62-10.
Режим работы: с 9-00 до 19-00. E-mail: rostov.mag@rnd.eksmo.ru
Новосибирск. Филиал ООО «Издательство «Эксмо» в г. Новосибирске. Адрес: 630015,
г. Новосибирск, Комбинатский пер., д. 3. Телефон: +7(383) 289-91-42. E-mail: eksmo-nsk@yandex.ru
Хабаровск. Обособленное подразделение в г. Хабаровске. Адрес: 680000, г. Хабаровск,
пер. Дзержинского, д. 24, литера Б, офис 1. Телефон: +7(4212) 910-120. E-mail: eksmo-khv@mail.ru
Тюмень. Филиал ООО «Издательство «Эксмо» в г. Тюмени.
Центр оптово-розничных продаж Cash&Carry в г. Тюмени.
Адрес: 625022, г. Тюмень, ул. Алебашевская, д. 9А (ТЦ Перестройка+).
Телефон: +7 (3452) 21-53-96/ 97/ 98. E-mail: eksmo-tumen@mail.ru
Краснодар. ООО «Издательство «Эксмо» Обособленное подразделение в г. Краснодаре
Центр оптово-розничных продаж Cash&Carry в г. Краснодаре
Адрес: 350018, г. Краснодар, ул. Сормовская, д. 7, лит. «Г». Телефон: (861) 234-43-01(02).
Республика Беларусь. ООО «ЭКСМО АСТ Си энд Си». Центр оптово-розничных продаж
Cash&Carry в г.Минске. Адрес: 220014, Республика Беларусь, г. Минск,
пр-т Жукова, д. 44, пом. 1-17, ТЦ «Outleto». Телефон: +375 17 251-40-23; +375 44 581-81-92.
Режим работы: с 10-00 до 22-00. E-mail: exmoast@yandex.by
Казахстан. РДЦ Алматы. Адрес: 050039, г. Алматы, ул. Домбровского, д. 3 «А».
Телефон: +7 (727) 251-59-90 (91,92). E-mail: RDC-Almaty@eksmo.kz
Интернет-магазин: www.book24.kz
Украина. ООО «Форс Украина». Адрес: 04073 г. Киев, ул. Вербовая, д. 17а.
Телефон: +38 (044) 290-99-44. E-mail: sales@forsukraine.com

Полный ассортимент продукции Издательства «Эксмо» можно приобрести в книжных
магазинах «Читай-город» и заказать в интернет-магазине www.chitai-gorod.ru.
Телефон единой справочной службы 8 (800) 444 8 444. Звонок по России бесплатный.

Интернет-магазин ООО «Издательство «Эксмо»
www.book24.ru
Розничная продажа книг с доставкой по всему миру.
Тел.: +7 (495) 745-89-14. E-mail: imarket@eksmo-sale.ru

ISBN 978-5-04-101870-2

9 785041 018702 >

BOOK24.RU
ИНТЕРНЕТ-МАГАЗИН

BOOK24.RU

EKSMO.RU
новинки издательства

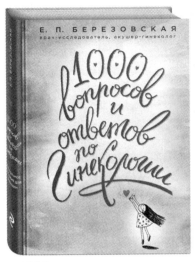
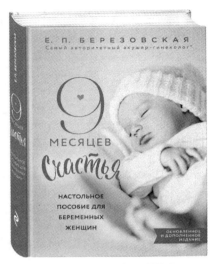